CW00435423

www.tredition.de

Anja König

Schamanen-witterung

Rat der Fünf

© 2020 Anja König

Verlag und Druck:
tredition GmbH, Halenreie 40-44, 22359 Hamburg

ISBN
Paperback: 978-3-347-17890-8
Hardcover: 978-3-347-17891-5
e-Book: 978-3-347-17892-2

Prolog

In der Raumstation liefen die Nachrichten wie immer im Hintergrund. Die Forscher und Ingenieure vom Hauptquartier sendeten jeden Tag die gesamten News live aus der Welt zu ihnen rauf. Das Grausame war für die drei Astronauten an Bord, dass man dadurch so deutlich sah, wie die Anzahl der Kriege immer weiter anstieg. In jedem Winkel der Erde wurde gekämpft. Doch es waren nicht nur die Kämpfe unter den Staaten, die weiter zunahmen. Es geschahen auch mehr Morde, Schießereien und Totschläge, bei denen die Leichen brutal zugerichtet wurden. Diese seltsamen Fälle zeichneten sich dadurch aus, dass die Opfer teilweise blutleer waren, andere hatten Bissspuren, wieder andere noch seltsamere Verletzungen. Außerdem verschwanden mehr und mehr Menschen spurlos, besonders in dem kanadischen Bundesstaat British Columbia.

Durch diese Übersättigung an schlechten Nachrichten war es nicht verwunderlich, dass keiner der Astronauten auf die Nachrichten achtete.

Und dann war es plötzlich still. Die Astronauten hatten gerade ihre Mahlzeit beendet, als plötzlich der Nachrichtensprecher mitten im Satz verstummte. Die Astronauten schauten einander an und drehten sich um.

Im Fernseher war der Sprecher zusammengesunken. Jedoch kam ihm niemand zur Hilfe. Auch nach einer Minute war nichts zu sehen oder zu hören. Einer der Astronauten griff nach dem Kommunikationsgerät, welches an der Konsolenwand neben den ganzen Messgeräten befestigt war, und sprach zum Hauptquartier.

„Hier spricht Astronaut Alessio. Bitte um Antwort. Bitte um Antwort. Der Nachrichtensprecher von CNN ist umgekippt. Was ist passiert?"

Es kam nur ein Rauschen zurück. Ratlos schaute Alessio zu den anderen. Beide zuckten mit den Schultern.

Schließlich entschied Alessio: „Lasst es uns später nochmal probieren."

Die beiden anderen schauten sich kurz an und zuckten wie immer nur die Schultern. Sie waren nicht gerade die Entscheidungsträger in ihrem Trio. Zwanzig Minuten später startete Alessio einen neuen Versuch, doch auch jetzt herrschte nur Rauschen. Alle drei schauten aus dem Fenster und konnten sehen, wie in einigen Teilen der Erde mit einem Mal die Lichter ausgingen.

In den nächsten zwei Tagen, in denen kein Kontakt hergestellt werden konnte, wurden auch die übrigen Lichter weniger, bis die Erde in der Nacht komplett dunkel war. So dunkel, wie sie es seit der Erfindung der Elektrizität nicht mehr gewesen war.

Nach knapp sieben Tagen hielten die drei Astronauten es nicht mehr aus. Sie hatten in der letzten Woche nicht ein einziges Lebenszeichen von irgendeinem Menschen erhalten. Alle drei befürchteten das Schlimmste. War ein tödliches Virus über die Menschheit hinweggerast? Oder eine Supervulkan ausgebrochen? Nein, das konnte nicht sein. Das hätten sie definitiv mitbekommen. Doch was war nur passiert?

Alessio traf nun die Entscheidung für die drei zusammen und sprach diese schließlich aus: „Leute, ich denke, wir müssen auf die Erde zurück. Wir haben nur noch für zwei Wochen Sauerstoff und Nahrung. Lasst uns in den nächsten Tagen die manuellen Berechnungen für einen Landeanflug beginnen. Da wir die nötigen Rechenzentren auf der Erde nicht mehr kontaktieren können, wird es keine Möglichkeit geben, dass wir auf eine der zahlreichen Simulationen zurückgreifen können. Vielleicht können wir durch den Rückflug diese ganze verrückten Situation aufklären und unsere Familien retten, soweit sie überhaupt noch am Leben sind."

Eine Woche später begannen die Astronauten in ihrer Raumkapsel, langsam ihre Flughöhe zu verringern. Nach und nach traten sie in die Erdatmosphäre ein. Alle drei hofften, dass ihre Berechnungen fehlerfrei waren. Schon der kleinste Fehler würde ihnen das Leben kosten. Langsam begann die Luft um der Raumkapsel herum rot zu glühen und die Kapsel vibrierte immer stärker. Allerdings verloren die beiden anderen Astronauten nacheinander etwa zehn Kilometer über der Erdoberfläche das Bewusstsein und auch Alessio hatte sehr zu kämpfen, dass er nicht ohnmächtig wurde. Etwas zehrte an seinem Bewusstsein, als wollte es aus ihm herausziehen. Er durfte die Cockpitinstrumente jetzt nicht aus den Augen verlieren. Es ging hier um Leben und Tod, während sie der Erdoberfläche rasend näherkamen. Nur mit Mühe konnte er sich an die berechnete Flugbahn durch einzelne Schübe der Steuerdüsen halten.

Nach endlosen Minuten im Kampf gegen die Bewusstlosigkeit

konnte er schließlich die Wälder von Kanada vor der Spitze der Raumkapsel erkennen. Bald würden sie endlich ihr Ziel erreicht haben. Alessio zählte schon die Sekunden bis zum Aufprall. Er würde es nicht mehr lange aushalten. Die Dunkelheit vor seinen Augen wurde größer. Nicht mehr lange und er würde den Kampf verlieren. Alessio schaute wieder auf den Höhenmesser. Es war soweit. Alessio drückte den Knopf für den Fallschirm. Einen Augenblick lang geschah nichts. Wieso öffnete sich der Fallschirm nicht? Hatte sich etwas bei dem Atmossphäreneintritt verbogen? Dann gab es endlich einen Ruck. Der Fallschirm hat sich geöffnet. Jetzt sanken sie mit langsamerer Geschwindigkeit, jedoch immer noch zu schnell herab.

Plötzlich gab es einen Ruck, als die Bremsraketen der Kapsel starteten. Trotzdem krachte die Kapsel auf die Bäume mit enormer Wucht und durch die Krone hindurch. Schließlich traf sie mit einem lauten Knall auf den Boden. Die Luft wurde aus Alessios Lungen gepresst. Er fühlte sich so schwach, dass er sich kaum rühren konnte. Die vergangene Zeit in der Schwerelosigkeit des Alls machte sich sofort bemerkbar. Sein ganzes Gewicht drückte ihn erbarmungslos in seinen Sitz rein. Bevor es schwarz vor seinen Augen wurde, konnte er erkennen, wie unnatürlich still und regungslos seine Kollegen in ihren Sitzen saßen.

1.   Kapitel: Oktober, Jahr 1 nach dem Ende der Menschheit
„Betrachte alle Dinge von einer höheren Warte aus und mit einem offenen ungetrübten Geist." – Miyamoto Musashi, Buch des Wassers

Stille. Die Luft war erfüllt von ihr. Die typischen Geräusche der Menschheit waren nicht mehr zu hören.

In der Hand hielt er einen Speer. Die braunen Augen suchten den See vor ihm ab, bis sie plötzlich an etwas hängen blieben. Er verfolgte es mit seinem Blick. Sein ganzer Körper spannte sich an, jedoch blieb er vollkommen gelassen.

Der einsame Mann stand am Rand des Sees auf einem großen Stein. Es schien, als würde er diese morgendliche kühle Atmosphäre genießen. Seine langen, schwarzen Haare standen ihm kreuz und quer vom Kopf ab. Sie hatten schon lange kein Wasser und keine Bürste mehr gesehen. Sein Gesicht war mit einem Bart bedeckt, der wild wucherte und seine Haut sonnengegerbt und gebräunt.

Die Bäume wurden von einem goldigen Schimmer überzogen. Die Blätter hatten gelben, rote und braune Farben angenommen und leuchteten im Licht der aufgehenden Sonne, als die Morgensonne sie beschien. Über dem spiegelglatten See lagen Nebelschwaden. Im Hintergrund erhoben sich die Berge majestätisch. Es sah mystisch aus. Nichts ließ sich mehr auf die Menschheit schließen. Wie konnte es nur innerhalb eines Jahres alles nur rasant den Bach runter gehen? Hatte niemand die Vorboten erkennen können? Er konnte es sich nicht beantworten. Allerdings kreisten seine Gedanken um etwas ganz anderes als um diese Frage

Auf einmal ging alles sehr schnell. Mit einer raschen Bewegung warf er den Speer in den See, der dort stecken blieb. Dann lief er los. Er beugte sich zum aufgewühlten Wasser hinab, um zu schauen, ob er Erfolg gehabt oder ob sich der Speer nur zwischen zwei Steinen verkantet hatte. Vorsichtig hob er die Waffe an und fand an ihrem Ende einen großen Fisch vor. An dem Fischrücken befanden sich unzählige Punkte und der der Bauch war rötlich angehaucht. Er hatte einen Königslachs gefangen. Er war zufrieden, während er mit dem toten Lachs sich von dem See entfernte.

Früher hieß dieser See Burns Lake und gehörte zu der einst lebendigen Kleinstadt, die ebenfalls den Namen Burns Lake trug. Jetzt jedoch gehörte das der Vergangenheit an.

Nach einem Jahr ohne Pflege begannen die Pflanzen, besonders die Gräser, überall zu wuchern. Die Straßen platzten auf. In einigen Jahren würden diese Wege nicht mehr befahrbar sein, fast nicht mehr vorhanden. Die wilden Tiere würden auch nicht mehr lange fernbleiben. Sie würden in naher Zukunft die Dörfer und Städte zurückerobern.

Die meisten Haustiere haben es allerdings nicht geschafft, die ersten Wochen und Monaten zu überleben. Nachdem die Menschen sie nicht mehr regelmäßig gefüttert haben, starb eine Hälfte der Tiere sehr schnell. Später fielen sie übereinander her und auch die Raubtiere hatten leichtes Spiel mit ihren domestizierten Verwandten.

In den ersten Monaten hatte eine Wolke der Verwesung über der Stadt gelegen. Innerhalb eines Jahres war diese Wolke größtenteils verschwunden. Zurückgeblieben waren nur haufenweise menschlicher und tierischer Skelette und einige verwilderte Hunde und Katzen, die nun jedem Menschen gefährlich werden konnten.

Der Mann mit dem Königslachs ging zu einem großen Haus. Früher war anscheinend immer der Gospelchor zum Singen hierhergekommen. Zumindest stand das auf einem alten Stück Plakat draußen. Es besaß nur ein Erdgeschoss.

Bevor er die Tür des Hauses öffnete, schaute er sich um. Er wollte sichergehen, dass er der Einzige war, der das Haus betrat. Nicht, dass ein Tier ihm folgte. Sobald er drin war, durchquerte er durch die vordersten Räume.

Der Mann hatte es so eingerichtet, dass die vorderen Räume ein riesiges Lager seien. In einem Bereich stapelten sich Kleidung, Schuhe und Hygieneartikel. Bei einem kleineren, angrenzenden Raum dachte man, dass eine Apotheke ausgeraubt und die Beute hierhergebracht worden war. In einem dritten Raum waren alle möglichen Lichtquellen und deren Zubehör wie Kerzen, Taschenlampen und die dazugehörigen Batterien untergebracht. Zusätzlich befand sich darin eine Truhe. In ihr lagen alle möglichen unterschiedlichen Waffen und dazugehörige Munition. Um das alles zusammenzutragen, hatte der Mann einige Wochen gebraucht, aber jetzt war er auf alle Eventualitäten vorbereitet.

Der Mann lief, ohne zur Seite zu schauen weiter nach hinten. In einer Küche legte er den Fisch ab, bevor er in den angrenzenden Raum schlenderte. Schnell wechselte er die Kleidung, von seiner wasserdichten Anglerkleidung zu bequemeren Sachen. Zusätzlich zog er seine Wanderschuhe aus und wärmende Hauslatschen an. Egal, wie goldig und warm die Umgebung aussah, die Temperaturen sanken schon jetzt gefährlich nah zum Gefrierpunkt. Zu lange in der nassen Kleidung und er wurde sich eine Unterkühlung holen. Damit war nicht zu spaßen.

Zum Glück besaß der Mann noch eine Garnitur warme Unterwäsche aus seiner Zeit vom Weltraumflug. Sie war grau und aus speziellen Kunst – und Glasfasergemisch, das vor der Kälte des Vakuums im All schützen sollte. Außen war ein Name aufgestickt – Alessio.

Alessio zog sich schnell die trockene Kleidung an und ging in die Küche zurück. Er begann vorsichtig, den Lachs auszunehmen. Nach fast einem Jahr hatte er ausreichend Übung darin bekommen. Das Schwierigste war, die Galle nicht anzustechen. Nach den ersten Malen, bei denen er immer seine komplette Mahlzeit wegwerfen konnte, weil sie so ungenießbar geworden war, hatte er den Dreh rausbekommen. Diese Unglücke hatten ihn einiges von Nahrungsmitteln gekostet und er hatte drastisch an Gewicht verloren. Zwar war er noch nie sehr dick gewesen, aber einen kleinen Wohlstandsbauch hatte er schon gehabt.

In den letzten Monaten war er dagegen ziemlich drahtig und abgehärtet geworden. Er konnte mittlerweile stundenlang laufen. Seine Jagdkünste hatten sich auch verbessert. Um umherstreunende Raubtiere nicht anzulocken, hatte er sich daran gewöhnt, mit einer Armbrust zu jagen. Sie war leiser und er konnte die Munition der Gewehre für Notfälle, wie Angriffe von hungrigen Raubtieren, sparen.

Meist jagte Alessio dadurch kleine Tiere und fuhr damit ganz gut. Sie waren leichter durch die Geschwindigkeit des Bolzens zu erledigen. Zusätzlich begann der Winter in großen Schritten zu nahen und dann würde es schwieriger werden, zu Nahrung zu kommen. Also musste er in den sauren Apfel beißen: Er würde sich in den nächsten Tagen etwas bauen müssen, damit er die größeren und schwereren Tiere transportieren konnte. Weiterhin musste er dann immer ein großes Messer mitnehmen, damit er diese Tiere in mehrere zerlegten Teile schneiden konnte. Ansonsten hatte er keine Möglichkeit, zu ausreichend Fleisch zu kommen. Die kleineren Tiere waren im Schnee nicht mehr so einfach zu erkennen, da sie mit ihren weißen Fellen perfekt getarnt waren.

Zusätzlich konnten immer wieder Schneestürme auftreten, die ihn tagelang in seinem Haus einschließen würden.

Alessio schüttete ein bisschen Öl in eine Pfanne und zündete einen Campingkocher mit Gaskartuschen an. Der würde nicht mehr lange halten. Das Gas war fast leer. Während der Fisch briet, ging er daher in eines seiner Lager. Er schaute nach, wie viele von diesen Campingkochern er noch auf Vorrat hatte. Es waren noch drei Kocher da. Er musste demnächst andere Kartuschen finden. Alessio würde in den nächsten Tagen wieder mal durch die Stadt ziehen und schauen, ob er irgendwo noch was Nützliches fand.

Er roch, wie sein Fisch briet, und wusste, dass er in wenigen Sekunden gar sein würde. Schnell kehrte er zurück und nahm den Fisch aus der Pfanne. Über die Hälfte legte er zur Seite. Das würde eine gute Mahlzeit für den nächsten Tag ergeben.

Der Mann setzte sich an einen Tisch und begann, in Ruhe zu essen. Dabei schaute er sich traurig ein altes abgegriffenes Bild von einer hübschen Frau und einem kleinen, niedlichen Mädchen an, welches er immer auf seinen Esstisch liegen hatte.

„Guten Appetit, ihr beiden. Ich hoffe, dort, wo ihr jetzt seid, geht es euch gut und ihr habt was Anständiges zu essen", sagte er mit rauer Stimme.

Es handelte sich dabei um sein tägliches Tischgebet.

Nach dem Essen verließ er wieder die Küche. Er überlegte, was er mit dem angefangenen Tag machen konnte. Vielleicht sollte er in die Stadt gehen und schauen, was es so Neues gab. Er verzog seine Lippen. Dieser Witz war mittlerweile doch etwas ausgelutscht.

Er zog sich seine Wanderschuhe an und ging los. Diesmal nahm er seinen Rucksack mit. In den ersten Wochen hatte er sich noch ein Auto genommen, doch nach knapp drei Monaten hatte er die Läden in Burns Lake so gut wie leergeräumt. Weiterhin hatte er bei den wenigen fahrfähigen Autos das Benzin verfahren und die Tankstellen, aufgrund des fehlenden elektrischen Stroms für die Schlösser, funktionierten nicht mehr.

In die privaten Häuser war er bisher nicht eingedrungen. Etwas sträubte sich in ihm dagegen. Sie stellten für ihn ricsige Mausoleen ihrer Bewohner dar. Bis zu diesem Tag war seine Lage noch nicht so sehr in Gefahr gewesen, dass er in diese Häuser hätte eindringen müssen. Seit einem Monat kam er nur noch ab und zu in die Stadt, in der Hoffnung noch eine Kleinigkeit zu finden, die nützlich sein könnte.

Zusätzlich nahm er eine Armbrust und ein Bündel Bolzen mit. Die ehemaligen Haustiere hatten sich wieder ihrer Urinstinkte besonnen. Allerdings waren die Katzen scheu geworden und hatten sich in die Wälder zurückgezogen, während die überlebenden Hunde ihre Territorien in der Stadt bewachten.

Entschlossen überquerte er die Brücke und betrat die Stadt. Wachsam schaute er hin und her. Auf der Brücke war es noch einfach, seine Umgebung genau im Auge zu behalten, allerdings war es in der Stadt anders. Dort gab es Ecken und dunkle Stellen. Hinter jedem Haus, Baum oder kaputten Auto waren Schatten, die perfekte Tarnmöglichkeiten boten, in denen sich Hunde oder wilde Tiere verstecken konnten.

Nachdem er fast eine Stunde unterwegs war, roch er etwas, das neu für ihn war. Ein anderer Geruch unter den gewohnten, den er sich nicht erklären konnte. Es hatte etwas rauchiges und zugleich chlorartiges an sich. Dieser unbekannte Geruch löste in ihm eine Sorge und Vorsichtig aus, als handle es sich um eine Warnung.

Alessio schlich vorsichtig in das nächste Gebäude, eine ehemalige Werkstatt. Es stand sogar noch ein alter Wagen darin. Er versteckte sich dahinter und wartete ab. Lange musste er nicht verweilen. Ein kleiner Mann mit einer roten Mütze ging auf der schattigen Seite der Straße lang. Allerdings war *gehen* falsch ausgedrückt: Er hatte nur ein Bein und sprang den asphaltierten Weg entlang. Seine Haut war schwarz, allerdings war es kein dunkles warmes Braun, sondern schwarz wie Kohle. In dem Winkel seines Mundes befand sich eine langstielige Pfeife. Immer wieder zog er daran und stieß den Rauch aus. Auf einmal blieb er stehen und schwankte vor und zurück. Dann dreht er sich langsam um und blickte Alessio an. Seine leuchtend roten Augen waren starr auf ihn gerichtet.

Alessio schreckte zurück. Er konnte seinen Blick nicht abwenden. Daher konnte er sehen, wie der Mann plötzlich in einer Staubwolke verschwand und nur ein paar Schritte vor Alessio wieder auftauchte.

„Du bist ja ein Mensch?!", sagte der kleine Mann erstaunt.

„Ähm, ja! Bist du etwa kein Mensch?", fragte Alessio erstaunt zurück.

Die Situation erschien ihm so surreal. Er traf seit einem Jahr das erste Mal wieder ein sprechendes Wesen. Auf einmal lachte dieser schwarze Mann los und stoppte ebenso plötzlich wieder.

„Ich habe gar nicht gewusst, dass es überhaupt noch Menschen gibt. Ich dachte, ihr wärt alle letztes Jahr gestorben. Das überrascht mich jetzt ein bisschen."

Alessio starrte den Fremden nur fassungslos an. Dieser Mann redete von den Menschen als würde er gar nicht dazugehören. War er etwas anderes? Gehörte er nicht dem Homo Sapiens Sapiens an? Weiterhin hatte Alessio gedacht, dass er der letzte Mensch auf der Erde sei, und jetzt stand ein anderer vor ihm.

Nach einigen Sekunden unbequemen Schweigens und bewegungslosen Starrens tat der Mann etwas. Er hatte Alessio die ganze Zeit angeschaut, nun beugte er sich unerwartet zu ihm hin: „Ich gebe dir einen Rat – einen sehr wichtigen. Wenn du ihn befolgst, wirst du in dieser Welt vielleicht überleben." Alessio nickte zögerlich. Er war verwirrt von diesem seltsamen Mann und er wollte überleben, aber konnte er diesem seltsamen Wesen trauen?

„Glaubst du an Mythen?", fragte der kleine Mann. Alessio wollte zuerst nicken, doch dann schüttelte er den Kopf. Er war ein Mann der Wissenschaft – keiner der Mythologie. Er glaubte nicht an diesen ganzen religiösen Mist, geschweige denn an die unterschiedlichsten Aberglauben aus den vergangenen Jahrhunderten und Jahrtausenden.

„Tja, mein Lieber. Ich denke, du solltest deine Weltanschauung verändern. Die menschliche Wissenschaft existiert so gut wie nicht mehr. Alles, was du bisher als Unsinn abgetan hast, ist hingegen wahr. Alle mystischen Kreaturen existieren wirklich und du befindest dich mitten unter ihnen. Am besten lernst du so schnell wie möglich alles über die Mythen und Legenden der Menschen. Ansonsten wünsche ich dir viel Spaß beim Überleben in dieser neuen Welt."

Damit verschwand der kleine Mann in einer neuerlichen Staubwolke und ließ Alessio allein zurück. Der blieb noch eine Weile entsetzt stehen. Er wusste nicht, ob das Geschehene eine Halluzination gewesen war oder doch real. Es war zu verwirrend gewesen.

Konnte das wirklich wahr sein? Der Aberglaube der Menschen war real? Das konnte nicht sein? Oder etwa doch? Aber Alessio hatte diesen Mann vor sich gesehen. Anscheinend war da mehr an diesen Mythen dran, als er bisher geglaubt hatte.

Schließlich stand er auf, da er schließlich nicht ewig hinter dem Auto in der Garage hocken konnte, und lief nachdenklich in die Stadt hinein. Nach einer Weile bemerkte er, dass ihm keiner der verwilderten Hunde begegnete. Sie schienen sich alle versteckt zu haben. Das war seltsam und ungewöhnlich. Was hatte sie nur so verschreckt? War es dieses seltsame Männchen gewesen? War es etwa gefährlich? Alessio beschloss, dass er vielleicht etwas über diese ganzen Mythen und Legenden lernen sollte.

Er lief in einen der wenigen Bücherladen und suchte die unterschiedlichen Regale nach hilfreichen Büchern ab. Was es hier an Fantasy gab, umfasste nur diese komischen Fantasy-Romanzen oder die seltsamen Game-Fantasy, World of Warcraft, Warhammer 3000, was war das nur mit diesen seltsamen Fantasien irgendwelcher Hobby-Autoren. Allerdings keine klassischen Mythen. Vielleicht musste er mal in die Bibliothek des Ortes besuchen. Dort würde es bestimmt ein paar Bücher über Mythen und Sagen geben. Zum Glück wusste er, wo die sich befand. Er hatte sie schon vor Monaten gefunden. Er hatte sogar in der Anfangszeit ein paar Überlebensbücher sich mitgenommen. Die Bücher über Mythen hatte er allerdings außer Acht gelassen.

Er schritt die Hauptstraße weiter entlang, bis er zu einem großen, roten Haus kam – die Bibliothek. Hier befanden sich Massen von Büchern, jedoch waren einige Tauben reingeflogen und hatten Regale verdreckt und auch Regen durch kaputte Fenster hatte eine große Anzahl der Bücher vernichtet. Zum Glück befand sich die Regale über Mythologie in dem hinteren, unversehrten Teil der Bibliothek. Hier war nur ein relativ kleiner Teil beschädigt. Einzelne Bücher waren durch Vogelschiss verdreckt oder durch die hohe Luftfeuchtigkeit aufgequollen.

Alessio ging durch die Reihen und ließ seinen Blick über die Buchrücken gleiten. Er blieb schließlich an drei Büchern hängen: *Wer ist Wer: klassische Anleitung der Antike, Die klassische Einleitung in den Mythen und Legenden* und ein einfaches Buch mit dem Titel *Mythen und Legenden*. Diese Texte schienen leicht verständlich zu sein. Er musste erst mal in dieses ganze Thema Mythologie reinkommen. Die Bücher landeten in seinem Rucksack, dann begab er sich wieder raus.

Er würde beginnen, die Bücher abends zu lesen. Tagsüber würde er weiter jagen gehen. Alessio kehrte wieder in sein Haus zurück. Dort lud er die Bücher ab und ging weiter weg von der Stadt in einen Shop, der sich auf der anderen Seite des Sees befand. In diesem Laden gab es Jagdutensilien. Alessio hatte schon einige unterschiedliche Jagdgeräten geholt.

Als er vorhin im Lager nach den Gaskochern geschaut hatte, hatte er festgestellt, dass ihm die Fallen für die großen Tieren leider ein bisschen eingerostet waren. Wie konnte ihn das nur passieren? War sein Dach undicht? Nein, das konnte nicht sein. Alles andere war trocken gewesen. Also musste etwas anderes Schuld daran sein. Wenn er sich die nächsten Fallen besorgte, musste Alessio unbedingt drauf achten, dass so etwas nicht noch einmal ihm passierte.

Er brauchte über eine Stunde, um zu diesem Geschäft zu kommen. Das letzte Mal war es ihm gar nicht so lange vorgekommen. Vielleicht lag es aber auch an dieser Begegnung, welche ihn in den Grundfesten seiner Weltansicht erschüttert.

Wenn er eine neue Falle aufstellte, würde es ihm vielleicht gelingen einen Bären oder Elch zu erlegen. Dann hatte er erst mal Fleisch für einige Wochen. In der Zeit, in der er nicht jagen musste, konnte er sich in Ruhe Gedanken machen, wie er das Haus warmhalten konnte. Den letzten Winter hatte er nur mit großer Mühe überlebt. Diesmal musste er sich unbedingt besser vorbereiten. Der erste Schnee würde höchstwahrscheinlich in den nächsten Wochen kommen.

Nachdem er zu dem Laden gelaufen war, durchsuchte er ihn. Seltsamerweise gab es hier vor allem Campingsachen und ein, zwei Gewehre, auf den ersten Blick keine Bärenfallen. Die Fallen, die Alessio im letzten Jahr genutzt hatte, hatten im vorderen Teil des Ladens ausgelegen. Jetzt musste er weitaus intensiver durch den Laden gehen, um die restlichen Fallen zu finden.

Während er weiter durch den Laden schritt und den Inhalt der Regale untersuchte, kam er zu einem kleinen Bücherregal. Es gab darin alle möglichen Werke übers Angeln, sowohl Eisangeln als auch das normale Angeln. Zwei Bücher behandelten das Jagen. Allerdings hatte er sie bei dem einen Besuch, den er bisher hier getätigt hatte, nur kurz durchgeblättert. Heute würde er sie aber mitnehmen, sodass er sie genauer studieren konnte.

Bei so vielen Büchern musste er sich wieder hinsetzten, so wie er es im Studium immer getan hatte. Ungläubig schüttelte er den Kopf.

Irgendwie war er immer wieder zum Lernen genötigt, dabei hatte er echt Besseres zu tun. Er schaute sich noch etwas weiter um und nahm sich noch Messer, Angelhaken und -seilen mit, welche recht schnell in der momentanen Lebensituation verschließen.

Dann packte er noch den Erste-Hilfe-Kasten ein. Er wusste schließlich nicht, wie oft er noch zu medizinische Hilfsmittel kam. Zwar wusste er nicht, wie lange er noch überleben würde, allerdings würde er es nur gut vorbereitet lange genug können.

Nach einer Weile hatte er den größten Teil des Ladens durchsucht und das die ausgesuchten Sachen eingepackt. Er wollte gerade wieder rausgehen, als er vorsichtshalber noch einmal hinter der Kasse nachsah. Eventuell fand er dort noch etwas Hilfreiches. Irgendwas hatte seinen Blick gefangen, doch wusste er erst nicht, was es war. Allerdings schrak er zurück. Ein halbzersetztes Skelett lag dort. Alessio schaute sich die Knochen genauer an. Es schien mal ein mittelgroßer Mensch gewesen zu sein. Die Kleidung lag noch um seine noch vorhandenen Knochen herum. Um den Hals war ein dünnes Metallband festgebunden. Eine verzierte Bärenklaue befand sich daran.

Diese stach ihm direkt ins Auge. Es schien eine spezielle Bärenklaue gewesen. Irgendetwas war an ihr, was Alessio nicht genau benennen konnte. Nachdenklich kniete er sich neben das Skelett und nahm die Klaue in seine Finger. Er wog sie abwägend in der Hand. Er hatte so eine Kralle noch nie gesehen. Sie war mit vielen alten Runen verziert. Vielleicht sollte er sie mitnehmen und zu Hause untersuchen. Sie wissenschaftlich zu analysieren, machte es für Alessio interessant. Es würde wie in alten Zeiten sein. Vorsichtig nahm er das Metallband und hängte es sich um den Hals, mit dem Entschluss, sich die Klaue unter der Lupe genauer anzuschauen.

Er nahm den Rucksack und verließ nun endlich den Laden. Er würde in den nächsten Wochen bestimmt nicht wieder hierherkommen. Diesen Laden hatte er nach diesem Besuch abgegrast. Langsam lief er die Straße zu seinem Lager zurück. Morgen musste er unbedingt in die nächsten Tage lernen, wie man Fallen fachmännisch aufstellte.

Während er den Weg entlanglief, näherte sich die Sonne dem Horizont langsam an. Er würde sich eine Schritt-für-Schritt-Anleitung schreiben, wie er am besten eine Falle aufstellte er. Das Wichtigste war, herauszubekommen, wie er die großen Tiere jagen konnte.

Sobald er zu Hause war, sortierte er die Bücher neben seinem Bett zu einem Stapel ein. Das erste Buch, was er sich durchlesen würde, war eines der Jagdbücher. Es war wichtiger für sein Überleben als dieser ganze mythologische Nonsens, welches das schwarze Männchen ihm am Nachmittag erzählt hatte.

Während er durch das Buch blätterte, konnte er erkennen, was er in dem letzten Winter vermisst oder falsch gemacht hatte. So hatte er seine Fallen von den letzten Jahren nicht an den Routen der Tiere gestellt. Damals hatte er sie einfach in der Gegend hingelegt. Weiterhin hatte er keine kleinen Fleischbrocken oder Pflanzen danebengelegt, weswegen kaum Tiere hineingeraten waren. Wenn doch, waren es eher kleine Hasen gewesen.

Langsam wurde es draußen dunkel. Die Sonne war schon vor längere Zeit untergegangen und die Abenddämmerung war schon weit fortgeschritten. Nachdenklich ging Alessio mit dem Buch in die Küche und zündete einer seiner zahlreichen Kerzen an. Irgendwann musste er lernen, wie man Kerzen selbst macht, dann musste er nicht mehr sparsam sein.

Er nahm sich ein Stück Fisch und wärmte ihn über den Campingkocher auf. Zwischenzeitlich lief er in sein Alkohollager und nahm eine Flasche Gin mit. Dann kehrte er in seine Küche zurück, goss sich eine minimale Menge Alkohol in ein Glas ein und las in seinem Buch weiter.

Nach einer Weile war es zu dunkel geworden – die Kerze war fast komplett runtergebrannt -, um noch irgendwas zu erkennen. Alessios Augen brannten vor Müdigkeit, daher ging er in sein Zimmer und legte sich in den Schlafsack. Er schlief auf der Stelle ein.

Am nächsten Morgen – gerade als die Sonne aufgegangen war – saß Alessio wieder an seinem Tisch und aß die letzten Reste seines Fisches. Heute würde er hoffentlich lernen, wie man eine Falle richtig aufstellt. Die Routen der Tiere kannte er und er hatte sogar noch ein paar trockene Stücke Fleisch in seiner Küche gefunden. Vielleicht fing er was. Das erste was letztes Jahr an diesem Ort leer gegessen hatte, waren die Konservendosen gewesen. Er hatte was essen können ohne große Mühe. Danach war die harte Zeit des Jagen-Lernens gekommen. Alessio musste erfahren, dass er bis zu drei Tage ohne Essen auskommen konnte, doch schon am zweiten Tag ließ die nötige Konzentration abfallen. Während er aß, blätterte er noch mal eines der Jagdbücher durch. Er wurde heute einige Fallen ausprobieren, vielleicht ein, zwei mit Schlingen. Für große Tiere brauchte er jedoch eine andere Methode, da sie die Schlingen einfach zerreißen würden.

Er verstaute das Buch und ein langes Seil in den Rucksack, sowie ein großes Messer und zwei Lederbeutel für Wasser. Dann machte er sich auf den Weg in den Wald. Alessio ging einige Kilometer weit, dort gab es die meisten Tierrouten.

Sobald er eine geeignete Stelle gefunden hatte, legte er die Schlinge aus. Weiterhin prüfte er, von welcher Seite der Wind kam. Wenn die Falle ausgelegt war, durfte er nicht so stehen, dass sein Geruch ihn verriet. Schnell lief er hinter einem Baum und legte sich auf die Lauer.

Einige Stunden vergingen. Ab und zu kamen Tiere vorbei. Einige rochen sogar an der Falle, aber keines ging hinein. Langsam kam der Frust bei Alessio auf. War die Falle so offensichtlich, dass selbst Tiere sie erkannten? Als er diesen Gedanken abwog, war es plötzlich so weit. Vorsichtig tapste ein Reh näher. Es schien schon älter zu sein. Die Muskeln zitterten und einige weiße Stellen waren im Fell zu sehen.

Sobald es mit seinen vorderen Hufen in der Falle stand, zog Alessio an dem Seil und die Schlinge zog sich zu. Er hatte das Reh eingefangen. Es zappelte wild und trat um sich. Schnell ging er hin und schnitt dem Tier die Kehle auf. Das Blut fing er so gut wie möglich auf in einen mitgebrachten Plastikbeutel. Er wollte nicht, dass es Raubtiere anlockte, die ihm sein Fleisch stahlen und am Ende sogar ihn als Beute ansahen.

Sobald das Tier ausgeblutet war, trottete er zurück. Er freute sich, dass er ein Tier getötet hatte. Somit konnte Alessio zurecht behaupten, dass es heute ein Festessen geben wird.

Doch plötzlich roch er etwas, was Ungewöhnliches, etwas Verdorbenen. Im letzten Jahr hatte er jeden einzelnen Geruch, den es hier gab, kennengelernt, daher bekam er sofort mit, wenn sich etwas am allgegenwärtigen Aroma änderte, und dieser Geruch war anders, neu. Er hatte etwas von nassem Lehm und getrockneten Blut an sich.

Alessio stand am Rand einer Lichtung, als er sich entschied in Deckung zu gehen. Schnell versteckte er sich erneut hinter einen Baum. Das tote Reh legte er ein gutes Stück von ihm hinter einen Busch entfernt hin. Er durfte keinen Hinweis auf seine Anwesenheit hinterlassen. Wenn es ein Raubtier war, würde es sich auf seine Beute stürzen. Sollte es doch ein Wesen aus den Mythen sein, dann musste Alessio sicher sein, dass dieses Wesen ihn nicht angriff. Sein Instinkt sagte ihm, dass er Vorsicht walten lassen musste. Sobald er hinter dem Baum stand, kniete er sich hin und legte er sich auf die Lauer. Nach ungefähr zehn Minuten kamen schließlich drei Männer auf die kleine Lichtung vor ihm.

Alessio wollte schon hervorspringen. Normale Menschen!

Auf den ersten Blick war nichts Besonderes an ihnen. Aber dann ging es ihm auf, was Alessio abhielt, sofort zu ihnen zu laufen. Alle drei sahen vollkommen gleich aus, inklusive des blutroten Schimmers in ihren Augen und der spitzen Ohren. Ihre Haut war sehr blass. Weiterhin hielten sie ihre Nase hoch, als würden sie schnüffeln, was ziemlich seltsam aussah. Wer rannte schon schnüffelnd durch die Gegend?

Schließlich sagte einer der Männer: „Hier war vor Kurzem jemand, aber ich kann nicht erkennen, ob es sich um einen Menschen oder eine von diesen Kakerlaken handelt. Es riecht hier zu sehr nach Bär. Wahrscheinlich hat der den Menschen oder den Bastard erledigt."

„Es riecht hier schon ziemlich stark nach Tod."

„Wahrscheinlich können wir Yamaumba Bescheid geben, dass ihre Beute von einem wilden Tier erledigt worden ist."

„Vielleicht hat sie schon jemand Neues ausgespäht, den wir jagen dürfen. Ich freu mich darauf. Lasst uns zurückgehen!"

Die Männer verließen die Lichtung. Dabei machten sie nicht ein Geräusch, es bewegte sich nicht ein einziges Blatt, als wären sie Geister. Nur ihr strenger Geruch hatte sie verraten. Was waren das für Männer? Sie schienen nicht gerade freundlich zu sein. Sie jagten andere, um sie zu jemanden namens Yamaumba zu bringen? Definitiv nicht nett. Zusätzlich haben diese Drillinge über einen Bären geredet. Wo war dieser Bär? Schlich er noch hier herum? Alessio konnte diesen nicht riechen, aber musste vorsichtig sein, wenn er nicht von einem Bären getötet werden wollte.

Alessio wartete noch einige Zeit und hoffte, dass dieser Bär weg war. Dann stand er hinter den Baum auf und ging er zu dem Reh. Er hoffte, dass es noch da war und nicht von dem Bären oder etwas anderem gefressen worden war. Zum Glück lag das Tier unberührt da. Sofort nahm er es wieder auf den Rücken und lief zügig zu seinem Haus zurück.

Sobald er in seinem Heim war, lud er das Reh in der Küche ab und ging nochmal raus und versuchte, den Geruch von dem toten Tier loszuwerden. Dazu suchte sich Alessio eine Stelle, die mit Schlamm bedeckt war. Dann zog er seine Jacke aus und legte sie kurz hinein. Hoffentlich verflüchtigte sich der Geruch. Er wollte keine Raubtiere anlocken.

Er musste versuchen, das Reh noch heute zu häuten, auszunehmen und zu zerlegen. Wenn das Tier begann, zu verwesen, würde es ungenießbar werden und er hätte nichts mehr zu essen. Vielleicht konnte er auch den Rest abgesehen vom Fleisch noch benutzen, eventuell die Haut als wärmende Decke und die Knochen als Pfeilspitzen. Er konnte sich noch was einfallen lassen.

Alessio dachte nach, während er rein stapfte und dabei mit seiner neuen Bärenklaue rumspielte. Sobald er wieder in seinem Haus war, ging er in die Küche und starrte nachdenklich auf das Reh auf dem Esstisch. Er nahm eines der Küchenmesser und fühlte, ob es scharf war. Hm, gerade so. Zumindest für das Reh sollte es ausreichen. Später musste er das Messer wieder schärfen.

Dann nahm er eines der Jagdbücher in die Hand und blätterte darin. Irgendwo musste es doch eine Anleitung geben, wie man ein größeres Tier zerlegte. Hasen waren das eine, Rehe hingegen waren ein anderes Kaliber. Schließlich fand er eine Erklärung zum Vorgehen und machte sich an die Arbeit. Und es war Arbeit, harte Arbeit.

Nachdem er das Tier zerlegte hatte, schaute er an sich herunter. Er sah aus wie ein verdammter Metzger oder wie dieser Serienkiller Dexter aus der gleichnamigen Fernsehserie. Ein kleines Stück Fleisch legte er sich gleich zur Seite. Die anderen Stücke verstaute er in eine Tiefkühltruhe, die im Keller stand. Er hatte sie während des letzten Winters mühevoll hinunter bugsiert. Hier unter der Erde war es richtig kalt und er hoffte, dadurch noch länger das Fleisch aufbewahren zu können.

Er holte eine neue Ölflasche und einen neuen Campingkocher aus dem Lager und schlenderte die Küche. Dann bereitete er das Fleisch zu und aß es. Für ihn schmeckte es wie ein Steak eines Drei-Sterne-Koch. Alessio schaute sich das Bild seiner Frau und seiner kleinen Tochter an, während er wieder sein Guten-Appetit-Ritual durchführte. Er vermisste sie so sehr, dass ihm jetzt noch regelmäßig das Herz schwer wurde.

Doch seine Frau hätte nicht gewollt, dass er einfach so sich ein Ende setzte. Sie beide hatten sich immer gegenseitig gewünscht, dass der andere sein Leben weiterlebte, auch wenn einer von beiden nicht mehr da war. Nur fraß der Schmerz vom Tod der beiden ihn innerlich auf Alessio würde nie mehr das Lachen der beiden hören.

Auf einmal bekam er ein leises Wimmern mit. Alessio erstarrte. Was war das gewesen? Er richtete sich auf und erhob sich schließlich. Schnell ergriff er sein Messer und seine Armbrust ein, welche er immer in seiner Nähe hatte. Dann zog er seine dunkle Jacke an. Kurz schaute er aus einem Fenster neben der Tür heraus, doch konnte er nichts erkennen. Alessio schlich in die Dämmerung raus. Sobald er sich vor der Haustür befand, drehte er sich um seine Achse, unschlüssig, wohin er nun laufen sollte. Woher war das Wimmern nur gekommen? Dann hörte er es wieder. Es wurde von dem Wind aus dem nahen gelegenen Walde aus der Richtung, wo er heute das Reh erlegt hatte, hergetragen.

Vorsichtig und mit so leisen Schritten wie möglich ging er weiter. War jemand in Gefahr? War ein Mensch oder ein Tier verletzt? Plötzlich hörte er ein leises Kratzen und ein Schleifen, als würde jemand etwas Schweres über den Boden ziehen. Vorsichtig ging er in die Richtung dieser Geräusche. Er versteckte sich dabei immer wieder hinter Bäumen, denn er fühlte sich wie in diesen Horrorfilmen, wo einer allein in den Wald ging und dann plötzlich vor dem bösen Monster stand und gefressen wurde. Ganz falscher Gedanke. Er musste schnell an etwas anderes denken. An Hundewelpen und Schokolade. Ja, das half. Er hob das Messer abwehrbereit und schlich weiter.

Während es dunkler wurde, folgte Alessio den Geräuschen. Kam er den Verursacher des Wimmerns näher? Die Geräusche blieben gleich laut, fast als würde der Mensch oder das Tier schwächer werden. Letztendlich kam er zu der Lichtung, wo er die Drillinge gesehen hatte. Auf einmal erkannte er einen kleinen, weißen Schemen auf dem dunklen Boden, der sich mühsam weiterschleppte. Alessio ging zu der Gestalt hin und stutzte. Es war ein zierlicher, weißer Fuchs, doch das Fell war rot gefärbt.

Der Körper war von vielen Schnittwunden bedeckt und aus ihnen floss immer noch Blut. Dieses Tier war eindeutig gequält und gefoltert worden. Der arme Fuchs. Doch das war nicht das einzige Außergewöhnlichste an ihm: Es war der Schwanz, oder besser gesagt, die neun Schwänze.

2.   Kapitel: Oktober, Jahr 1 nach der Menschheit
Lasse nie deinen Geist von der Tätigkeit des Körpers fortgerissen und nie deinen Körper von deinem Geist beeinflusst werden. – Miyamoto Musashi, Buch des Wassers

Alessio stand über dem weißen Fuchs mit den neun Schwänzen und wusste nicht, was er machen sollte. Konnte er ihn vielleicht als Mahlzeit mitnehmen? Ihn hier liegen lassen? Oder sollte er den Fuchs helfen? Er hatte grausam aussehende Schnittwunden. Sofort erwachte sein weiches Herz. Er würde den Fuchs nicht zum Sterben hierlassen! Dass der Fuchs kurz vor seinem Ende stand, stand außer Frage. Sobald er in die Nähe des Fuchses gekommen war, war der erstarrt und regte sich nicht mehr. Es war auch kaum noch zu erkennen, ob er atmete. Lebte er noch? War Alessio zu spät gekommen? Der Fuchs hatte offenkundig Angst vor ihm. Alessio kniete sich hin und berührte ihn vorsichtig. Hoffentlich biss er ihn nicht. Er wollte sich selbst nicht gegen Tollwut behandeln. Eine Spritze in die Bauchdecke war sehr schmerzhaft. Ein Biss wäre daher nicht nur unangenehm, sondern lebensgefährlich.

Während Alessio den Fuchs berührte, zuckte dieser zusammen und versuchte, sich wegzuschleppen. Auch Alessio schreckte zurück und gleichzeitig überkam ihn Mitleid mit dem Fuchs.

Kein Tier durfte so misshandelt werden. Er selbst versuchte, den Tod seiner Beute so schmerzlos wie möglich zu gestalten. Er genoss es nicht, die Tiere zu töten, aber er musste überleben. Noch hatte er keine Erfahrung im Ackerbau und so blieb nur die Jagd. Bisher hatte er noch nicht die richtige Fläche für den Ackerbau in unmittelbarer Nähe seines Hauses oder Stadt gefunden. Vorsichtig und langsam zog er seine Jacke aus und nahm den Fuchs behutsam in seine Hände. Er rannte, so schnell er konnte, in sein Heim zurück.

Den weißen Fuchs legte er in der Küche auf den Tisch, dann dunkelte er die Fenster mit schweren Gardinen ab, sodass kein Licht nach außen drang. Erst danach schaltete er mehrere batteriebetriebene Lampen an. Er brauchte jetzt mehr Licht als sonst. Die ganze Zeit war der Fuchs starr auf dem Tisch liegen geblieben.

Alessio schaute sich die Wunden nun genauer an. Sie waren vermutlich durch ein Messer entstanden. Es war immer wieder auf das

Tier eingestochen worden. Zumindest hoffte Alessio, dass es nur ein scharfes Messer war. Wenn es Stacheldraht oder ähnliches angewendet wurden war, dann standen die Chancen schlecht, dass er die Wunden ordentlich verarzten konnte. Er erkannte dabei, dass der Fuchs ein Weibchen war.

„Oh, was haben sie die nur angetan?", sagte er traurig an den Fuchs gewandt. Er wollte nicht verstehen, wie jemand so etwas tun konnte. Obwohl der Fuchs ihn nicht verstand, redete er weiter. „Ich werde versuchen, es zu nähen. Ich versuche, dir so wenig Schmerzen wie möglich zu bereiten. Bitte beiß mich nicht." Er beugte sich nach vorne und sah sich die Wunden genauer an.

„Das sieht nicht gut aus! Einige Schnitte sind ziemlich tief."

Es gab nur eine positive Nachricht über den Zustand des Fuchses. Keine Wunde war unmittelbar tödlich. Nur die Vielzahl der Verletzungen konnten zu einem Tod des Tieres führen. Daher musste er zum Glück für ihn und zum wahrscheinlichen Missvergnügen des Fuchses nähen-

Alessio strich mit traurigem Gesichtsausdruck über den Kopf des Fuchses. Wer konnte nur etwas so Grausames einem so schönen Tier antun? Er rannte in sein Medikamentenlager und suchte Desinfizierungsmittel, Nadel und Faden zusammen. Allerdings hatte er kein Betäubungsmittel gesammelt. Das wäre für ihn allein sinnlos gewesen. Wer sollte ihn operieren, wenn er sich selbst betäubte? Also suchte er einige Gürtel zusammen. Dann ging er mit allen Sachen wieder zurück.

Als er in der Küche ankam, lag der Fuchs genauso da, wie er ihn verlassen. Jedoch begann der Fuchs, sich panisch zu bewegen, sobald er sah, dass Alessio zurück war und was er in der Hand hatte. Er oder besser gesagt sie schien auf einmal besonders ängstlich zu sein. Sofort legte Alessio die mitgebrachten Hilfsmittel zur Seite und lief sofort zu der Füchsin.

Beruhigend versuchte er, auf sie einzureden, während er gleichzeitig ihr wieder über den Kopf strich: „Schhh, schhhh. Es wird ja alles gut. Ich will doch bloß die Wunden nähen. Sobald alles geheilt ist, kannst du wieder in die Wildnis raus. Dafür muss ich dich festbinden, ansonsten bewegst du dich zu viel und ich kann dir nicht mehr helfen."

Er bezweifelte, dass die Füchsin ihn verstand, aber sie schien sich zu beruhigen. Sie atmete noch immer sehr heftig und auch ihr Blick war ängstlich auf ihn fixiert, sodass sie jede seiner Bewegungen verfolgen konnte. Im hellen Licht der zahlreichen Lampen sahen die Augen fast menschlich aus.

Langsam nahm Alessio einen der Gürtel in die Hand und sagte dabei beruhigend: „Ich werde dich jetzt festbinden. Ich habe leider kein Chloroform oder so und das Nähen wird sehr wehtun. Du darfst dich aber nicht bewegen. Ich werden jetzt ein paar Gürtel über dich legen und festzurren." Er stutzte. „Moment. Warum rede ich überhaupt mit einem Tier? Ich werde wohl langsam verrückt."

Als Antwort schnaubte die Füchsin. Sie schien ihm bei seinem hirnrissigen Gerede zuzustimmen. Vorsichtig versuchte er, einen Gürtel um die neun Schwänze zu spannen. Einen weiteren Gürtel zog er behutsam über die Schnauze, währenddessen sagte er: „Ich möchte nicht, dass du mich beißt. Ich kann sonst dich nicht nähen."

Die Füchsin ließ ihn seltsamerweise gewähren und blieb die ganze Zeit still liegen. Vielleicht hatte sie keine Kraft mehr, sich zu wehren. Anscheinend zahlte die Füchsin nun den Preis dieser zahlreichen Verletzungen. Einen dritten Gürtel spannte er um die Pfoten. Mit dem Desinfizierungsmittel säuberte er anschließend jede einzelne Verletzung. Mehrmals zuckte die Füchsin vor Schmerzen zusammen. Seltsamerweise wehrte sie sich nicht während Alessio das Mittel auftrug. Doch darüber konnte er sich jetzt keine Gedanken machen. Schließlich nahm er eine Nadel und begann, die Schnitte zu nähen.

Mit einer Hand presste er vorsichtig die Wundränder zusammen, mit der anderen zog er den Faden hindurch.

Nach einer Weile spürte er, wie ihm der Schweiß am Gesicht und den Nacken runterlief. Schnell wischte er seine Stirn an seinem Hemd ab. Es durfte kein Schweißtropfen in die Wunden geraten. Alessio wollte nicht, dass sie sich entzündeten.

Nach fast drei Stunden war er endlich fertig. Mehrmals in dieser Zeit hatte er sich gefragt, warum er sich überhaupt diesen Fuchs mit seinen zahlreichen Verletzungen mitgenommen hatte. Dann dachte er aber auch wieder, dass dieser Fuchs auch ein Recht auf Leben hatte und nicht grausam zu Tode gefoltert werden sollte. Mit einer Verbandsbinde umwickelte er jede einzelne Naht.

„Du siehst aus wie eine von diesen Mumien, weißt du das?", schmunzelte Alessio

Jetzt nahm er ihr die Gürtel wieder ab. Als er den von der Schnauze löste, schnappte die Füchsin zu. Jedoch biss sie ihn nicht, sondern hielt seine Finger zwischen ihren Zähnen fest. Nach einigen Augenblicken ließ sie sie los. Alessio schaute seine Finger genau an. Die Haut war nicht einmal angeritzt.

„Ich werde es dir jetzt bequem machen, wo du dich erholen kannst."

Er holte ein paar Decken und Kissen und stapelte sie in einer Ecke der Küche auf. Dann hob er die Füchsin vom Tisch und legte sie vorsichtig dorthin. Sofort machte sie es sich bequem. Zusätzlich stellte er noch eine Schüssel Wasser vor sie auf den Boden. Er ließ sie lieber hier als in seinem Zimmer. Sie brauchte Ruhe, selbst wenn es hieß, dass sie Ruhe vor ihm brauchte. Seine Anwesenheit würden sie in einen ständigen wachsamen Zustand halten.

Mit einem müden Lächeln machte Alessio das Licht aus und schlurfte in sein Zimmer. Er war hundemüde, trotzdem hatte er es genossen sich um jemanden anderen zu kümmern als nur um sich. Es erweckte etwas in ihm, dass seit über einem Jahr geschlafen hatte. Sein ganzer Rücken war steif von dem stundenlangen Nach-Vorne-Beugen. Erschöpft zog er sich um und kletterte in seinen Schlafsack. Fast augenblicklich war er eingeschlafen.

Sie hätte nicht gedacht, dass es noch Menschen gab. Doch war sie jetzt froh, dass es dieser eine Menschen existierte. Er schien sehr nett zu sein. Sogar an Wasser für sie hatte er gedacht. Die Nettigkeit konnte aber auch nur vorgespielt sein und er würde irgendwann sein wahres Gesicht zeigen. Sie sollte lieber vorsichtig sein.

Mit diesem Gedanken schlief sie ein.

Am nächsten Morgen wachte Alessio sehr spät auf – die Sonne stand schon höher am Himmel - und fühlte sich vollkommen zerschlagen. Es war eine zu lange Nacht gewesen. Alessio fragte sich nicht zum ersten Mal, warum er überhaupt ein Tier aufgenommen hatte. Es war sonst nicht seine Art. Als seine Frau noch gelebt hatte, waren die Tierhaarallergien seiner Frau immer wieder dazwischengekommen.

Und seit er letztes Jahr zahlreiche Tierattacken auf sich überstehen musste, sah er die Tiere mit anderen Augen. Aber jetzt würde er mit seiner Entscheidung leben müssen. Solange das Tier bei ihm war, würde er es umsorgen. Wenn es geheilt war, würde er es jedoch in die Wildnis entlassen.

Mit einem Stöhnen setzte er sich auf. Er wurde langsam alt. Mühsam stand er auf und begann sich umzuziehen. Dabei schaute er aus dem Fenster.

Es hatte über Nacht geschneit. Alles war weiß. Verdammt. Jetzt musste er zusehen, dass er immer genügend Fleisch im Haus hatte. Es konnte schnell passieren, dass er eingeschneit werden würde. Angeln konnte er jetzt auch vergessen. Oder vielleicht nicht.

Eventuell konnte er doch, nachdem er die Füchsin versorgt hatte, beim Frühstück eines der Jagdbücher bezüglich Angeln in vereisten Gewässern durchlesen.

Alessio stieg in den Keller runter und holte diesmal ein größeres Stück Fleisch vom Reh hoch. Als er in die Küche trat, schauten er in die dunklen Augen der Füchsin. Gott sei Dank, sie hatte die Nacht überlebt.

„Ah, du bist schon wach!", begrüßte er sie.

Sie beobachtete ihn, während er die Küche durchquerte und das Fleisch auf die Anrichte legte. Einen Teil schnitt er klein und stellte es vor das weiße Tier auf den Boden. Dann nahm er das andere Stück, salzte und pfefferte es und briet es an.

Als er fertig war, wandte er sich von dem Campingkocher ab. Dabei sah er, dass die Füchsin ihr Fleisch nicht angerührt hatte. Er legte sein Stück auf einen Teller und ging zu ihr. Er kniete sich mit seinem eigenen Essen vor sie und meinte verwundert: „Warum frisst du nicht? Du musst zu Kräften kommen. Du willst doch bestimmt wieder in den Wald raus."

Plötzlich schnellte die Füchsin vor. Alessio ließ erschrocken den Teller mit dem gebratenen Fleisch fallen. Die Füchsin schnappte es sich und machte es sich wieder bequem. Ungläubig starrte Alessio sie an und begann schließlich leise zu lachen. Sofort fixierte die Füchsin ihn. Beide Vorderpfoten waren beschützend über das Fleisch gelegt. Sie war schon etwas seltsam. Welches Tier aß das gebratene Fleisch viel lieber als rohes?

„Ist ja gut. Ich werde dir nicht das Fleisch stehlen." Er nahm vorsichtig die Schüssel mit dem klein geschnittenen Fleisch und briet sich auch diese Portion an. Mit einem neuen Teller voller Fleisch setzte er sich an den Tisch und begann, in dem Buch zu lesen. Nach einem kurzen Augenblick Stille hörte er Fressgeräusche aus der Ecke kommen

Eisangeln schien schwieriger zu sein als normales Angeln, was er vor einigen Jahre mal probiert hatte. Allerdings konnte er das lange Rumsitzen nicht aushalten. Es hatte sich sinnlos angefühlt. Zumindest brauchte er jetzt ein, zwei Werkzeuge mehr. Zusätzlich musste er sich besser schützen, damit er bei einem Einbruch nicht starb. So musste er sich ein Seil um den Bauch binden, um sich selbst retten zu können. Gerade bei dem eiskalten Wasser, hatte er nur einige Sekunden Zeit, bevor die Kälte sein Herz erreichte und zu einem Stillstand führte. Aufmerksam las er das Kapitel durch. Auf einmal schreckte er auf, als etwas Haariges seinem Bein rieb. Alessio hatte nicht bemerkte, wie die Füchsin sich erhob und langsam zu ihm rübergekommen war.

„Was machst du denn? Brauchst du Wasser?"

Während er aufstand, wich die Füchsin schreckhaft ein paar Schritte zurück. Anscheinend war sie sich noch nicht so sicher, was sie von ihm halten sollte. Nachdem er der Füchsin Wasser hingestellt hatte, schaute er nach, ob er Schnee schippen musste. Im letzten Winter hatte er es versäumt, wodurch er eingeschneit worden war. Der Hunger hatte ihn fast umgebracht.

Er nahm sich einen Schneeschieber aus seinen Lagern und ging zur Eingangstür. Die Füchsin begleitete ihn humpelnd. Als er die Tür aufmachte, blieb sie jedoch drin. Anscheinend war es ihr draußen zu kalt. Alessio musste schmunzeln. Er fragte sich, wie die Füchsin bis jetzt hatte überleben können, wenn sie bei den jetzigen Temperaturen kurz vor dem Winter schon frierte. Die kälteste Zeit würde erst noch kommen. Schließlich trat er nach draußen und begann, Schnee zu schippen. Die erste Fuhre ging noch leicht von der Hand, doch die niedrigen Temperaturen und die Höhe des gefallenen Schnees machten sich schon bald bemerkbar. Jede Fuhre wurde schwerer und seine Kraft schwand. Seine Muskeln begannen zu zittern. Langsam wurde ihm immer wärmer und der Schweiß lief seinen Rücken runter.

Nach mehreren Pausen und den ganzen Tag ausnutzend hatte er es geschafft. Er hatte einen kleinen Weg gegraben, der nach außen hin langsam auf die Höhe der gefallenen Schneeschicht anwuchs. Während er wieder ins angenehm warme Innere ging, nahm er einen großen Brocken sauberen Schnee mit. Eine der Vorteile im Winter war das Beschaffen von Wasser. Es gab Schnee im Überfluss in Kanada.

Man musste ihn nur schmelzen. Im Sommer musste er immer erstmal das Wasser von dem nahen See heranschaffen und abgekochten, um alle gefährlichen Bakterien abzutöten. Das dauerte immer einige Zeit, bis er sauberes Wasser hatte.

Sofort nahm sich Alessio einen großen Topf, füllte ihn mit Schnee und setzte ihn auf einen Campingkocher. Vielleicht konnte er etwas in den Büchern darüber lesen, wie er am besten und sicher Feuer machen und es auf sich allein gestellt am Brennen erhalten konnte. Irgendwie musste er es schaffen.

Nachdenklich schaute er auf und zur Füchsin. Sie sah ihn an und er sah sie an. Keiner von beiden unterbrach den Blickkontakt. Nach einer Weile schloss Alessio die Augen und wandte seinen Kopf ab. Das Tier war irgendwie seltsam. Trotz des langen anhaltenden Blickkontakts zeigte sie keinerlei aggressiven Verhalten ihm gegenüber. Er musste unbedingt den menschlichen Kontakt im Rahmen halten, während er sich weiter um sie gekümmert, bis er sie wieder in die Freiheit entließ. Alessio verspürte eine gewisse Verantwortung für ihr Wohlergehen, bis es geschah. Daher musste er jetzt sichergehen, dass ihre Heilung gut voranschritt.

„Ich denke, ich schau mir mal deine Wunden an. Ich muss überprüfen, dass sie sich nicht entzünden."

Langsam setzte sich Alessio auf den Boden und wartete ab. Er wollte die Füchsin nicht verschrecken, sondern musste ihr Vertrauen gewinnen. Er stellte sich bereits darauf ein, dass er eine Weile hier sitzen und sich in ihre Richtung bewegen würde, bis er in Armreichweite war, um sie ergreifen zu können. Zuerst wollte er jedoch versuchen, ihr Vertrauen zu gewinnen, sodass sie freiwillig auf ihn zukam.

Allerdings überraschte ihn die Füchsin erneut. Sie kam von selbst mit zaghaften, vorsichtigen Schritten in seine Richtung. Dann legte sie sich vor ihm auf den Boden. Währenddessen wandte sie nicht einmal den Blick von ihm ab. Konnte Alessio sie schon mit seiner Hand berühren ohne dass sie sie vorher festbinden musste oder in die Ecke treiben musste? Würde sie sich wehren, sobald er sie anfasste? Alessio wusste es nicht. Er hob eine Hand und hielt sie einfach los. Er wollte sehen, wie sie darauf reagierte.

„Was machen wir beide eigentlich hier?", fragte er verwundert. Nachdem das Tier keinerlei Aggressionen zeigte, beugte er sich vorsichtig vor und hob mit einer Hand die Verbände an. Die Wunden sahen gut aus, sie waren außergewöhnlich schnell verheilt. Als wären sie nicht erst gestern genäht worden, sondern schon einige Tage alt.

„Hm, anscheinend wirst du bald wieder fit sein. Du hast eine ziemlich gute körperliche Konstitution, dass deine Wunden sich so schnell schließen", sagte er zuversichtlich zu ihr. „Ich werde jetzt die Verbände austauschen und dann kannst du dich zurück in deine Ecke legen und dich von mir verwöhnen lassen. Ich werde dir ein schönes, großes Stück Fleisch braten. Du bist recht dünn. Wahrscheinlich hast du dich nicht so gut ernähren können in letzter Zeit."

Ihre neun Schwänze schlugen hin und her, als würde sie sich freuen.

„Aber da du hier ein paar Tage bleiben, wirst sollte ich dir vielleicht einen Namen geben. Ich kann dich ja schlecht die ganze Zeit *Füchsin* oder *weißes Tier* – nicht mal in meinen Gedanken - nennen. Das wären keine schönen Namen" Alessio zwinkerte der Füchsin zu. Sie starrte ihn allerdings nur an, als wüsste sie nicht, was er meinte – und das war ja auch der Fall – oder sie wartete ab was er nun tun würde. Sie war schließlich nur ein Tier. Peinlich berührt lachte er. „Ich werde anscheinend langsam verrückt. Wenn ich keine Selbstgespräche führe, rede ich mit einem Tier. Vielleicht sollte ich eines von diesen seltsamen Psychologie-Bücher lesen und mich selbst diagnostizieren."

Diesmal schnaubte die Füchsin, als würde sie lachen.

„Ich glaube, ich werde dich Kami nennen. Das hört sich doch gut an, oder?", sagte Alessio nach ein paar Sekunden.

Die Füchsin stupste seine Hand mit der Schnauze an. Sie stimmte Alessio augenscheinlich zu.

Er stand auf, lief in sein Medikamentenlager und nahm sich einige Verbände. Die legte er in die Küche und ging in den Keller. Von dort holte er sich eine der Rehkeulen. Einen Teil schnitt er ab. Den Rest legte er zu Seite. Diesmal würde es nur ein kleines Abendbrot für ihn geben. Er hatte jetzt ein weiteres Maul zu stopfen, weswegen er seine Portionen stärker rationieren musste. Den Rest der Keule packte er ein und brachte es zurück. Dabei schoss ihm durch den Kopf, dass es guttat, dass er jemanden hatte um den er sich kümmern musste – auch wenn es ein kleines Tier war.

Er briet das abgeschnittene Fleisch an und gab einen großen Teil davon zu Kami. Sie brauchte mehr Nahrung als er, da sie besser heilen konnte. Und Nahrung war das beste Heilmittel. Die andere Hälfte legte er auf seinen eigenen Teller. Nachdem er gegessen hatte, nahm er sein

Geschirr und den von Kami und stellte ihn in die Spüle. Dann trat er erneut vor die Tür und holte etwas Schnee rein. Den legte er zu den Tellern in der Spüle. Der Schnee würde am nächsten Morgen schmelzen sein. In dem Licht der Sonne würde der Schnee sich ganz natürlich verflüssigen. Mit dem Gaskocher musste er sparsamer umgehen und nicht zu viel benutzen. Seine Kartuschen würden nicht ewig halten.

„So, Kami, ich werde jetzt ins Bett verschwinden. Du kannst dich gerne hier schlafen legen."

Damit verließ Alessio die Küche. Gerade als er die Tür hinter sich schließen wollte, erschien Kami mit den Decken in der Schnauze und schaute ihn an.

„Willst du etwa mit in meinem Zimmer schlafen? Willst du das denn wirklich? Du darfst dich nicht zu sehr an mich gewöhnen. Ich kann dich sonst nicht in die Wildnis entlassen, wenn du fit bist. Du musst doch auch im Wald überleben können. Ich kann doch nicht aus dir ein Haustier machen, dass würde dir gegenüber nicht fair sein."

Er schritt rückwärts in Richtung seines Schlafzimmers. Kami folgte ihm. Ihre Schwänze standen hinten in einem Rad ab wie bei einem Pfau und bewegten sich nur wenig. Mit seinem Blick fest auf Kami gerichtet, erreichte er nach wenigen Metern sein Zimmer. Kopfschüttelnd wandte er sich um und begann, sich umzuziehen. Als er den Kopf erneut zu Kami drehte, erkannte er, dass sie ihn genau beobachtete.

„Du bist wohl eine Spannerin, was?"

Kami schnaubte wieder mal.

„Und jetzt lachst du mich aus, oder wie?"

Kami schüttelte den Kopf.

Sprachlos öffnete und schloss Alessio den Mund. Was war denn das? Beantwortete sie etwa seine Frage? Verstand sie ihn etwa und seine Sprache? Das konnte nicht sein. Sie war ein wildes Tier und er ein Mensch.

„Kurze Frage, kannst du mich verstehen?"

Als Kami langsam mit dem Kopf nickte, stolperte Alessio erschrocken zurück. Seine Augen riss er vor Schock weit auf. Wurde die ganze Welt verrückt? Seit wann konnten Tiere Menschen verstehen? Andererseits, seit wann sprangen einbeinige, schwarze Männer herum?

Oder Drillinge mit spitzen Ohren und einem schrecklichen anhaftend Gestank strichen durch die Wälder? Wurde er jetzt vollständig verrückt? Hatte ihn die Einsamkeit in den Wahnsinn getrieben? Er schüttelte den Kopf.

Kami legte die Decke in eine Ecke und machte es sich bequem. Sie setzte sich so hin, dass sie ihn dabei ansehen konnte. Währenddessen hatte Alessio sie angestarrt, als wäre sie das achte Weltwunder, doch sie tat nichts Ungewöhnliches mehr. Während er immer wieder nach Kami schaute, ob sie noch etwas seltsames tat, zog er sich fertig um und begab sich in seinen Schlafsack.

Alessio machte sich Gedanken, was es nun mit Kami auf sich hatte. Dass sie ihn verstand, änderte einiges in ihm. Er wusste sofort, dass er jetzt anders mit Kami umgehen würde als bisher. Ihr Blick brannte sich unverändert in seinen ein. Das konnte er jedoch lange aushalten. Daher wandte er sich um, dass er die Wand anschaute. Er spürte immer noch ihren Blick wie einen Laserpointer in seinen Rücken oder war das nur seine Einbildung?

Seit über einem Jahr hatte er allein geschlafen und auch davor hatte er in einem Ausbildungslager für Astronauten und in der Raumfähre gelebt, wo er seine eigene Koje immer hatte. Dadurch war er nicht in den finalen Stunden der Menschheit an der Seite seiner Frau und seiner Tochter gewesen.

Und auf einmal war da diese weiße Füchsin mit den neun Schwänzen. Plötzlich musste er sich wieder um jemanden kümmern, und seltsamerweise tat es richtig gut. Das Gefühl des faden Dahinlebens schien zu verschwinden. Er musste die Tränen unterdrücken, denn er verstand seine Gefühlswelt nicht mehr.

Um ihn herum befanden sich viele Bäume, riesige Stämme, die bis in den Himmel ragten und mit mächtigen Wurzeln in die Erde hineinragten. Sie standen in einer Art Kreis um ihn herum. Jeder Baum hatte andere Runen, Symbole eingraviert, die sich zahlreich über den ganzen Stamm erstreckten. Alessio konnte nicht erkennen, wann diese Symbole aufhörten. Bei einer Pflanze sahen die Runen allerdings genauso aus wie die auf seiner Bärenklaue.

Auf einmal kroch Nebel von allen Seiten her. Er floss erst um Alessio herum, bevor er sich vor jedem Baum verdichtete und sich langsam zu so etwas wie Rauchsäulen aufbaute. Er formte Menschen. Jeder von ihnen trug unterschiedliche traditionelle Kleidung. Alessio drehte sich langsam um die eigene Achse. Es waren mittlerweile unzählige Menschen um ihn herum entstanden. Er wollte sich die Menschen genauer anschauen, doch konnte er keine genauen Gesichter erkennen. Dies verunsicherte Alessio sehr. Es schien als würden sie auf etwas warten. Für einen Angriff standen sie zu passiv da. In vollkommener Stille starrten sie ihn an. Er wusste nicht, was er machen sollte, denn anscheinend erwartete man etwas von ihm.

„Ähm, hallo", stammelte er. Niemand sagte etwas, sie schauten ihn nur an. Langsam konnte es genug von diesem verdammten Starren sein. Schließlich trat ein Mann vor, der drei Federn auf dem Kopf trug. Ansonsten sah er wie ein einfacher Holzfäller aus. Die ein kariertes Hemd und eine einfache Hose waren abgenutzt. Die langen Haare waren zu einem dicken Zopf zusammengebunden. Der dichte Bart war von grauen Strähnchen durchzogen.

„Sei gegrüßt, Reisender" Der Unbekannte legte seine Hand auf sein Herz und neigte den Kopf.

Während er sich aufrichtete, antwortete Alessio: „Reisender? Was soll das heißen? Was ist das hier? So etwas habe ich noch nie gesehen? Solche Zeichen sind mir gänzlich unbekannt."

Etwas konsterniert schaute ihn der alte Mann an „Nein. Hast du dich nicht vor kurzem entschlossen, eine Reise anzutreten. Sie wird sehr lang und schwierig werden." Der alte Mann schien stur an seiner Idee festzuhalten, dass Alessio eine sogenannte Reise machen würde. Eine Reise? Er, der kaum über die Grenzen von Kanada hinausgekommen war? Das dachte er nicht. Er war froh, dass er sich jetzt ein Lager für alle Eventualitäten aufgebaut hatte. Da würde er bestimmte jetzt nicht irgendwo hingehen.

„Hä? Was meinst du damit? Was für eine Reise? Ich habe mich doch gar nicht zu so was entschlossen!"

Jetzt schien auch der Mann unsicher. „Du hast doch einen spirituellen Gegenstand an dich genommen. Du musst dabei gewusst haben, was du getan hast. Oder etwa nicht?"

Alessios Blick fiel auf die kunstvoll verzierte Klaue und auf einmal wurde es ihm klar. Der Fremde sprach von der Bärenklaue. Da ging ihm ein weiteres Licht auf: Diese Männer im Wald hatten von einem Bären geredet. War auch das womöglich die Klaue gewesen? Er nahm sie zwischen seine Finger. Für einen Augenblicklang war Alessio still. Seine

32

Gedanken kreisten um diesen Anhänger. Nach einer Weile sprach der unbekannte Mann weiter.

„Du hattest bestimmt einen Grund dafür, oder?"

„Na ja, ich fand sie interessant und wollte sie mir wissenschaftlich genauer anschauen. Von welchen Bären sie stammte, woher diese Zeichen kommen und vor allem was sie bedeuten. Das ist eigentlich alles. Mehr nicht!"

„Und dass, mein verehrter Freund, war der erste Schritt auf der Reise", sagte der Mann selbstzufrieden. „Du wirst in den nächsten Jahren von uns alles über die spirituelle Welt erfahren, sodass du dich um deinen eigenen Stamm kümmern kannst."

„Ähm, was? Spirituelle Welt? Ich bin Wissenschaftler. Ich glaube nur an hart Fakten. Den Aberglauben der Menschen habe ich noch nie geteilt!"

„Trotzdem willst du diese Bärenklaue analysieren? Nicht wahr?", hakte der Mann nach.

„Hm, ja schon. Weil es interessant aussah und ich mich gerne interessanten Bereichen widme. Ich bin ein waschechter Analytiker. Kein religiöser Mensch!"

Einen kurzen Moment lang schwieg der Mann vor Alessio. Anscheinend begann er seine Gedanken neu zu sortieren.

„Vielleicht solltest du es nicht diese spirituelle Welt als Religion sehen, sondern eher als ein Studium der unterschiedlichen Arten der spirituellen Welt und deren aktiven Anwendung in der physischen Welt."

„Wie soll ich den irgendetwas was ich hier lernen werde, in der echten realen Welt einbringen? Es geht bei euch nur um Regentänze und irgendwelchen sinnfreien Wahrsagungen", meinte Alessio.

„Dem ist nicht so. Wir besitzen Wissen um Heilkräuter, Tränke und Wetterbeobachtungen. Es gehört mehr zu einem spirituellen Menschen als die einfacheren Tänze und Wahrsagungen", versuchte der Mann Alessio zu überzeugen.

Jetzt war es an Alessio zu überlegen. Wenn sie etwas über Heilkräuter und Heiltränke wussten, dann konnte es ihm vielleicht in seinem Überleben unterstützen. Vorausgesetzt, dass das hier kein Traum war.

„Anscheinend komme ich nicht so einfach drum herum. Allerdings bin ich der letzte Mensch auf der Erde. Da ist nichts mit dem Wissen

jemanden weiterzugeben. "

„Reisender, eine der ersten Lektionen, die du lernen musst, besteht darin, dass nichts vorherbestimmt ist. Alles kann sich ändern und nochmal ändern. Allerdings gibt es immer eine Wegrichtung. Du bist vielleicht der letzte Mensch in Nordamerika. Wir haben die Seelen von vier weiteren Überlebenden über die gesamte Welt von hier ausgesehen. Du weißt momentan vielleicht nicht, wieso und wie es zu deinem Überleben gekommen ist. Doch eines wissen wir schon jetzt. Du wirst irgendwann einen großen Stamm haben. Dein Überleben muss daher weiter gewährleistet werden. "

Alessio schaute nachdenklich drein. Er wollte es nicht wirklich glauben. Das klang alles zu seltsam sektenartig. Aber er brauchte das Wissen um die Kräuter. Er musste nicht alles glauben, was diese seltsamen Menschen um ihn herum ihm beibringen wollten. Also stimmte er mit einem widerwilligen Nicken dem Mann zu.

„Du wirst in den nächsten Wochen einen Begleiter bekommen, der dir in den kommenden schwierigen Zeiten helfen und dich lehren wird. Er wird ein Spiegel deiner Seele sein. "

„Ähm, okay, wenn ihr meint. Allerdings ist das hier eh nur ein Traum. In der Hinsicht kann ich eh euch alles versprechen, was ihr wollt. Es wird keinen richtigen Einfluss auf mich haben", *überlegte Alessio skeptisch.*

„Du wirst schon sehen, wie real wir wirklich sind. Sobald du deinen Begleiter in der physischen Welt siehst, wirst du uns glauben. Davon sind wir alle überzeugt. Die Reise, die du machen wirst, wird für uns alle, dich und uns, sehr wichtig sein. Man kann sie nicht an einzelnen Schritten festmachen, der gesamte Lauf als Ganzes ist, worum es geht. Das geballte Wissen von unserem Kreis wird sich dir nach und nach eröffnen und wir werden hilfreich an deiner Seite sein. Allerdings musst du deine Reise sowohl in der spirituellen als auch in der physischen Welt antreten. In der physischen Welt können wir dich nicht begleiten. Diesen Weg der Reise musst du allein gehen. Jetzt musst du dorthin zurück. Wir werden uns jedoch auf jeden Fall wiedersehen. Bis dahin wünsche ich dir alles Gute. "

Sie beobachtete ihn. Er gewann mehr und mehr ihr Vertrauen. Bisher hatte er sie nicht einmal mit dem üblichen komischen Ausdruck in den

Augen angeschaut, abfällig, weil sie nur ein Tier war. Vielmehr behandelte er sie wie einen Menschen, obwohl sie in diesem Moment die Gestalt eines Fuchses angenommen hatte.

Sie wusste nicht, warum sie ihm sogar anvertraut hatte, dass sie ihn verstand, doch irgendetwas an ihm beruhigte sie. Schon als er sie verarztet hatte, waren seine Hände warm und sanft gewesen. Er hatte ihr nur so viel wie notwendig war genäht. Zusätzlich gab er ihr immer eine größere Portion zu essen, während seine eigenen Portionen von Tag zu Tag kleiner wurden. Er war ein sehr fürsorglicher Mensch, fürsorglicher als sie in den letzten Jahren es gewöhnt war.

Er hatte eine Spur Spiritualität an sich. Sie war gestern noch nicht da gewesen, anscheinend war er erst kürzlich in diese Welt eingetreten. Sein Energielevel hatte sich in einer subtilen Art verändert. Normale Menschen waren in ihrer Energie sehr stark in diese Welt gebunden. Doch dieser Mann hatte über Nacht eine extra Note bekommen.

Sie würde diese Veränderung noch ein bisschen weiter anschauen, in welche Richtung er sich verändern würde. Sollte er sich in die dunkle bösartige Richtung entwickeln, würde sie von ihm weggehen. Noch eine Erfahrung wollte sie nicht machen. Sollte es hingegen in die helle Richtung mit ihm gehen, konnte sie bestimmt noch eine Weile bei ihm bleiben, zumindest so lange, bis sie komplett gesundet war. Danach würde sie weitersehen.

3.   Kapitel: November, Jahr 1 nach der Menschheit
„Erstarrung heißt, sich auf die Seite des Todes zu begeben. Nicht-Erstarrung heißt, auf der Seite des Lebens zu bleiben." – *Miyamoto Musashi, Buch des Wassers*

Die nächsten Tage verliefen recht eintönig. Alessio wachte morgens auf, bereitete für sich und Kami Essen vor, bevor er sich daran machte den Schnee wegzuräumen, das Haus instand zu halten und die Werkzeuge für das Eisangeln herzustellen und vorzubereiten. So musste er den Bohrer noch etwas schärfen und die Angel mit einer stärkeren Angelschnur versah. Nicht das das Garn riss, wenn er gerade einen Fisch herauszog. Abends las er in einem der Jagdbücher nach, wie er den Winter überstehen konnte. Der Schnee lag jetzt schon hüfthoch und es wurde immer schwerer für ihn, den Wald zu durchqueren.

Auf einen Außenstehenden mochte es vielleicht so wirken, als seien es langweilige Tage, doch durch Kami gestaltete sich diese Zeit für Alessio sehr unterhaltsam. So schnappte sie sich manchmal sein Essen oder strich durch seine Beine auf kleine Streicheleinheiten. Oder sie räumte heimlich seine Sachen an andere Stelle, weswegen er es suchen musste. Es zeigte ihm, dass sie Vertrauen zu ihm aufbaute.

An diesen seltsamen Traum dachte Alessio schon nicht mehr Solche Seltsamkeiten waren nur in Büchern zu lesen. Alessio war ein Mann der Wissenschaft, wie konnte man da in solche Hirngespinste glauben wie einem Traum. Außerdem gab es größere Probleme als einen Traum, der keinen Einfluss auf die Realität besaß.

Die Hauptschwierigkeit in dieser Zeit stellte weiterhin das Feuer dar. Der letzte Gaskocher würde nicht mehr lange reichen. Noch hatte er keine Lösung dafür gefunden. Zusätzlich sanken die Temperaturen immer weiter, daher konnte er in dieser Zeit dabei zusehen, wie der See Stück für Stück zufror. Vielleicht konnte er jeden Tag einmal ausprobieren, wie dick die Eisdecke war. Wenn er sicher war, dass dieses Eis stabil für sein Gewicht genug war, würde er sein Glück im Eisangeln versuchen.

Bis er jedoch Angeln gehen konnte, musste er wohl oder übel jeden Tag jagen gehen. Allerdings gab es ein großes Problem das Jagdglück hatte ihn verlassen. Die Spuren von Tieren im Schnee wurden immer weniger. Vielleicht waren die meisten wilden Tiere in andere Gefilde gezogen. Die restlichen hier lebenden schnüffelten an seinen Schlingen, bevor sie schnell fortrannte. Anscheinend musste sein Geruch mittlerweile alles überlagern, weswegen die Tiere vor ihm davonrannten.

Um möglichst lange von dem restlichen Fleisch überleben zu können, portionierte er seine eigenen Mahlzeiten kleiner als noch vor einigen Tage zuvor. Schlussendlich war fast nichts mehr übrig und er war gezwungen, ein Tier zu fangen, wenn er nicht verhungern wollte. Letztendlich musste nicht nur er auf irgendeine Art und Weise überleben, sondern auch Kami musste es schaffen.

Also machte er sich wieder einmal auf den Weg in den Wald. Die Sonne war gerade über die anliegenden Berge gestiegen, als sich Alessio die Armbrust umschnallte. Es konnte nicht sein, dass er gar nichts mehr erlegen konnte. Wenn er heute kein Tier erlegte, hätte es sich mit ihm in vier bis fünf Tagen erledigt. Schon jetzt knurrte sein Magen unaufhörlich. In seinem Kopf krochen immer wieder Gedanken von saftigen Steaks, heißen frischen Brot oder dem knackigen Geräusch eines Apfels, wenn man von ihm abbiss. Oh Mann, er hörte musste aufhören an Essen zu denken und sich lieber auf seine bevorstehende Aufgabe konzentrieren. Der Countdown für ihn lief langsam, aber stetig ab.

Er hatte erst wenige Schritte getan als er ein eisiges Gefühl an seinen Füßen spürte. Zusätzlich hörte er ein leises schmatzendes Geräusch. Was war das? Etwas ratlos hob er ein Fuß hoch und versuchte dabei nicht in den Schnee umzufallen. An den Nähten des Schuhes konnte er die warmen Socken sehen, die er für diese Jagd angezogen hatte. Mist, seine Schneeschuhe waren schon wieder durchgelaufen.

In seinem Lager hatte er keinen Ersatz mehr, daher musste er in die Stadt gehen und bei der Gelegenheit nach Gaskochern, Schneeschuhen und ein paar weiteren Kleinigkeiten suchen. So brauchte er noch Nähzeug, Batterien für Taschenlampen oder auch Kerzen. Alessio musste sich mal wieder eine Liste machen. Kami hätte ihn von ihrem Gesundheitszustand her zwar begleiten können, jedoch würde sie vollständig im Schnee versinken. Sie war ein Teil der ursprünglichen Natur. Ihre Nase war um einiges feiner als seine und ihr weißes Fell würde sie vor Fressfeinden perfekt schützen und auch bei einer Jagd eine gute Tarnung sein.

Aus diesem Grund würde er sie lieber in seinem Heim zurücklassen. Sie war inzwischen so gut wie geheilt, deutlich daran zu erkennen, dass sie immer wilder rannte und sprang. Die Verletzungen behinderten sie nicht mehr. Sie legte sich über Nacht direkt neben ihn, ihr Fell berührte seine Haut. Ihr Duft stieg dabei in seine Nase. Seltsamerweise roch Kami nach Kirschblüte.

Alessio rief sich selbst zur Ordnung. Er durfte seine Gedanken nicht abschweifen lassen. Er war auf der Jagd. Während er durch den Wald schlich, horchte er nach auffälligen Geräuschen. Das Gehölz bleib jedoch still. Kein Vogel zwitscherte, kein Röhren eines Elches und auch kein Heulen eines Wolfes. Alessio hörte nur sein eigenes Atmen. Es klang in seinen Ohren wie ein Donnergrollen – kein Wunder, dass er nichts fing. War es vielleicht sein Atmen, was das Tier vertrieb? Es sollte eigentlich nicht sein, aber was, wenn doch? Dann musste er in Zukunft versuchen, seinen Geräuschen des Luftholens mit einem Tuch verringern. Das konnte in Zukunft das Zünglein an der Waage für sein Jagdglück sein.

Auf einmal sah er einen weißen Bären einige Meter vor sich stehen. Er tauchte wie aus dem Nichts vor ihm auf. Alessio zuckte zusammen. Würde der Bär ihn angreifen? Er machte sich bereit, zur Not die Flucht zu ergreifen. Auch wenn sein Magen laut knurrte und sich seine Gedanken um Essen drehten, würde er diesen Bären nicht versuchen zu erlegen. Wenn er auch nur knapp danebenschoss, würde er das Tier nur wütend machen. Selbst ein geschwächter Bär wäre schneller als Alessio. Also dann lieber nicht angreifen und den Bären genau beobachten. Sollte er sich in Alessios Richtung bewegen, musste er fort von hier.

Das Fell des Bären schien einen Hauch von Braun aufzuweisen. Er zog sich hindurch wie ein einzelner Tropfen Kaffee in einem Glas Milch. Was Alessio außerdem ins Auge fiel, waren die fehlenden Pfotenabdrücke. Um dem Bären herum war nicht ein einziger Abdruck zu finden. Als wäre er von einem Baum gesprungen, obwohl kein Ast über ihm ihn getragen hätte. Er konnte aber nicht vom Himmel gefallen sein.

Alessio schaute sich unauffällig um - nirgends eine Spur. Anschließend schaute er genauer zu dem Tier. Es war, als würde der Bär über den Schnee schweben. Das widersprach allen physikalischen Gesetzen, die Alessio kannte. Er beobachtete, wie das Tier ihm langsam den Rücken zuwandte und in eine andere Richtung schritt. War das der sogenannte Gefährte, von dem die seltsamen Menschen in seinem Traum erzählt hatten? Mein Gott, wie konnte Alessio diesen idiotischen Traum überhaupt ernst nehmen, dass er es in Erwägung zog, dass der Bär ihm was zeigen wollte. Und doch stahl und kroch sich dieser Gedanke in seinen Kopf immer tiefer hinein. Ach verdammter. Dieser Humbug würde ihn nicht dazu bewegen, dass er den Bären folgte.

Auf der Stelle drehte sich Alessio um und in die andere Richtung bewegen. Weg von diesem Raubtier. Jedoch kam ein Knurren von dem Bären, der ihn offenbar bemerkt hatte. Wie angewurzelte blieb Alessio stehen. Zaghaft wollte er einen weiteren Schritt von dem Tier wegtreten, als erneut ein Knurren erklang. Anscheinend wollte der Bär, dass Alessio ihm folgte.

Das konnte jetzt nicht wahr sein? Ein Tier, das wollte, dass man ihm folgte? Unglaublich, dass widersprach allen möglichen biologischen Gesetzen. Das weckte jedoch seine wissenschaftliche Neugier. Was war der Hintergrund für diese paradoxe Verhalten? Dem musste er auf dem Grund gehen. Mühsam und voller Vorsicht bewegte sich Alessio durch den tiefen Schnee. Langsam, aber stetig folgte er dem Bären.

Jedes Mal, wenn es schien, als würde Alessio den Anschluss verlieren, wartete der Bär, bis er aufgeholt hatte. So ging es fast eine Stunde, als der Bär endlich an dem Rand einer Lichtung stehen blieb. Er trat nicht zwischen den Bäumen hervor, sondern blieb am Rand des offenen Kreises stehen. Dort machte er mit dem Kopf eine Bewegung, eine Bewegung, die Alessio aufforderte: ‚Schau her! Hier wirst du etwas finden.' Dieses Tier benahm sich wirklich seltsam.

Alessio schaute sich um. Durch die Lichtung floss ein Bach. Durch einen kleinen Hügel gab es sogar einen winzigen Wasserfall. Daneben befand sich ein Steinbruch, indem vielleicht zwei bis drei Menschen Platz hatten. Es war ein interessanter Ort. Innerhalb des letzten Jahres hatte er nur dichte Wälder und von menschengemachten Lichtungen in der näheren Umgebung gesehen. Alessios hatte alles abgelaufen. Diese freie Fläche war ihm jedoch nie zu Gesicht gekommen. Zusätzlich lag in dieser Lichtung nicht so viel Schnee wie in zwischen den Bäumen um ihn herum. Das war seltsam. Normalerweise sollte auf einer so freien Fläche wesentlich mehr Schnee liegen als in einem dichten Wald.

Alessio bewahrte weiterhin Abstand zu dem Bären zu dem Wasserfall und ging in die Lichtung hinein. Dabei schaute er sich diesen Ort genauer an. Das Wasser plätscherte aus gerade mal einem Meter Höhe herab. Nichts Spektakuläres und doch hatte es etwas an sich, was Alessio nicht benennen konnte. War es der kleine Wasserfall, welcher sich durch die Lichtung kämpfte. Vor nichts machte er halt. Irgendwie erinnerte dieser Fluss Alessio an ihn selbst. Durch alle Unwegbarkeiten kämpfte er sich hindurch. Alessio lächelte leicht. Anscheinend projizierte er seinen Überlebenskampf in die Natur. Die typischen psychologischen Erscheinungen eines Einsiedlers.

Während er sich den Fluss anschaute, wurde er auf einmal nach vorne gestoßen. Kopfüber fiel Alessio in das eiskalte Nass, direkt in den Wasserfall. Die frostigen Temperaturen gruben sich schockartig in sein Fleisch. Nach Luft schnappend tauchte er wieder auf. Wild blickte er sich um. Was war gerade passiert?

Er hatte einen Stoß gefühlt, aber wer war es gewesen? Aus dem Augenwinkel sah eine Bewegung. Sofort drehte sich Alessio um und erkannte, dass der weiße Bär am Flussufer stand. War es dieses Raubtier gewesen? Er schaute Alessio eindringlich an, da wusste er, dass es so gewesen war. Alessio versuchte, diesem starrenden Tier zu entkommen und bewegte sich zu der anderen Seite des Baches, um dort an Land zu gehen.

Kaum angekommen, spürte Alessio, wie die Kälte begann ihn von außen nach innen aufzufressen. Was vorher durch das Adrenalin unbemerkt blieb, bahnte sich nun in voller Wucht in sein Bewusstsein. Gleichzeitig kam ihn die Erkenntnis, dass es nicht mehr lange dauern würde, bis es sein Herz erreicht. Das überlebte er nicht.

Er konnte sich kaum noch bewegen, so heftig zitterte er. Die Kälte ließ seinen Körper in sich zusammenfalten. Nur mit Mühe schaffte er es zu dem Steinbruch. Dort legte er sich auf einen Stein. Dabei wurde er immer steifer und müder. So würde er also sterben. Die Angst in ihm stieg immer weiter. Sie wurde allmächtig. Verdammt, warum war er nicht vorsichtiger gewesen.

Jeder wusste, dass man im Winter Wasser, speziell kaltes, meiden sollte. Gerade jetzt als er wieder einen Kompanion hatte. Langsam, aber stetig, verdrängte Müdigkeit diese Nacht. Warum sollte er auch kämpfen. Wenn er jetzt einschlief, sah er bald seine Frau und seiner Tochter wieder.

Das sollte doch nicht traurig sein, trotzdem kam ihn Kami in den Sinn. Er ließ jemanden allein, der noch vor einigen Tagen auf seine Hilfe angewiesen war. Schwermütig schluckte er. Alessio konnte nur hoffen, dass Kami allein überleben würde, davon war er überzeugt. Seine Kleidung begann zu vereisen. Er versuchte, sich krampfhaft wach zu halten, doch schlossen sich seine Augen immer wieder und immer länger. Die Müdigkeit übermannte ihn.

Auf einmal sah er, wie Kami angerannt kam und direkt durch den Bären auf diese Seite des Flusses sprang. Wie konnte das sein? Hatte er Halluzinationen? Bestimmt war das die Müdigkeit, die ihn etwas vorgaukelte. Es gab kein physikalisches Gesetz, dass zwei Körper zur gleichen Zeit am gleichen Ort sein konnten. Noch während er das dachte, schloss er seine Augen endgültig.

Sie spürte die Müdigkeit, die Schwere seiner Gliedmaßen ... sein Sterben sofort – tief in ihrem Inneren. Er brauchte ihre Hilfe, und zwar jetzt. Kurz schaute sie sich um, um die Richtung zu bestimmen, dann rannte sie los. Er durfte nicht sterben. Nicht, wo sie endlich Vertrauen zu ihm gefasst hatte. Während sie seiner Spur im Schnee folgte, spürte sie, wie Alessio dem Tod immer näherkam. Nur kurz streifte sie der Gedanke, warum sie ihn in ihrem Inneren spürte.

Warum spürte sie ihn sich? Das konnte sie nicht sagen. Es fühlte sich zudem auch seltsam an, eine fremde Empfindung in sich zu spüren. So etwas war unnormal. Man kannte immer nur seine eigenen Gefühle kennen. Doch war sie über diesen neuen Umstand froh. Dadurch konnte sie ihn jetzt schneller in den tiefen Wäldern Kanadas finden und vor allem retten.

Der Empfindung folgend erreichte sie eine Lichtung, wo sie ihn auf einem Stein liegen sah. Sie konnte schon von Weitem sehen, dass seine Kleidung zu gefrieren begann. Sie erhöhte ihre Geschwindigkeit und sprang über den Fluss.

Dabei hatte sie einen Moment lang das Gefühl, als würde sie durch einen magischen Wall fliegen. Es war dumpfes Gefühl gewesen. Wie als würde man durch einen Schwall heißer Luft springen. So schnell diese Empfindung gekommen war, war sie auch wieder vorbei. Dann ging es gleich weiter in dem kalten Schnee.

Doch schenkte sie diesem keine weitere Beachtung. Alessio hatte höchste Priorität für sie. Der letzte Mensch durfte nicht einfach so von ihr gehen.

Auf der anderen Seite angekommen, legte sie sich sofort an seine Seite und wärmte mit ihren Fähigkeiten die Luft um sie beide auf. Innerhalb weniger Sekunden war die nähere Umgebung heiß. Allerdings nur knapp über Körpertemperatur, nicht dass sie ihm noch verbrannte. Hoffentlich war es noch nicht zu spät. Alessio durfte nicht sterben.

Alessio kam wieder zu sich. Langsam schlug er die Augen auf. Ein Wunder! Die Wärme in ihm ließ ihn schwitzen. Sein ganzer Rücken war schon nass. Er schaute sich um und bemerkte, dass Kami neben ihm lag. Anscheinend hatte er nicht geträumt. Dankbar schloss er kurz seine Augen. Kami war wirklich zu ihm gekommen. Doch etwas war falsch an ihr, als er wieder seine Augen öffnete. Ihr Körper zitterte schwach. Zudem waren ihre Augen geschlossen und ihr Atem ging flach. Was war passiert, nachdem er ohnmächtig geworden war? Warum ging es ihm jetzt gut und Kami so schlecht wie seit Tagen nicht mehr?

Er nahm sie sanft in seine Arme und stand auf. Kami brauchte so schnell wie möglich Energie in Form von Essen und Wärme. Ihr Körper fühlte sich kühl an im Gegensatz zu seinem Körper und der Umgebungsluft. Da half nur zugeführte Energie in jeglicher Art und Weise.

Auf einmal jagte ein Gedanke durch den Kopf. Wo war der Bär? Der musste noch hier sein? Ruckartig hob seinen Blick hoch und suchte die Umgebung ab. Nichts! Anscheinend mochte der Bär kein gefrorenes Fleisch und hatte sich verzogen.

Trotzdem würde Alessio wachsam sein müssen. Nicht das ein Angriff aus dem Hinterhalt kam. Sobald er sich abgesichert hatte, sprang Alessio über den Fluss und lief er wieder in seine Unterkunft zurück. Nach einer Weile kam er zu Hause an und rannte sofort ins Schlafzimmer. Während des Laufes zitterte Kami immer heftiger. Sie war selbst so eiskalt geworden wie er zuvor.

Er legte Kami in ihre Ecke des Raumes und deckte sie zu. Anschließend holte er ein großes Stück Fleisch und zerkleinerte es so lange, bis es nur noch Mus war. Über dem letzten Gasbrenner briet er es an. Als die braune Farbe zeigte, dass es gar war, brachte Alessio es zu Kami. Er stellte die Pfanne auf dem Boden ab und setzte sich hin.

Er musste sie jetzt füttern, da sie offenbar nicht selbst fressen konnte. Mit einer Hand versuchte ihr Maul zu öffnen, aber ihre Muskeln verkrampften sich. Zusätzlich zitterte Kami immer noch als stünde sie unter Strom. Es würde nicht einfach werden, sie zu füttern.

Alessio hob Kami mit ihrer Decke auf seinen Schoß. Vorsichtig drückte er ihre Schnauze mit den Fingern auseinander.

Beiß jetzt bloß nicht zu! Er nahm einen Löffel von dem Fleischmus und versuchte es ihr behutsam in ihr Maul zu legen. Zuerst schluckte sie es nicht. Sie schien zu schwach dazu zu sein. Mit einem Finger strich er ihr über den Hals, um den Schluckreflex anzuregen. Nach einer Weile schien sich schließlich ihr Überlebenswillen zu regen. Ihr Maul entkrampfte sich und sie schluckte das Fleisch. Geduldig und sachte flößte er ihr den Rest des Fleisches ein.

Kami würde es schaffen. Sie musste. Schließlich war sie zu einer guten Gefährtin geworden. Seiner einzigen. Daher musste sie überleben, sowohl jetzt als auch in Zukunft.

Danach legte er sie sachte zurück in ihre Ecke und verzog sich in die Küche. Vorher stellte er noch ein altes Babyfon hin, welches er bisher als einfaches Alarmsystem genutzt hatte. Die Empfängerstation nahm er mit, falls es zu Problemen bei Kami kam. Dort angekommen, nahm er etwas von dem aufgetauten Wasser und schüttete es in eine Schüssel. Die stellte er zu Kami. Sie brauchte es bestimmt, wenn sie später wieder aufwachte. Das würde er dann auch sofort in seinem Babyfon hören. Jetzt konnte er nur noch abwarten, bis Kami wieder zu sich kam. Es machte ihn fertig, dass er nicht mehr tun konnte. Mit einer Hand fuhr er genervt durch sein Haar. Verdammt, er hasste das Warten.

Wenigstens hatte er durch das Geschehene genug nachzudenken. Dieser Bär war irritierend gewesen. Trotz der Anomalie bei den physikalischen Gesetzen, denn welcher Körper hinterließ keine Spuren, war der Bär Alessio bekannt vorgekommen und doch war er ihm noch nie vorher begegnet. Er hätte sich bestimmt erinnert. Einen Bären wie diesen vergaß man nicht so schnell. Diese Fellfarbe war ungewöhnlich für diesen Breitengrad gewesen. Eisbären gab es nur in den nördlichsten Gefilden von Kanada vor.

Auch beschäftigte ihn das Problem mit den Temperaturen diese lag schon seit einiger Zeit unter dem Gefrierpunkt. Ein Fall in das eiskalte Wasser hätte eigentlich sein Todesurteil bedeuten müssen und doch stand er jetzt hier. Alessio hatte nicht mal Erfrierungen erlitten.

Nach einer Weile, die er in Gedanken verbrachte, knurrte sein Magen. Er hatte seit über einem Tag nichts mehr gegessen und durch die zurückliegenden Ereignisse auch nichts fangen können. Während er in seine Kühlkammer hinunter ging – Es war die typische Routine eines Menschen, der in seinen Gedanken versunken war und immer hoffte dass sich seit dem letzten Mal etwas im Kühlschrank veränderte hatte -, fragte er sich, wo er seine Armbrust liegen lassen hatte. Er hatte sie doch wohl nicht im Wald vergessen. Das würde ihm die Jagd erheblich erschweren. Da auch seine Fallen bei dem Schnee versagten, blieb ihm nur das Angeln.

In seiner Kühlkammer schaute er in der Truhe nach, doch es war nichts mehr da. Er hatte das letzte Stück Fleisch für Kami verarbeitet. Mist. Alessio hatte in den letzten Tagen viel durchgemacht und doch durfte er sich nicht gehen lassen. Der Kampf ums Überleben würde mit jedem Jahr heftiger werden, wenn die Zivilisation weiter schwand und die Natur ihr Reich zurückeroberte.

Alessio schaute gleich darauf bei Kami vorbei, für den Fall, dass sich ihr Zustand verschlechtert hatte. Wenn sich ihr Zustand verschlechterte und sich eine Hypothermie einstellt, würde es für die kleine Füchsin lebensgefährlich werden. Sie schien sich jedoch zu erholen. Ein Glück. Ihr Atmung ging wieder kräftiger und auch ihre Temperatur hatte sich leicht erhöht.

Seltsamerweise schien sie nicht mehr blass zu sein wie vor wenigen Stunden noch, sondern sie strahlte. Alessio näherte sich mit seinem Gesicht dem Fell. Woher kam dieses Strahlen?

Aus rein visueller Sicht war nichts zu erkennen. Mit einer Hand strich er durch die Fellhaare und zupfte eins heraus. Das Strahlen kam aus dem Inneren der Haare. Aber was konnte die Haare so erstrahlen lassen? Oder war es nur das Licht seiner Lampe? Bestimmt, das musste es sein. Trotzdem war es *faszinierend*, wie es Mr. Spock so schön sagen würde. Irgendwie … schön. Alessio schüttelte den Kopf über sich.

Verwirrt verließ er das Zimmer und schloss leise die Tür. Kami musste sich noch ausruhen. Auch wenn sie sich schon um einiges erholt hatte, brauchte sie noch Zeit. Gerade bei einer Hypothermie mussten die Patienten ruhig liegen bleiben und die Temperatur sollte sich langsam wieder erwärmen. Zu schnell und es würde bleibende Schäden geben.

So sehr wie Alessio bei ihr jetzt bleiben und ihren Genesungsprozess weiter beobachten wollte, konnte er es nicht. Der Mangel an Lebensmittel – besonders an Fleisch - in seinem Haus zwang ihn, dass er schon jetzt wieder raus musste. Denn sollte Kami wieder aufwachen, brauchte sie Energie in Zufuhr von Nahrung. Eine Jagd würde ihn zu weit von seinem Heim wegbringen, blieb auch nur das Angeln übrig. Er würde auch vorsorglich das Walkie-Talkie mitnehmen.

Da konnte er vielleicht mitbekommen, wenn es bei ihr Komplikationen gab. Das würde zumindest sein Dilemma - bei ihr bleiben oder Angeln gehen - etwas abschwächen. Also ließ er sie mit schweren Herzens zurück. Alessio schnappte sich eine seiner Angeln und einen selbst gebastelten Eisbohrer und ging hinaus in den Schnee. Mit der Angel hatte er mal gute und mal schlechte Tage. Alessio konnte nur hoffen, dass heute ein guter Tag war. Die Sonne stand schon nicht mehr an ihrem höchsten Punkt. Es würde jedoch noch eine Weile dauern, bis die Dämmerung hereinbrach.

Er ging zum See. Dabei überquerte er ein kleines Stück Wiese. Bei jedem Schritt knirschte der Schnee unter seinen Schuhen. Es unterbrach die Stille und ließ die gespenstische Ruhe umso deutlicher hervortreten. Zusätzlich kam ihm bei jedem Metern, denn er zurücklegte die Frage, ob es wirklich eine gute Idee, dass Haus und Kami so schnell wieder zu verlassen, doch er musste es tun. Nach einer kurzen Distanz erreicht Alessio schließlich den Abhang zum See. In den letzten Tagen war es sehr kalt gewesen, weswegen der See mittlerweile dick genug überfroren sein sollte, um sein Gewicht zu halten. Zumindest am Seeufer sollte er sich ohne Bedenken darauf bewegen können.

Alessio schaute sich zu seinem Haus um. Die Schwierigkeiten, die er bisher hatte, würden sich in den nächsten Tagen weiter verschärfen, wie er vom letzten Winter wusste.

Um ihn herum war es totenstill. Kein Zwitschern, kein Röhren. Anscheinend war es den Tieren zu kalt geworden, um Laute von sich zu geben. Mit knirschenden Schritten ging er über den verschneiten und zugefrorenen See. Der Untergrund war rutschig, wie es nur auf einer

Eisfläche sein konnte, doch hatte Alessio bereits vorgesorgt. Er hatte letzten Winter alte Nägel in ein Paar Schuhe gehämmert, wie es die Fußballer früher hatte. So glitt er nicht aus.

Hundert Meter vom Seeufer entfernt, blieb er stehen. Hier könnte eine gute Stelle sein. Hier lebten wahrscheinlich die größeren Fische. Das Nahrungsangebot war durch die Tiefe des Sees und der Mikrolebensformen etwas größer, wodurch sowohl die Raubfische als auch die Beutefische größer waren. Er stellte seine Angelutensilien ab und begann zu bohren.

Schon nach wenigen Minuten schwitzte er. Es handelte sich um eine Knochenarbeit. Das Eis war steinhart. Nach minutenlanger Anstrengung schaffte er es jedoch, durchzubrechen. Wasser sprudelte aus dem Bohrloch heraus. Endlich! Er war durchgedrungen. Schnell zog Alessio den Bohrer raus. Kurz testete er mit seinem Fuß, ob der Rand des Eis stabil blieb. Sobald er sicher war, bereitete er seine Angel vor. Er brachte den Schwimmer an den Haken an sowie einen metallisch scheinenden Köder. Mit irgendeinem Lockvogel musste er die Fische anlocken. Erst jetzt hielt er sie ins Wasser. Jetzt hieß es abwarten, denn es würde bestimmt seine Zeit dauern, bis Alessio etwas fing.

Zu seine Überraschung dauerte es keine fünf Minuten, bis ein Fisch anbiss. Alessio zog die Angel aus dem Loch heraus und legte den Fisch auf das Eis. Schon nach wenigen Sekunden war er gefroren. Jedoch konnte Alessio nicht mit nur einem Fisch aufhören, da er in Kami einen zusätzlichen Esser hatte. Zusätzlich konnte Alessio sich einen kleinen Vorrat an Fischen aufbauen, sodass er wieder Entspannung in seiner Nahrungsnot hatte.

Daher angelte er sofort weiter und hielt seine Angel wieder ins Wasser. Verglichen mit seinen vorherigen Angelversuchen hatte er relativ schnell zehn Fische gefangen. Das würde zumindest für ein paar Tage mehr reichen. Er begann die Angel zusammenzupacken, als er ein grauenhaftes Geräusch hörte: das trockene unterirdische Knacken, wenn Eis beginnt zu brechen.

Sein Herz blieb kurz stehen. War sein Untergrund doch nicht so dick wie gedacht? Hatte er sich mit der Dauer und der Tiefe der kalten Temperaturen geirrt? Das Geräusch des Reißens dauerte weiter an. Es wurde immer tiefer und der Boden unter Alessios Füßen schwankte leicht. Das Eis wurde eindeutig instabil.

46

Er schaute sich um. Alessio hatte die kleine Hoffnung, der Riss verliefe nicht unter seinen Füßen. Jedoch schien es gerade bei ihm den großen Durchbruch zu geben.

Verdammt, ich habe es doch gerade erst überlebt, da kann ich doch nicht schon wieder den gleichen Fehler machen.

Vorsichtig und ohne hastige Bewegungen schob er seine Füße von dem Eisloch weg. Vielleicht konnte er es schaffen, an das Ufer zu kommen, ohne das Eis noch mehr zu strapazieren. Alessio musste es versuchen. Mit langsamen und kleinen Schritten arbeitete er sich voran. Das knackende Geräusch hörte sofort auf. Das ermutigte Alessio sich weiter voranzuschieben. Das Ufer kam immer näher und er glaubte schon, er hätte es überstanden. Ein kleines Lächeln glitt über sein Gesicht, aber nach wenigen Schritten ging ihm sein Glück aus.

Mit einem lauten Krachen brach das Eis unter ihm weg. Er versuchte noch sich am Rand festzuhalten, doch das Wasser schlug gnadenlos über ihm zusammen. Seine dicke Kleidung sog sich sofort mit Wasser voll und zog ihn wie eine Eisenrüstung aus Stein runter. Die dicke Daunenjacke sowie seine gefütterte Hose hatte sich augenblicklich mit Wasser vollgezogen und wog nun einige Kilogramm mehr.

Alessio konnte nicht die Kraft aufbringen, dieses zusätzliche Gewicht mit zu halten. Es gab keine Möglichkeit, dass er sich jetzt noch retten konnte. Das wurde ihm klar, während das Licht über ihm immer kleiner wurde.

In einer hilflosen Geste streckte er seine Hand in Richtung Wasseroberfläche, doch es war zu spät. Er konnte seinen Atem nicht mehr anhalten. Reflexartig versuchte er nach Luft zu schnappen, aber es drang nur eiskaltes Wasser in seinen Mund. Die Welt wurde schwarz.

Er schlug die Augen auf. Die Helligkeit stach in seine Augen, bevor er sich umschauen konnte. Er stand in der Mitte des ihm bekannten Baumkreises. Vor ihm befand sich der Mann mit den Federn in den Haaren, der ihn das letzte Mal im Traum begrüßt hatte. Sonst war niemand zu sehen.

„Willkommen. Wie ich sehe, hast du den ersten Schritt deiner Pilgerreise durchgeführt", sagte er pathetisch.

Alessio stapfte so sehr mit seinem Fuß auf, dass er das Gefühl hatte, seine Kniescheibe würde herausspringen. Das durfte jetzt jedoch nicht deren Ernst sein. Das Blut schoss heiß durch sein Adern und seinen Händen zuckten. Er wollte etwas zerstören.

„Welchen ersten Schritt meinst du? Ich habe keine Ahnung, was du meinst. Oder meinst du vielleicht, dass was an dem Wasserfall passiert ist? Oder die Begegnung mit diesem seltsamen Bären? Ich wäre fast gestorben. Verdammt noch mal! Mich hat nur meine kleine Füchsin mit ihrer Körperwärme gerettet."

„Dein Begleiter hat dort zusammen mit dir den ersten Schritt gemacht", erklärte der Mann mysteriös.

„Du meinst, der Bär ist mein Begleiter? Das bezweifle ich, denn der ist bösartig. Er hat mich ins Wasser gestoßen. Wie soll so ein Tier mir helfen können? Es sind wilde Tiere, die nicht gezähmt werden können."

„Er ist doch dein Krafttier. Das ist ein Geisttier, welches nicht in dem eigentlichen Sinn lebt, sondern dessen Energie nimmt eine für dich spezifische Form an. Seine Aufgabe ist es dir zu helfen und dich auf deiner Entwicklung begleiten. Wusstest du es denn nicht?", erstmalig schaute der Mann nicht mehr so feierlich aus, sondern verwirrt und ratlos. Anscheinend hatte Alessio ihn jetzt wirklich aus der Reserve gelockt.

„Nein, mir ist dieser Begriff vollkommen unbekannt und auch was es für mich bedeutet. Ich habe mich der Wissenschaft verschrieben und nicht irgendwelchen mystischen Hokuspokus", erklärte Alessio ihm ruhig. Seine Wut war immer noch vorhanden, doch schwellte sie im Hintergrund. Er war jetzt auf die Erklärungen des Mannes gespannt. Solche esoterischen Spinner haben für alles eine Erklärung.

„Naja, wie soll ich sagen. Dieser Bär kann in seinen Methoden vielleicht etwas unfreundlich auf dich wirken, doch wird er dich in deiner Entwicklung zu einem Schamanen in allem unterstützen. Er wird dir in auch Gefahrensituationen beistehen. Er wird zu deinem Freund werden. Du darfst von ihm nicht wie von einem wilden Tier denken, sondern ... ein Gefährte. Ja, genau, das ist er."

„Vielleicht will ich ihn aber nicht als Freund haben. Er hätte mich fast getötet", knurrte Alessio.

„Aber du bist offenbar nicht gestorben. Du wurdest ja von deiner kleinen Gefährtin gerettet."

„Das war doch nur Zufall!"

„Dein Krafttier hätte nicht zugelassen, dass du stirbst. Er wäre dir zur Hilfe gekommen."

Alessio zweifelte daran. Schließlich war der Bär nur ein Geist. Wie hätte ein Geist ihm helfen sollen. Sollte man den Schauergeschichten von früher glauben, dann bestanden Geister aus dem Abbild toter Seelen.

Allerdings ging ihm ein Gedanke durch den Kopf, was er nicht wirklich glauben wollte. Er war nicht eingeschlafen, sowie bei dem letzten Mal, sondern er musste ohnmächtig geworden sein. Oder war das mit dem Einsturz in dem Eis real gewesen? Nein, darüber wollte Alessio nicht nachdenken. Dann lieber über solche Unsinnigkeiten wie diesem Krafttier sich Gedanken machen. Wenn sich es bewahrheiten sollte, dass er tot war, konnte er sich eine ganze Ewigkeit Zeit nehmen, diese wirren Gedankengänge des Mannes zu widerlegen.

„Hattest du auch ein Krafttier?", fragte Alessio den Mann nach ein paar Minuten eisigen Schweigens.

„Wie du haben wir am Anfang eine etwas schwierige Beziehung gehabt. Allerdings hat mich mein Freund bis zu meiner letzten Sekunde begleitet. Wir waren ein eingeschworenes Team."

„Das ist ja schön und gut, jetzt aber nur noch wenig wert. Ich bin tot – auch wenn ich es nicht wirklich wahrhaben will. Vor wenigen Minuten bin ich in den See gestürzt und versunken. Gestorben! Nada. Eure esoterischen Rituale zur Weisheit haben mir das Leben gekostet", meinte Alessio.

Für ihn gab es nichts, was ihn noch bei diesem Mann hielt. Alessio wollte einfach nur weg – raus aus diesem Kreis von Bäumen. Diese ganze Umgebung mit diesen irritierenden Menschen erzeugte bei Alessio nur Migräne. Suchend schaute er sich um. Es musste doch einen Weg herausgeben.

„Du darfst deinen Überlebenswillen nicht einfach so aufgeben! Du musst kämpfen! Du bist noch am Anfang deiner Ausbildung, so ist dir auch noch ein langes Leben bestimmt – das musst du mir glauben. Du hast mehr Freunde, als du denkst. Und einer von ihnen hat dich gerettet und er wird nochmal sehr wichtig für dich werden, als Mensch, nicht als Schamane."

Der Mann zwinkerte ihm zu. Plötzlich verschwand er ins Nichts und Alessio stand einen Augenblick allein da. Er konnte nur den Kopf schütteln. Dieser Mann gab nur irgendwelche seltsamen Rätsel von sich, *die Alessio nicht verstand. Warum konnten sich gewisse Menschen nicht einfach klar ausdrücken? Warum sollte er wieder aufwachen, wenn er schon tot war. Das war nicht logisch. So ein Schwachsinn, wie kann man den einfach so wieder aufwa...*

Alessio öffnete langsam seine schweren Augen und schaute sich vorsichtig um. Seine Glieder fühlten sich so schwer wie Blei an. Sein Kopf war mit Watte gefüllt. Kein klarer Gedanke wollte sich darin festsetzen. Wo war er nur? Das Zimmer kam ihm bekannt vor. Es war sein Schlafzimmer. In seinem Heim?! Sobald er nach unten schaute, erkannte Alessio, dass er in seinem Schlafsack lag. Darüber befanden sich weitere Decken. Sofort bemerkte er die Hitze, die seine Ruhestätte gewährte.

Wie oft musste er noch so ein verdammtes Bad im eiskalten Wasser nehmen? Er hatte mittlerweile genug davon. Es war nur eine Frage der Zeit, bis er nicht mehr aufwachte, wenn er dauernd in eiskaltes Wasser fiel. Zusätzlich schien ihn immer jemand retten zu müssen.

Wobei ihm im Moment nicht klar war, wie er es diesmal geschafft hatte. Das letzte Mal war es Kami gewesen, doch jetzt musste es jemand anderes gewesen sein, schließlich hätte die Füchsin ihn nicht aus dem Eiswasser ziehen können. Doch wer war es gewesen?

In diesem Moment erinnerte er sich, dass er wieder einen dieser seltsamen Träume gehabt hatte. Darin war dieser Begriff gefallen: *Schamane*. Die Seltsamkeiten in seinem Leben nahmen langsam Überhand. Es musste einen Grund dafür geben, dass alles aus den Fugen geriet. Er mochte es, wenn etwas Schwarz oder Weiß war, wenn es eindeutig war, wie es nur in der Theorie sein konnte.

Plötzlich hörte er ein Klappern. Alessio zuckte zusammen. Was war das gewesen? War jemand hier? Bei dem Gedanken schüttelte Alessio den Kopf. Natürlich war jemand hier. Sein Retter vermutlich. Doch ob der ihm letztlich wohlgesonnen war, konnte Alessio nicht wissen. Dafür waren ihm nun schon einige seltsame Gestalten begegnet.

Er stand auf und nahm ein Gewehr, das direkt neben seinem Bett lag. Alessio nahm nur sehr selten eine Schusswaffe, nicht nur wegen der Lautstärke, sondern auch wegen der Begrenztheit der Munition. Schließlich musste er für länger als ein paar Tagen planen. Bevor er sich auf den Weg in die Küche machte, kontrollierte er schnell das Kissen, auf dem normalerweise Kami schlief. Es war unbenutzt. Anscheinend war sie geflüchtet.

Gut, dann würde er sich nur um seinen sogenannten Retter kümmern müssen. Barfuß und nur mit Unterhosen bekleidet schlich er in Richtung der Küche, aus der die Geräusche kamen. Nebenbei bemerkte er, wie warm es plötzlich im Haus war.

Er fror nicht, nicht mal an den Füßen. Seltsam, was passierte hier nur? Das Gewehr an der Schulter angelegt, schob er sich langsam weiter. Ihm stieg ein angenehmer Duft in die Nase, der ihn an Kirschblüten erinnerte.

Wer war da nur in seiner Küche? Und wo war Kami? War sie in den Wald geflüchtet? Er würde sich später um die Füchsin kümmern. Zuerst musste er den Eindringling stellen und wenn nötig aus dem Haus jagen. Vorsichtig schaute Alessio um die Ecke in die Küche hinein. Seine Augen weiteten sich überrascht. In der Küche stand eine Frau – eine kleine, normal aussehende Frau.

Sie summte leise eine Melodie vor sich hin. Diese Frau war fast so groß wie er und ihre Haare schimmerten pechschwarz und reichten ihr bis zu den Schultern. Die Frau stand mit dem Rücken zu ihm. Der Körper hatte Kurven, die schön anzusehen waren. Er konnte zähe Muskeln erkennen, die für ausdauernde Bewegungen gut waren – sie waren klar definiert, aber nicht so übertrieben wie bei Bodybuildern ausgeprägt. Sie trug ein kurzes Shirt und ein paar knappe Shorts, die ihre langen Beine zur Geltung brachten. Alessio konnte zahlreiche alte Narben an den Gliedmaßen ausmachen.

So leise wie möglich schob sich Alessio durch die Tür in die Küche. Das Gewehr angelegt sagte er mit lauter fester Stimme: „Hände hoch! Umdrehen! Wer bist du? Was machst du hier?"

Die Frau reagierte nicht mal im Ansatz auf seine harschen Worte und arbeitete einen kurzen Moment weiter. Erst als sie mit ihrer Tätigkeit fertig war, drehte sich um. Ihr Gesicht wirkte zart. Ihr Augen waren pechschwarz wie ihr Haar und so voller Weisheit, als würde sie direkt in seine Seele schauen. Sie musste asiatische Herkunft sein. Ihre Augen hatten die typischen Mandel-Form. Seltsamerweise schien sie nicht im mindesten überrascht zu sein, dass er vor ihr stand.

51

„Hallo Alessio. Schön, dass du wieder munter bist. Ich hatte mir Sorgen gemacht."

„Wer bist du?", fragte Alessio noch einmal.

„Du hast mir den Namen Kami gegeben, was ich auch sehr nett finde, aber eigentlich heiße ich ganz anders", sagte die Frau geduldig. Ihre Hände ragten immer noch in die Höhe.

„Das kann nicht sein. Du bist nicht Kami? Kami ist eine Füchsin. Sie ist ein Tier und kein Mensch …"

„Das du genäht und gesund gepflegt hast. Du hast mir immer die größere Portion Fleisch gegeben, während du kaum was gegessen hast. Das weiß ich alles, da ich Kami bin. Glaub mir!", vollendete die Frau seinen Satz.

„Häää?", gab Alessio wenig intelligent von sich.

Anscheinend ermüdete diese sinnlose Diskussion die Frau, denn sie nahm eines seiner Mythenbücher zur Hand, die auf dem Küchentisch lagen. Sie blätterte eine Weile, bis sie das richtige Kapitel gefunden hatte. Dann hielt sie ihm das Buch unter die Nase. Alessio hielt sein Gewehr schussbereit weiter in einer Hand und nahm das Buch in die Hand. Dabei behielt er die Frau die ganze Zeit im Blick.

Das Erste, was er sah, als er endlich auf die Seiten schaute, war ein altes, japanisches Bild von einem weißen Fuchs mit neun Schwänzen. Dieser Fuchs war riesig und furchteinflößend. Die Zähne hatten monströse Ausmaße. Er stand inmitten brennender Häuser. Überrascht schaute er auf. Dieser Fuchs sah so aus wie Kami, nur größer und gemeiner.

„Bist du das?", fragte er geradeheraus.

„Das ist einer meiner Vorfahren väterlicherseits."

Alessio setzte das Lesen fort. Allerdings stand so gut wie nichts darin, was ihm weiterhelfen könnte. Es war alles allgemein gehalten. So sagte man ihnen nach, dass sie Naturgeister waren. An einem anderen Punkt bezeichnete man sie als Götter. Das klang ziemlich mystisch und konnte definitiv nicht mit dem Weltbild von Alessio in Einklang gebracht werden. Und trotzdem nagte es an ihm.

Vorsichtig fragte er schließlich: „Du bist also eine Kitsune? Sind das Dämonen?"

„Eh, was? Dämonen? Also bitte. Wie kannst du nur so etwas denken? Kitsune sind auf eine Art und Weise … göttlich – sowas wie eine göttliche Kraft. Allerdings weiß ich nicht genau, was es mit dieser Macht auf sich hat. Meinen Vater habe ich nie kennen gelernt. Meine Mutter hatte keine Ahnung, was mein Vater war. Sie recherchierte was es mit meinen Kräften auf sich hatte, konnte aber auch nur Allgemeines herausfinden. Sie hat versucht mir so viel wie möglich zu erzählen. Mein Vater hätte mir bestimmt sagen können, was für Fähigkeiten und Talente ich genau besitze. Er schien ein Kitsune zu sein."

Alessio starrte sie etliche Augenblicke an, bevor er sich zusammenriss. Er hatte in letzter Zeit so einiges gesehen, was nicht mit wissenschaftlichen Theorien erklärbar war. Oft kam etwas um die Ecke, was neue Fragen aufwarf.

Zuerst dieser Mann, welcher nur ein Bein hatte und in einer Rauchwolke unterwegs war. Dann dieser Bär, der keine Fußabdrücke hinterließ und jetzt Kimiko, welche sich angeblich in einen neunschwänzigen Fuchs verwandeln konnte. Die Welt, die er kannte, hatte sich grundlegend verändert.

Jetzt schien es eine neue Wirklichkeit zu geben. Es fiel ihm immer noch schwer zu akzeptieren. Ob sich das je ändern würde, konnte Alessio noch nicht sagen. Wenn ja, brauchte er jede Hilfe, die er kriegen konnte, denn er kannte nur die Wissenschaft, und die brachte ihn offenbar nicht weiter. Eine Möglichkeit für Hilfe stand direkt vor ihm. Er sollte sich mit dieser Frau gutstellen.

Er streckte die Hand aus, jedoch starrte Kami sie nur kurz an. Nach einem Moment drehte sie sich um und hantierte mit der Pfanne und Tellern. Sie stellte schließlich alles auf den Tisch.

„Vielleicht wäre es am besten, wenn du dir ein bisschen was anziehst. Das Essen ist fertig, und mit Kleidung isst es sich besser."

Alessio errötete. Das hatte er vergessen. Als er aufgewacht war, hatte er sich keine Gedanken um sein Erscheinungsbild gemacht. Doch jetzt fiel es ihm wieder auf. Er trug nur ein paar warme Unterhosen. Schnell rannte er in sein Schlafzimmer und zog sich Hosen und einen Pullover an. Erst jetzt fühlte er auch wie stark er zitterte. Seine Muskeln fühlten sich mit einem Mal sehr kraftlos an und Alessio hatte zu tun einen Arm zu heben.

Als er in die Küche zurückkehrte, hatte die Frau den Tisch gedeckt. Die Teller waren mit großen Fleischbrocken gefüllt.

„Mein richtiger Name ist übrigens Kimiko. Ich nehme an, du bist hungrig? Du hast schließlich seit einiger Zeit nichts mehr gegessen."

„Wie lange war ich denn weg?", fragte Alessio neugierig.

„Puh, lass mich nachdenken. Das waren an die drei Tage."

„Hm, ganz schön ist lang. Mein Körper fühlt sich so schwach wie ein Neugeborenes an. Wie konnte ich nur so lange ohne Essen und Trinken überleben? Ich war vorher schon geschwächt, und dann dieses erneute Bad in eiskalten Gewässern? Das hätte mich eigentlich erledigen müssen. Vor allem wenn ich bewusstlos war, dann wäre es doch fast unmöglich gewesen, etwas zu mir zu nehmen."

„Ich musste dir Nahrung und Flüssigkeit einflößen. Es war am Anfang schwierig, allerdings wurde es mit der Zeit leichter. Übung macht den Meister, wie man so schön sagt. Aber beantworte mir mal eine Frage: Warum muss ich dich andauernd aus eiskaltem Wasser fischen? Das wird eintönig. Außerdem werde ich nicht immer da sein, um dich zu retten."

„Es tut mir leid. Beim zweiten Mal wollte ich nur was zu essen für uns besorgen. Ich wusste nicht, dass das Eis noch nicht dick genug war."

„Jetzt weißt du es. In Zukunft lässt du es am besten sein. Und nun, iss." Kimiko nahm eine Gabel von dem Fleisch in den Mund. Sie schien wütend auf Alessio zu sein. Er zog stumm seinen Kopf ein. Diese Wut war berechtigt, schließlich brachte er sich immer wieder in Gefahr.

„Aye, aye, Sir, ähh, Madam!", versuchte Alessio zu scherzen, allerdings hob Kimiko nur leicht die Mundwinkel. Anscheinend brauchte es mehr als diesen kleinen Scherz, um das Eis zwischen ihnen zu brechen.

Alessio hatte viele Fragen, die er gleichstellen wollte, doch sein Magen war anderer Meinung. Also mussten die Fragen warten. Er begann das Fleisch in sich reinzuschaufeln. Sein Hunger war groß. Nachdem er fertig gegessen hatte, lehnte er sich mit verschränkten Armen zurück und starrte Kimiko an. Auch sie beendete ihre Mahlzeit und schaute ihn an.

„Wieso kommt es, dass du dich nicht schon früher in einen Menschen verwandelt hast?", fragte Alessio nach einigen Sekunden unbehaglichen Schweigens.

„Ich konnte und wollte nicht. In der ersten Zeit war ich zu schwach, um mich auch nur zu bewegen, und weiterhin hatte ich noch nie Vertrauen zu Menschen. Sie mögen die Andersartigkeit nicht und zeigen es auch stets auf brutalste Weise."

„Warum wurdest du gefoltert?", fragte Alessio.

„Das geht dich nichts an, aber habe ich beschlossen, dass ich erst mal bleiben werde. An diesem Ort scheint es sicher zu sein. Und du bist nicht schlecht für einen Menschen, fast schon interessant und nett."

Überrascht öffnete Alessio seinen Mund. Mit dieser Aussage hatte er nicht gerechnet. Es sah so aus, als wäre Kimiko eine Frau der klaren Worte. Und sie wollte bei ihm bleiben.

Nach den Aussagen über die Folter und dann des Gefühls der Sicherheit war es seltsam, doch wenn er es richtig anstellte, konnten sie womöglich voneinander lernen und einander gegenseitig helfen. Die nächsten Wochen, wenn nicht sogar Monate würden interessant werden.

4. Kapitel: November, Jahr 1 nach der Menschheit
„Wer flüchtig urteilt, kommt leicht vom Wege ab." – Miyamoto Musashi, Buch des Wassers

Alessio stand nach einer Weile auf und nahm seinen Teller. Die Neuigkeiten von ihr hatten ihn überrascht. Warum wollte jemand, der anscheinend zur Hälfte göttlich war – und somit weitaus stärker, soweit sie es zumindest von sich behauptete, als er – bei ihm leben? Sobald er sich ihr Vertrauen erarbeitet hatte, verriet sie ihm hoffentlich etwas genauer, warum sie bei ihm bleiben wollte. Zusätzlich musste er auch wissen, wie es dazu gekommen war, dass sie von jemanden gefoltert worden ist und das mit äußerster Grausamkeit. Er musste es herausbekommen, damit sie in Zukunft die Person meiden konnten, welche diesen Schmerz verursacht hatte.

Schließlich fragte er, „Woher hast du das Fleisch? Ich hatte doch nichts mehr hier oben gehabt und auch die Kühltruhe war komplett leer."

„In den ersten Tagen habe ich die von dir geangelten Fische zubereitet. Damit habe ich uns beide über Wasser gehalten. Danach bin ich jagen gegangen."

„Und du hast einfach so was fangen können?" Ungläubig starrte Alessio sie an. Er hatte in den letzten Tagen zu viele Misserfolge erlebt, um einfach glauben zu können, dass die Füchsin so mühelos etwas gefangen hatte. Für ihn war es schließlich wie verhext gewesen.

Sie zuckte mit den Schultern, als wäre es nichts Besonderes. Anscheinend wollte Kimiko ihm nicht verraten, wie sie es gemacht hatte. Allerdings konnte sich Alessio vorstellen, dass sie es in ihrer Fuchsgestalt getan hatte. Ein Fuchs war schließlich ein erfolgreiches Raubtier. Kimiko stand auf und räumte ihren eigenen Teller weg.

„Wie wollen wir es jetzt machen? Soll ich in Zukunft jagen gehen und du kümmerst dich um den Haushalt? Wie ein typischer Hausmann" Kimiko lachte leise, wurde aber sofort wieder ernst. „Mein Aufenthalt wird erstmal nur für diesen Winter sein, dann ziehe ich in andere Gefilde und du hast wieder deine Ruhe. Du kannst dich dann wieder im Jagen üben."

„Höre ich da etwa Spott aus deiner Stimme?", fragte Alessio schmunzelnd.

„Nein, überhaupt nicht", entgegnete Kimiko sarkastisch.

Langsam schienen sie sich auf einer Ebene entgegenzukommen.

„Dann werde ich mal mich an meine Aufgabe machen."

Alessio begann die Teller abzuspülen. Wie hatte sich die Situation nur so schnell um 180° drehen können? Zuerst sorgte er sich um einen Fuchs und jetzt sorgte sich der Fuchs um ihn! Interessante Wendung. Er verstand es nicht, aber vielleicht sollte es ihm recht sein. Er hatte endlich jemanden, mit dem er sich unterhalten konnte.

Das anhaltende Gefühl der Einsamkeit wich ein Stück weit aus seinem Herzen. Kimiko verließ die Küche und mit ihr auch ein gewisser Teil der Wärme. War sie etwa die Quelle der höheren Temperaturen? Sie schien im wahrsten Sinne heiß zu sein.

Kopfschüttelnd machte er sich erneut an den Abwasch der Teller. Nachdem er fertig sauber gemacht hatte, machte er sich auf die Suche nach Kimiko. Die Bücher zur Mythologie nahm Alessio mit. Er hatte einen Entschluss gefasst. Es war die Zeit der Fragestunde gekommen. Er musste unbedingt ein bisschen mehr über sie erfahren. Sie befand sich in seiner Kleiderkammer und durchwühlte seine Sachen.

„Hast du etwa nur Männerkleidung?", fragte sie.

„Tut mir leid, aber ich bin leider nicht auf Frauenbesuch eingestellt."

Sie bleckte ihre Zähne. „Ist ja schon gut. Ich werde mir schon was zurechtbasteln."

Kimiko nahm sich einige Hosen, Oberteile und eine Jacke und ging aus dem Raum. Irgendwie rannte sie immer vor ihm davon. Alessio räumte die Kleidung in seinem Lager auf. Die Kimiko wirkte auf ihn seltsam, aber faszinierend seltsam.

Nachdem er alles gefaltet und verstaut hatte, kehrte er in sein Schlafzimmer zurück und setzte sich auf den Schlafsack. Er nahm eines der Bücher über Mythologie in die Hand. Nachdenklich schaute er darauf. Vielleicht hätte er in den letzten Tagen ab und zu mal einen Blick in eines davon werfen sollen.

Er blätterte durch die Seiten, bis er zu dem Kapitel über japanische Mythologie kam. Vielleicht konnte er dadurch zusätzliche Informationen über den andersartigen Teil von Kimiko erhalten. Die meisten Seiten waren inzwischen unlesbar. Wasser hatte die Druckerfarbe zerlaufen lassen.

Der Text über Kitsune war jedoch glücklicherweise übrig. Zumindest konnte er ein bisschen davon lesen. Hoffentlich verstand er Kimiko danach besser.

Kimiko begann die Hosenbeine abzuschneiden. Es tat ihr ein bisschen leid, dass sie so ruppig zu Alessio sich gab. Doch war sie so erleichtert gewesen, dass er den zweiten Fall ins Wasser überlebt hatte, dass sie nicht anders konnte. Schon seit jeher hatte sie Probleme gehabt, ihre Gefühle klar zu äußern. Daher versteckte sie sich meist hinter einer rauen Schale.

Vor drei Tagen hatte sich erneut dieses verdammte Band zu ihm bemerkbar gemacht, durch das sie auf der Stelle gespürt hatte, dass er dem Tod nahe war. Als sie auf den See hinausgerannt war, hatte sie sich in ihre menschliche Gestalt gewandelt. Sie hatte geahnt, dass sie Hände brauchte, um ihn aus dem Wasser zu ziehen. Je näher sie dem Loch gekommen war und je dünner das Eis geworden war, desto mehr hatte sie sich gewünscht, dass sie hätte fliegen können, wie es in den Überlieferungen stand, aber ihre menschliche Seite war zu stark in ihr und schwächte ihre göttliche Seite.

Am Rand des Einbruchloches hatte sie sich hingelegt und nach Alessios ausgestreckter Hand gegriffen und ihn mit Hilfe ihrer übermenschlichen Stärke schnell rausgezogen. Anschließend hatte sie ihn ins Haus getragen. Über die ganze Zeit hinweg hatte sie sich gefragt, warum er sich schon wieder in die Nähe von Wasser und somit in Gefahr gebracht hatte, dann war ihr Blick an den toten Fischen hängen geblieben.

Das war der Grund gewesen. Er war für sie beide angeln gegangen. Sie hatte die gefrorenen Fische mit einer Hand gegriffen. Sie konnte ihn gerade so noch in sein Heim tragen, danach erlahmten jedoch ihre Muskeln. Im Haus hatte sie ihn aufwärmen müssen.

Zum Glück hatte sie sich diesmal nicht komplett verausgaben müssen, durch eine leicht höhere Temperatur innerhalb der Wohnfläche und den zusätzlichen Kerzen konnte sie ihr inneres Feuer etwas länger regulieren, ohne komplett auszubrennen. In seinen Lagern befanden sich viele Decken, mit denen sie ihn schnell zugedeckt hatte. So musste sie nur die nähere Umgebung von ihm erwärmen.

Die drei Tage, die er bewusstlos gewesen war, waren schlimm gewesen. Die ständige Pflege hatten ihren Tribut gefordert. In dieser Zeit hatte er still und leise einen Platz in ihrem Herz eingenommen. Doch wollte sie ihm das nicht offenbaren. Nicht nur, dass er sie umsorgt und verpflegt hatte, als sie zu schwach gewesen war, nein, er war auf seine kantige Art attraktiv.

Er war etwas größer als sie und hatte harte Gesichtszüge, die von einem Drei-Tage-Bart unterstrichen wurden, da sie hatte ihn in den letzten Tagen rasiert hatte, um sein vollständiges Gesicht besser sehen zu können. Allerdings wirkten seine dunklen Pupillen immer traurig, selbst wenn er versuchte sie aufzuheitern. Sein Lächeln erreichte nie seinen Augen. Er hatte letztes Jahr jemanden verloren, der ihm sehr nahegestanden hatte, genau wie sie ihre Mutter. Was nichts Außergewöhnliches war.

Als die Menschen starben, war für Kimiko die Welt zusammengebrochen. Sie hatte nichts mehr gehabt, was sie an ihre Eltern erinnerte. Ihre Mutter hatte sich zu ihrem Todeszeitpunkt in Japan befunden und Kimiko war zum Studieren hier in Amerika gewesen. Das einzige Foto, welches sie von ihrer Mutter besaß, hatten ihre Folterer vor Kimikos Augen verbrannt. Schnell vertrieb sie die Gedanken. Sie wollte sich lieber nicht daran erinnern.

Endlich beendete sie ihre Arbeit des Zuschneidens und Nähens von ihrer Kleidung. Die Hose war so kurz, dass sie ihrer favorisierten, sehr geringen Länge entsprach. In der neuen Zeit musste sie sich zum Glück nicht mehr verstellen, wenn es kalt wurde. Kimiko war immer warm, da ihr Körper zu viel Wärme produzierte. Da kam ihre Kitsuneseite durch. Dadurch war es für sie ein Leichtes gewesen die Luft, um Alessio zu erwärmen. Jedoch besaß sie auch ihre Grenzen, was sie bei seinem ersten Wasserbad mal wieder leidvoll erfahren musste.

Die Schwäche hätte sie fast umgebracht. Nochmal durfte sie nicht so kraftlos werden. In dieser neuen Welt war die körperliche und übernatürliche Stärke die neue Maßeinheit für ihren Platz in der Hierarchie der Übernatürlichen.

In der Welt gab es bösartigere und mächtigere Monster als sie, wie sie früher von einigen Menschen genannt wurden war. Sie war nur ein kläglicher Hybrid, dessen menschliche Hälfte zu stark war. Kimiko gehörte weder zur Welt des Übernatürlichen noch zu der der Menschen. Nirgends zählte sie sich dazu. Sie lebte schon ihr ganzes Leben lang in einem Zwiespalt.

Schnell probierte sie die Shorts an, welche wie angegossen passten. Kimiko zog ihre neuen Schuhe an und wollte das Haus verlassen. Sie musste etwas jagen. Ihr Magen brauchten Nahrung in der Form von Fleisch. Kimiko selbst brauchte sogar mehr davon als die normalen Menschen und Alessio war ein typischer Mann. Die konnten immer essen wie Scheunendrescher. Doch bevor sie einen Schritt aus dem Haus machen konnte, hörte sie, wie er sich ihr näherte. Sie schloss kurz die Augen, um sich zu beruhigen.

Jetzt kam die obligatorische Erklärung, dass sie nicht den Temperaturen entsprechend angezogen war. Noch als sie in Japan gelebt hatte und die Winter ins Land zogen, war ihre Mutter immer so besorgt gewesen, dass sie sich verkühlte. Es hatte sie immer genervt. Jetzt würde sie alles tun, damit sie noch einmal die Stimme ihrer Mutter hörte.

„Warte, Kimiko! Willst du dir nichts anziehen? Auch wenn du so viel Wärme produzierst, dass du mich gerettet hast, ist es doch draußen extrem kalt. Du verkühlst dich doch noch.", fragte er. Sein Blick glitt dabei ungläubig an ihr hoch und runter.

„Mir ist nicht kalt. Mein Körper produziert immer zu viel Wärme."

Alessio stammelte: „Oh. Äh, ach so. Na ja, ich wollte mitkommen. Wir sollten, denke ich, zusammenbleiben. Es ist vielleicht sicherer, wenn wir gemeinsam jagen gehen. Wir wissen doch nicht, was für genaue Gefahren da draußen lauern."

Erstaunt erwiderte Kimiko: „Du bist noch zu schwach. Vielleicht in den nächsten Tagen, aber heute nicht. Immerhin bist du erst vor wenigen Stunden aus einem dreitägigen Schlaf aufgewacht. Du musst dich ausruhen."

Damit wandte sie sich ab. Sie spürte noch lange seinen Blick in ihrem Rücken, als sie in Richtung des Waldes lief, aber Kimiko drehte sich nicht um. Sie konzentrierte sich voll und ganz auf ihre Aufgabe.

Alessio schaute ihr nach. Unschlüssig stand er da. In einem der Bücher hatte er gelesen, dass Kitsune entweder mit ihren Schwänzen oder mit ihrer Schnauze Feuer erzeugen können, daher hatten sie von Natur aus eine höhere Körpertemperatur als Menschen. Zusätzlich hatte er erfahren, dass sie mit zunehmendem Alter stärker wurden. Die ältesten und mächtigsten strahlten reinweiß und hatten neun Schwänze. Sie konnten sehr alt werden.

Doch Kimiko kam ihm jung vor, vielleicht fünf Jahre jünger als er oder sie alterte anders als es normale Menschen. Was war das Besondere an ihr, dass sie schon jetzt neun Schwänze hatte und reinweißes Fell besaß? Er wusste es nicht. Lag es an ihrem Vater oder trug sie eine Kitsune untypische Mutation in sich? Das konnte Alessio nicht sagen.

Er drehte sich um und wollte gerade reingehen, als er in den Augenwinkeln etwas Großes, Weißbraunes erkannte. Er drehte den Kopf und sah den Bären vor sich stehen. Alessio zuckte bei dem Anblick zusammen.

„Musst du mich so erschrecken? Hast du nicht schon genug Schaden angerichtet?", fragte er den Bären ungehalten.

Komischerweise zog der Bär seine Lefzen nach hinten, als würde er lächeln. Seltsam, aber auch Alessios Mundwinkel zuckten. Anscheinend hatte der Bär Spaß daran. Er kniete sich vor den Bären hin und schaute ihm in die Augen. Einem echten Raubtier hätte er es nie wagen können. Sie hätten es als Angriff gewertet.

„Du bist also mein Begleiter?"

Der Bär nickte. Er hob eine Tatze und legte sie auf Alessios Herz. Es war irritierend, dass so ein mächtiges Tier ihn so sanft berührte. Die Kraft in dem Bären fühlte sich widersprüchlich zu dieser Sanftheit an, dass Alessio es nicht mit seiner Vorstellung eines normalen Bären im Einklang brachte. Seine Krallen drangen nicht mal in Alessios Haut ein.

„Wir beide sollen also so eine Art Verbindung eingehen, stimmt's?" Der Bär nickte erneut.

„Hm, okay. Ich werde es versuchen, aber lass mir bitte etwas Zeit. Die letzten Tage sind stressig gewesen. Ich habe nicht die Geduld momentan, um so eine Verbindung einzugehen. Es passiert einfach zu viel im Moment, was ich nicht mal ansatzweise verstehe."

Daraufhin nahm der Bär seine Pfote runter, jedoch lief er nicht davon weg. Stattdessen nahm er mit seiner Schnauze behutsam Alessios Hand und zog ihn vom Haus fort.

Er führte ihn nach Burns Lake hinein, zu einem alten Haus. Dieses Gebäude kannte Alessio noch nicht. Es war sehr versteckt hinter einer verwilderten Hecke gewesen.

Er sträubte sich zunächst, in das Haus zu gehen. Er wollte nicht die Überreste eines glücklichen Lebens sehen. Auch wenn Alessio kurz nachdachte, wie gefährlich es war, sein eigenes Heim zu verlassen nach alldem was passiert war, so drängte ihn der Bär immer weiter. Alessio konnte sich nicht dagegen wehren.

Doch schien das den Bären nicht zu interessieren. Er zog Alessio ohne Rücksicht auf die Veranda, dann erst ließ er ihn los. Mit einem kleinen Schubs mit der Schnauze schob er Alessio zur Tür. Ob er wollte oder nicht, Alessio musste wohl in das Haus gehen, wenn er diese Verbindung aufbauen wollte. Sobald er drinnen war, schaute er sich um. Hier schien einmal eine alte Frau gelebt zu haben.

Wer sonst konnte mit so vielen Blumenmustern leben, dass man fast dachte, dass man in einem Blumenmeer begraben war. Es schüttelte Alessio, bevor er sich weiter umschaute. Das Sofa und der Sessel hatten riesige vergilbte Blumen aufgedruckt, allerdings waren sie von häufigen Sitzen abgewetzt. Auf einen alten klobigen Tisch waren die typischen gehäkelten Platzdeckchen, welche mittlerweile komplett ein dreckiges Gelb angenommen hatten. Was aber am gruseligsten war, waren die Unmengen an Pflanzentöpfen, die auf jeder einzelnen Oberfläche standen.

Trockene Blätter lagen teilweise auf dem Boden. Tote Blumenköpfe hingen herab, wie in Trauer um den Tod des ehemaligen Hausbesitzers. Gerade dieses Gefühl griff nach seinem Herzen, weswegen Alessio lieber zügig weiterging.

Langsam trat er in den angrenzenden Raum und blieb überrascht stehen. Die Inneneinrichtung stellte eine Wende um 180 Grad dar. Hier gab es nichts mehr, was mit Blumen zu tun hatte. Stattdessen war der Raum mit Büchern, aber auch mit seltsamen anderen Dingen gefüllt.

Ein Kupferkessel, viele getrocknete Kräuter, einige Töpfe mit übelriechenden Flüssigkeiten und Salben, einige komische Instrumente, von denen er lieber nicht wissen wollte, für was sie gedient hatten. Anscheinend war die hier lebende Frau eine Naturheilerin gewesen.

Er trat zu den Regalen mit den Knochen, vertrockneten Pflanzen und Kristallen. Alessio untersuchte diese etwas genauer. Die Kräuter zerfielen zu Staub, als er sie leicht berührte. Bei den Töpfen mit den Flüssigkeiten und den Salben verhielt es sich anders. Sie schienen noch gut zu sein. Zumindest rochen sie nicht allzu streng und es war auch kein Schimmel an ihnen auszumachen. Vielleicht konnte er sie mitnehmen, sofern er herausbekam, für was sie zu gebrauchen waren.

Auf einem Tisch lag ein altes, verstaubtes Buch. Es sah aus wie ein Tagebuch, doch als er es durchblätterte, fand er Kräuterzeichnungen und Beschreibungen ihrer heilenden Wirkungen. Manches hörte sich so magisch an, dass es Alessio unwirklich vorkam. Wahrscheinlich war über die Hälfte davon nur Wunschdenken. Das macht er schon daran fest, dass nur wenige wissenschaftlichen fundierte Aussagen für die ganzen vermuteten Wirkungen geschrieben standen.

Zusätzlich gab es einzelne Abschnitte über Heilsteine. Besonders zwei Steine stachen heraus, sie wurden immer wieder genannt.

Einer sollte die Farbe von grünen Äpfeln haben. Seine Eigenschaft bestand unter anderem darin, einen harmonischen Einklang mit der Natur zu vermitteln. Er sollte auch zu einem erholsamen Schlaf führen und förderte die Reinigung und Entgiftung des Geistes. Hörte sich stark nach Fantasie an.

Der andere Stein, der Iolith, schimmerte auf den Abbildungen im Buch dunkelviolett bis braun. Er verband die Wissenschaft mit der Magie. Das Annehmen und Begreifens der Dualität des Lebens sollte er fördern. Zusätzlich verstärkte er Sympathie und Mitgefühl für andere Menschen. Auch das klang fantastisch. Fantastisch lächerlich.

Wer glaubte nur so einen Blödsinn? Es gab harte Fakten, und was nicht mit Fakten belegt werden konnte, war schlicht unwahr. Hatte die Wissenschaft den Autoren dieses Buches nicht zeigen können, wie fehlgeleitet ihr Text war?

Alessio dachte kurz nach. Ein Zweifel regte sich in ihm. Wenn es sogar Füchse gab, die sich in Menschen verwandeln konnten, konnten auch andere unmögliche Dinge möglich sein? Vielleicht wäre es am besten, wenn er das Buch mitnehmen würde. Es würde einen kleinen Einblick liefern in einen Bereich, der so unwahrscheinlich war, dass Alessio ihn für kompletten Blödsinn hielt. Sollte sich herausstellen, dass es die reinste Idiotie war, hatte er wenigstens was zum Lachen.

Er ging weiter durch das Haus, das Schritt für Schritt interessanter wurde. Sein Blick blieb immer öfter an Bildern, Gegenstände und auch Stoffen hängen, die ihn im Entferntesten an die mittelalterlichen Hexen. Oder hieß es nicht neumodisch Wicca?

Alessio schüttelte nur seinen Kopf. Seltsamerweise schien aber das gerade eine Faszination in ihm zu erwecken. Er fand noch einige Sachen, die für mystische Heilkunst – laut dem Buch, was er noch in der Hand hielt - gebraucht wurden, jedoch waren der Großteil der Gegenstände schon zu alt, um sie mitnehmen zu können. Meist zerfielen sie wie die Kräuter zuvor zu Staub. Wenn Alessio genauer nachdachte, wäre ein großer Teil der Gegenstände ohnehin zu sperrig gewesen, um sie mitzunehmen.

Das Wichtigste für ihn war dieses kleine Buch. Es könnte ihm helfen den Weg in einer verkorksten neuen Welt zu finden. Zusätzlich konnte er in einigen Jahren, wenn er keine Medikamente mehr nehmen konnte, aufgrund der abgelaufenen Haltbarkeitsdaten, würden vereinzelte Punkte aus diesem Buch ihm beim Überleben helfen.

In einem kleinen Regal sprang ihm noch ein anderes Buch ins Auge: ein gedrucktes Exemplar über die Heilkräuter Nordamerikas. Das Buch musste er definitiv mitnehmen. Die Medikamente in seinem Medizinlager würden nicht ewig halten. Vielleicht konnte er bis dahin Kräuter sammeln oder selbst anbauen.

Kurz blätterte Alessio das Buch durch. Einige der Heilkräuter waren ihm unbekannt, andere wiederum hatte er in seinem früheren Leben schon einmal gesehen. So sagten ihm Maca oder Arnika nichts, allerdings sollten sie ihm bei Verletzungen helfen, zumindest stand es in diesem Büchlein drin. Aber was hatte das zu bedeuten?

Stoppten sie die Blutung oder sind sie entzündungshemmend? Alessio konnte es nicht herauslesen. Zusätzlich war hinter einigen der Kräuter das Wort „Geist" per Hand nachgetragen wurden war. Was das nun wieder bedeuten sollte? Vielleicht war das Buch auch nur irgendein Hokuspokus und nicht so hilfreich, wie er zunächst gehofft hatte.

Die Idee des Anlegens eines Kräutergartens schien ihm dennoch wichtig. In seinem bisherigen Leben hatte er keinen grünen Daumen gehabt, allerdings wusste Alessio, dass jetzt die Zeit der Ausreden vorbei war.

Er musste Samen oder die ganze Pflanze in der freien Wildbahn finden, damit er sie bei sich anbauen konnte. Das würde schwierig werden, da bei einigen Pflanzen keine Bilder oder Skizzen fehlten oder zerstört worden waren. Nur der Name war immer eindeutig lesbar – na großartig. Kein einziger Buchstabe war verwischt oder durch Wasser zerlaufen. Er nahm die zwei Bücher mit und schlenderte aus dem Haus.

Alessio schaute sich um. Der Bär war nirgends zu sehen. Zuerst schauet sich Alessio um. Lauerte der Bär hinter der nächsten Hausecke?

Oder war er ins Nichts verschwunden? Oder gab es einen anderen Grund. War dieser Ausflug so etwas wie ein Auftrag, den der Bär nun erfüllt hatte? Aber das würde ja bedeuten, dass dieser Bär mit seinen seltsamen Träumen in Verbindung stand. Wenn dem so war, dann konnte Alessio zurück ins seine Unterkunft laufen. Trotzdem würde er aufpassen müssen, nicht das der Bär erneut auftauchte. Hoffentlich war Kimiko wieder nach Hause gekommen. Da konnte er ihr von seiner Entdeckung erzählen. Entspannt marschierte er wieder zurück.

Alessio ging einen geschlängelten Pfad zu seinem Lager. Gerade ging er um die letzte Wegbiegung – er konnte schon fast sein Haus durch die Bäume erkennen -, als ihn plötzlich jemand zurück riss. Wild um sich schlagen, versuchte er sich zu befreien, da er keine Ahnung hatte, wer ihn da festhielt. Ein Feind? Ein Tier? Erst als der blumige Duft von Kimiko ihm in die Nase stieg, hörte er auf, sich zu wehren. Er hatte in seiner Panik nicht seine Nase genutzt.

Die Furcht hatte ihn in seiner Handlung und Sinnesorganen regelrecht eingeschränkt. Sobald er sich beruhigt hatte, erweiterte sich sein Blickfeld wieder und sie ließ ihn los und nahm die Hand von seinem Mund. Kein einziger Laut drang so aus seiner Kehle. Er drehte sich um und wollte sich beschweren, als sie ihren Finger auf seine Lippen legte. Ein warmer Schauer durchfuhr Alessio bei der Berührung, aber er verstand sofort, was sie bedeutete, und so wurde er auch nervös. Wo befand sich die Gefahr?

Er musste also ruhig bleiben. Weswegen? Vorsichtig sah er sich um und erkannte, warum: Es war jemand in seinem Haus. Hinter einem Fenster konnte er einen Schatten erkennen, der nicht dort hingehörte.

Verdammt, er hatte sich nie ein Alarmsystem überlegen müssen. Bisher war er meist in dem Glauben gewesen, dass er allein und Sicherheit sich befand. Es gab doch eigentlich niemanden mehr, der jetzt noch irgendwo einbrach. Es gab nichts mehr, was so wertvoll bei ihm war. Das rächte sich jetzt. Kimiko bedeutete ihm, ihr leise zu folgen. Sie besaß eine raubtierhafte Eleganz und bewegte nicht ein Blatt an den Bäumen und Sträuchern, wenn sie vorbeiging. Er dagegen, so kam es ihm vor, trampelte wie der sprichwörtliche Elefant durch den Porzellanladen.

Leise umkreisten sie das Haus, bis der Hintereingang zu sehen war. Dabei schlichen sie hinter dornigen Büschen mit abgestorbenen Blätter entlang. Bei den vereinzelt stehenden Bäumen kauerten sie sich hin und schauten zaghaft in die Richtung des Hauses. Sobald sie niemanden sahen, liefen sie möglichst lautlos weiter. Erst als sie das Haus fast komplett herumgelaufen waren, kauerten sie sich gemeinsam hinter ein paar Sträuchern und einer tieferen Kuhle – sonst würde man sie beizeiten entdecken - und beobachteten die Tür.

Von drinnen war auf diese Entfernung nichts zu hören, doch vertraute Alessio Kimiko in ihrer Vermutung. Sie würde ihn nicht aus einer Laune heraus so überfallen. Wenn jemand wie sie Anzeichen von Gefahr bemerkte, dann existierte sie auch. Er verfluchte sich mittlerweile, dass er ohne eine Waffe aus dem Haus gegangen war. Jetzt waren sie beide wehrlos und konnten leicht überwältigt werden.

Die Zeit zog sich hin. Auf einmal öffnete sich die Hintertür und ein Mann kam heraus. Sofort erkannte Alessio ihn. Es war einer der seltsamen Drillinge, die er letzten Monat gesehen hatte. Er kniff die Augen zusammen und versuchte zu erkennen, wer von den Drillingen da an der Hintertür stand, aber er konnte sie nicht unterscheiden.

Fragend schaute er zu Kimiko, doch zuckte sie ebenso unwissend mit den Schultern. Sie schien die Drei auch nicht auseinanderhalten zu können. Oder erkannte sie die Drillinge nicht? Sobald die Männer weg waren, würde er sie fragen.

Der Mann rief durch den Hintereingang in das Haus hinein: „Hey Abdal 2, habt ihr was gefunden? Irgendwelche weiteren Anhaltspunkte, wer hier sein Lager aufgeschlagen? War es eine von diesen Kakerlaken? Ich konnte nichts finden. Es liegen kaum persönliche Gegenstände hier. Es ist nur eine Rumpelkammer."

„Das weiß ich nicht, Abdal 1. Wir haben nur einen Haufen alter Klamotten gefunden, aber in der Küche lag ein Foto. Da ist irgend so ein Weib mit ihrem blöden Balg drauf. Ist anscheinend so ein Erinnerungsding dieses *Menschen*."

Er ließ das Wort Mensch extrem abwertend klingen. Jetzt kam auch dieser Drilling aus dem Haus heraus und hielt ein Stück Papier in der Hand.

Das Blut wich Alessio aus dem Gesicht. Das letzte Andenken, das er noch von ihnen besaß – und das hielt einer von ihnen in der Hand. Der Drilling mit dem Bild knüllte es zusammen und warf es achtlos in das Haus zurück.

Alessio wollte zornig auffahren und den Männern zeigen, was er von ihrem Verhalten hielt, aber er kam nicht einmal dazu, sich aufzurichten. Kimiko schlang ihre Arme um ihn und drückte ihn zu Boden. Sie hatte ihr Gesicht in seine Halsbeuge gelegt, als wollte sie ihn beruhigen, doch Alessio wollte nicht ruhig werden. Ihr Duft stieg in seine Nase: Wo dieser vorher nur blumig gewesen, hatte er sich jetzt verändert.

Es roch salzig und nach verbranntem Holz. Als wäre sie traurig und wütend zugleich. Kimiko schüttelte den Kopf, bevor sie ihm schließlich in die Augen schaute. Ihr Blick wirkte flehend. Sie bat ihn mit angstvollen Augen und einen kraftvollen Herunterdrücken in den Schnee, dass er nicht diese Männer zu Tode prügelte.

Sie durften sich nicht zu erkennen geben und am Ende vielleicht noch von diesen Männern getötet werden. Alessio schaute sie fragend an, was sollte er nicht machen. Wo vor wollte sie ihn warnen? Sie machte nur ein Handzeichen, dass er sich gedulden sollte.

Alessio schluckte seinen Ärger runter und nickte zur Bestätigung. Er würde warten. Voller Hass und Zorn drehte er sich um und beobachtete weiter, wie sein Haus Stück für Stück von den Drillingen auseinandergenommen wurde.

Immer wieder überschwemmten ihn Zorneswellen. Diese Männer waren in sein Territorium eingedrungen. Sie durchsuchten ohne Hemmungen seine Sachen und machten sich über ihn lustig. Er hörte ihre anzüglichen Kommentare und schwor sich, dafür würden sie bezahlen – lange und sehr schmerzhaft. In dem nächsten Moment schreckte Alessio zurück. Was war da in seinen Kopf gewesen? Das hörte sich so bösartig an, als gehörte er zu den Bösewichten.

Oh Nein, das durfte nicht sein. Alessio wollte nicht dazu gehören. Er hatte sich immer auf die friedvolle Seite des Lebens stellen wollen. Doch diese Achtlosigkeit und Respektlosigkeit brachten eine Seite von ihm hervor, die Alessio so noch nicht kannte. Bevor er sich letztendlich diesen Männern später zuwenden würde, müsste er mit seiner Gefühlswelt wieder ins Reine bekommen.

Bis dahin musste er sich alle Einzelheiten von den Männern einzuprägen. Ihre roten Augen, der kleine Bart unter ihrem Kinn, die Hände und deren langen Nägeln und die spindeldürren Arme damit er sie immer wiedererkennen konnte. Zusätzlich zog er sich ihren ekelhaften

Geruch nach verrottendem Gemüse ein, damit er diesen sich in Erinnerung hielt. Er würde sie verfolgen und töten.

Die Männer bekamen davon nichts mit, denn sie durchsuchten das Gebäude seelenruhig weiter. Fast zwei Stunden waren sie damit beschäftigt, dann gaben sie die Suche auf.

Alle drei Männer traten vor die Tür. Während sie sich entfernten, sagte einer: „Wir müssen diese Gegend im Auge behalten. Irgendwer lebt hier und wir müssen herausbekommen wer und ihn zu *ihr* bringen. *Sie* wird sich freuen, einen Menschen zu bekommen."

Einen Augenblick später waren alle drei verschwunden. Alessio stockte der Atem. Es war nicht so, dass die Drillinge um eine Ecke gegangen waren oder sich außer Sichtweite entfernt hätten. Sie waren einfach von einem Schritt zum nächsten nicht mehr da. Weg. In Luft aufgelöst.

Kimiko und Alessio warteten noch ein paar Minuten, bevor sie sich schließlich aus ihrem Versteck wagten. Nicht, dass die Drillinge wiederkamen. Sobald sie aufstanden, klopften sich beide den Schnee von ihrer Kleidung. Erst jetzt bemerkte Alessio, wie kalt ihm in den letzten Stunden geworden war. In seinem Blut rauschte so viel Adrenalin gewesen, dass er gar nicht mitbekommen hatte, wie die Kälte in ihm in die Knochen gekrochen war.

Alessio war in Gedanken noch immer bei den Drillingen – mit der Einordnung der Drillinge in sein Gedächtnis, sodass er nur die zweite Hälfte von dem mitbekam, was Kimiko ihm sagte: „Sollten wir an einen anderen Platz ziehen?"

Verwirrt, was sie von ihm wollte, wiederholte er die Frage im Kopf, dann verstand er es schließlich. Kimiko schlug vor, dass sie sein Lager hier abbrachen und woanders hinzogen. Ob er wollte oder nicht, Kimiko hatte recht. Die Drillinge hatten schließlich angekündigt, dass sie diese Gegend stärker beobachten würden. Somit waren sie beide hier nicht mehr sicher. Doch wo sollten sie eine neue Unterkunft finden? In diesem Gebiet von Kanada und erst recht zu dieser Jahreszeit war es nicht einfach, zu reisen. Eine solch schwere Entscheidung wollte gut durchdacht sein, aber Alessio musste sie treffen.

„Wo können wir hingehen? Hier gibt es nichts in der Gegend", überlegte Alessio.

Kimiko dachte kurz nach. „Ich habe etwa zwei bis drei Tage

Fußmarsch von hier einen anderen Ort gesehen. Der sollte sich gut für uns eignen. Wenn wir nur das Allernötigste zusammenpacken, können wir noch heute starten. Der Rest, den wir nicht mitnehmen können, muss aussehen, als wären wilde Tiere darüber hergefallen. Vielleicht können wir so unsere Spuren verwischen. Diese Drillinge dürfen uns nicht folgen können."

Sie machte ihm jedoch keine Hoffnungen, dass sie nicht früher oder später verfolgt werden würden, denn das wäre eine Lüge. Sie wurden ab jetzt gejagt. Von Wesen, die Menschen und Hybriden verachteten.

Alessio nickte. Schon überlegte er, was er für die nächsten Jahre und besonders für die kommende Reise brauchen würde und wie viel er mitnehmen könnte. Es würde nicht einfach werden. Das Wichtigste waren die Bücher, die konnten jetzt, in dieser zerstörten Welt, nicht mehr so einfach besorgt werden. Das Wissen darin würde ihm helfen, sein Lager zielgerichteter aufzubauen. Weiterhin brauchte er Kleidung, richtig warme zum Wandern und für die nächste Woche. In dem zukünftigen Ort würde er sich neue leichtere Kleidung für den Sommer besorgen.

Beide gingen ins Haus und begannen, die wichtigsten Sachen zusammenzusuchen. Wie erwartet entschied sich Kimiko nur für wenig Kleidung, die sie brauchte. Sie hatte ohnehin kaum was an. Außerdem begann sie überraschenderweise, sich um einige der Waffen zu kümmern. Sie packte ein Gewehr, zwei Pistolen und zwei Macheten ein.

Auf eine Art und Weise fand Alessio das ziemlich attraktiv, doch schnell meldete sich sein schlechtes Gewissen. Er hatte vor knapp einem Jahr seine Frau und seine Tochter verloren. Da konnte er jetzt eine andere schön und sehr attraktiv finden. Er war von sich selbst angeekelt und wandte sich ab.

Kopfschüttelnd machte er sich daran, die wenigen Bücher in den Rucksack zu packen und ihn dann weiter mit so viel Kleidung wie möglich zu füllen. Zum Glück handelte es sich um einen riesigen Wanderrucksack, da konnte man eine ganze Wohnung einpacken.

Danach rollte er seinen Schlafsack zusammen. Jedoch fiel ihm ein, dass er ihn vielleicht noch für diese Nacht brauchte. Also rollte er ihn gleich wieder aus. In seinem Kopf herrschte komplettes Chaos. Alles wirbelte hin und her. Alessio musste sich zusammenreißen. Er durfte sich in seinen Gedanken, welche momentan zwischen den Drillingen und

Kimiko hin und her schwankten ablenken lassen. Währenddessen hing er seinen Gedanken nach und dachte an seine Frau und seine Tochter, an ihre liebreizende, etwas verträumte Art. Er hatte diesen Charakterzug immer an beiden geliebt.

Doch der pragmatische Charakter von Kimiko, der raubeinig rüberkam, wirkte ebenso anziehend auf ihn. Er wusste bei ihr stets, womit er es zu tun hatte. Sie schien sie sich nicht um die Ansichten anderer zu scheren, stand mit beiden Füßen auf dem Boden der Tatsachen. Somit würde sie sich ohne Zweifel gut in die neue Situation einbinden können. Er war hin- und hergerissen. Alessio wusste nicht, was das Richtige war, was er machen sollte.

Kimiko hatte mehrere Waffen zusammengesucht, vor sich ausgebreitet und schaute sie sich nun genauer an. Die Waffen mussten alle in einem perfekten Zustand sein, wenn sie kein unnötiges Risiko eingehen wollten. Kaputte oder verrostete Waffen würden Platz wegnehmen. Nur mit den besten Waffen konnte sie auf alles vorbereitet sein – und das war bitter nötig. Es würde gewiss einen Kampf geben.

Kimiko wusste nicht, wie die Drillinge sie wiedergefunden hatten, doch wollte sie sich unter keinen Umständen. Eher würde sie freiwillig sterben, erneut fangen lassen. Das letzte Mal hatte sie es kaum überlebt. Jetzt wollte sie zurückschlagen. Nochmal würde sie nicht so schwach sein. Sie war eine Kitsune, eine Nachkommin eines Gottes. Niemals wieder würde sie zulassen, dass sie so einer Folter ausgesetzt wäre.

Sie kontrollierte mit Sorgfalt die Schusswaffen. Die meisten waren schon längere Zeit nicht mehr benutzt worden, wahrscheinlich seit über einem Jahr nicht. Alessio schien die Schusswaffen zu meiden. Die Messer und die Armbrust waren besser gepflegt. Also bevorzugte er das lautlose Jagen. Das war faszinierend.

Mit jeder weiteren Information wurde er auf eine seltsame Art und Weise immer faszinierender für sie. Seine Augen schauten ihr direkt in die Seele. Als würde er etwas suchen.

Kopfschüttelnd bearbeitete sie weiter die Schusswaffen und versuchte, ihre Gedanken zu den wichtigen Problemen, den Drillingen, die anderen reinrassigen Übernatürlichen und dem Überleben des einzigen Menschen auf der Erde, zu lenken, aber sie kehrten stets zu Alessio zurück.

Das überraschte sie. So was hatte sie vorher noch nicht erlebt. Es war ungewohnt. In ihrer Schulzeit hatten die Kinder sie bösartig behandelt. Die typischen Spiele mit Schulsachen zerstören, in Toilettenschüsseln tauchen und auch das Gerüchte der imaginären Schlampenhaftigkeit streuen, daher war sie von Natur aus misstrauisch gegenüber Menschen.

Nach einer Weile hatte sie die gesamten Waffen überprüft und packte die ausgewählten Exemplare zusammen. Anschließend machte sie sich auf die Suche nach Alessio. Wahrscheinlich war er ebenfalls mit dem Packen fertig.

Sie fand ihn in dem Kleidungslager. Er beugte sich gerade wählerisch über einen Berg von unterschiedlichen Hosen – manche hielt er vor sich, als ob er schaute, wie sie an ihm passten, als würde Alessio shoppen, unentschlossen, welche Hosen er mitnehmen sollte.

Lautlos stellte sie sich hinter ihn und kommentierte trocken, „Ich würde an deiner Stelle die schwarzen wählen."

Erschrocken fuhr er auf, seine Augen waren weit aufgerissen. Es war fast niedlich. Leicht schmunzelnd nahm sie eine von den warmen Hosen und hielt sie ihm hin.

„Oh … äh … danke", stammelte er.

Seine Augen schauten überall hin, außer zu ihr. Als würde er sich unwohl fühlen. Lustig! Er nahm die Hose und packte sie in seinem riesigen Wanderrucksack.

Schließlich sagte er: „Jetzt habe ich alles zusammen. Ich muss morgen nur noch meinen Schlafsack zusammenrollen, dann können wir früh losgehen, sobald die Sonne aufgegangen ist. Davor müssen wir das Haus entsprechend präparieren."

„Die Waffen habe ich auch vorbereitet. Sie sind einsatzbereit. Sollte jemand versuchen, uns zu überraschen, werden wir ihn davon überzeugen, dass er sich besser nicht mit uns anlegen sollte." Sie verschränkte ihre Arme vor ihrem Körper zusammen und schaute ihn herausfordernd an, voller Zuversicht, dass sie die Reise erfolgreich durchziehen werden.

Leicht lächelnd nickte er. Danach nahm er den Rucksack und stellte ihn direkt neben die Tür. Schließlich drehte er sich um und krempelte seine Hemdärmel hoch. Jetzt fehlte nur noch die Zerstörung des Lagers.

Alessio schaute Kimiko an. Ihre schlanken muskulösen Armen wölbten sich. Sie waren ölverschmiert. Anscheinend waren seine Waffen etwas angerostet gewesen und sie hatte sie neu geölt.

„Wo hast du die Waffen hingestellt? Nicht dass wir morgen noch aus Versehen vergessen würden!", meinte Alessio schelmisch.

„Im Waffenraum. Sobald wir morgen aufbrechen, werde ich sie mir schnappen. Du solltest die ganzen anderen Sachen tragen. Die werden vermutlich schwerer sein als die Waffen."

„Okay?!", lautete seine unsichere Antwort. War er jetzt zum Packesel ernannt worden?

„Ich kann schneller reagieren, wenn es zu einem Angriff kommt", erklärte sie ihm.

Jetzt verstand Alessio, warum sie die Waffen trug. Zusammen machten sie sich an die Arbeit. Dabei zerstörten sie auf methodische Weise die Lager. Alessio ging in sein Medikamentenraum und warf die Haufen von Medikamenten um. Ein paar steckte er vorsichtshalber in seinen Rucksack. Einige riss er auf und verstreute den Inhalt auf dem Boden. Dann trat er mit seinen Füßen auf den Schachteln herum. Mit einem Messer versuchte er, Krallenspuren nachzustellen.

Dann verließ er das Zimmer und schaute sich die Arbeit an, die Kimiko mittlerweile getan hatte. Sie schien richtig gut darin zu sein. Die Hosen, Pullover und Unterwäsche lagen herum und auch einige Kleidungsstücke waren zerfetzt wie von Krallen und nicht von Menschenhand.

Nur schien sie kein Messer benutzt zu haben. Seltsam, Hosen, speziell Jeans, auseinander zu reißen, benötigte man sehr viel Kraft. Wie hatte sie es nur so einfach geschafft? Sie war nicht einmal außer Atem.

„Bist du fertig?", fragte er sie.

„Na, sieht man das nicht?", erwidert Kimiko.

Sie schlenderte auf ihn zu. Kurz stupste sie ihn an, die Aufforderung zum Gehen. Zusammen liefen sie in die Küche und suchten die letzten Reste von Essbarem zusammen, dann nahmen sie schweigend etwas zu sich. Es war ein unruhiges und unbehagliches Schweigen. Beide erwarteten, dass jeden Moment etwas Schreckliches passieren würde, doch beendeten sie ihre Mahlzeit ohne Vorkommnisse.

Sobald sie die Küche auseinandergenommen hatten, gingen sie schlafen. Die nächsten Tage würden anstrengend werden. Seitdem

Alessio vor knapp einem Jahr in diese Stadt gekommen war, hatte er sich nicht für längere Zeit von ihr entfernt. Er war unweit von Burns Lake mit der Raumkapsel gelandet und hatte sich geradeso hierherschleppen können.

Jetzt musste er die Stadt wieder verlassen und in die unbekannten Weiten der kanadischen Wälder aufbrechen. Wieder war es eine Reise ins Ungewisse, wie er sie schon einige Male in seinem Leben angetreten war.

5. Kapitel: November, Jahr 1 nach der Menschheit
„Wichtig ist, dass der Samurai im Alltag dieselbe Körperhaltung hat, wie im Gefecht und in derselben ihm eigenen Haltung kämpft." –
Miyamoto Musashi, Buch des Wassers

Am nächsten Morgen standen beide vor dem Sonnenaufgang auf und machten sich bereit. Schnell rollte Alessio seinen Schlafsack ein und legte ihn auf den Rucksack. Beide schnallten sich ihr Reisegepäck um, wie vereinbart: Alessio seinen Rucksack mit Kleidung und Büchern und Kimiko ihre Waffen. Nicht eine Körperstelle war frei von gefährlich blitzendem Metall.

Während Alessio sie betrachtete, zückte Kimiko ein großes Messer, fast schon eine Machete, und hielt es mit dem Griff zu ihm. Alessio zuckte im ersten Moment zusammen und schaute verwirrt darauf hinab.

„Wir wissen nicht, was uns erwartet. Wir müssen auf alles gefasst sein. Zumindest einer von uns sollte bewaffnet sein. Aber wenn du willst kannst du auch ein Messer bei dir haben", meinte Kimiko zu ihm. Alessio nickte und nahm das Messer vorsichtig entgegen und steckte es sich an eine entsprechende Halterung an der Hose.

„Lass uns gehen. Wir müssen heute bestimmt noch eine große Wegstrecke schaffen. Die nächste Stadt ist einige Kilometer entfernt. Das konnte ich an den Straßenschildern erkennen. Weißt du, wo es langgeht?", fragte er.

„Wir müssen zum Highway 16 und dem in Richtung Südosten folgen. Im Moment ist es relativ einfach. Die Schilder befinden sich noch in ihren Halterungen an den Stangen. Durch den Schneefall sehen wir an den Seeufern nicht mehr, wenn wir nicht mehr auf der Straße laufen werden. In einigen Jahrzehnten wird der Highway von Pflanzen überwachsen sein. Dann würde nichts mehr auf die menschliche Zivilisation hindeuten", erklärte Kimiko.

Die Menschen hatten den Highway früher in Schuss gehalten. Seit über einem Jahr geschah das nicht mehr. Erste Spuren der Vernachlässigung hatte Alessio schon übers vergangene Jahr hinweg bemerkt. Die Straßen hatten im Sommer erste Risse bekommen, die sich nun im Winter mit Schnee und Eis füllten.

Die würden die Risse noch vergrößern und es entstanden riesige Schlaglöcher. Nächstes Jahr würden sich die ersten Gräser darin ansiedeln. Er konnte somit hautnah miterleben, wie die Natur die Welt zurückeroberte.

Beide traten aus dem Haus. Draußen stieg die Sonne über die Bäume und badete Alessio und Kimiko in ihrem gleißenden Licht. Alessio drehte sich noch einmal zum Haus um. Es war für ihn, als würde er ein weiteres Zuhause verlieren, aber er musste überleben. Jetzt zu sterben, würde den Überlebenskampf des vergangenen Jahres so sinnlos erscheinen lassen. Daher war Überleben die Devise – auch in Gedenken an seine verstorbene Familie und Kimiko.

Er schaute zu Kimiko. Anscheinend hatte sie ihn beobachtet, denn sie blickte ihn fragend an.

„Los geht's! Ich weiß, dass der nächste Ort Fraser Lake ist. Der ist ungefähr 70 Kilometer entfernt. Vielleicht können wir es in einem Zug schaffen, vielleicht auch nicht. Wir müssen allerdings über Nacht laufen. Es kommt darauf an, wie wir durch den Schnee kommen. Die Wanderung wird definitiv anstrengend werden."

„Gibt es keinen Ort, der näher liegt?", fragte er. Ihm schien die Strecke etwas zu langen für einen Tagesmarsch zu sein.

70 Kilometer zu wandern, hörte sich schon unter sommerlichen Bedingungen sehr anspruchsvoll an. Aber jetzt wusste er, dass die Strecke höllisch werden würde. Vor allem, da der ganze Weg mit über einem halben Meter Schnee bedeckt war. Doch es half nichts. Sie mussten dadurch.

Beide begannen gingen los. Nach den ersten Metern lief der Schweiß Alessios Rücken runter. Sie beiden wanderten nicht sehr schnell. Wie sollte es da nur in ein paar Stunden werden oder morgen? Alessio wusste nicht, ob er das Durchhalten würde.

Kimiko schien dagegen von den körperlichen Mühen unbeeindruckt zu sein. Sie lief vorneweg, als würde sie sich überhaupt nicht anstrengen. Alessio konnte fast meinen, dass sie sprang. Eine der Waffen, ein Gewehr, hatte sie einsatzbereit unter ihrem Arm geklemmt.

Durch das ständige Bereithalten der Waffe schien sie etwas übervorsichtig zu sein, jedoch war das nach den letzten Ereignissen besser so.

.

Während die beiden den unberührten Schnee im Wald dahinliefen, konzentrierten sie sich nur auf sich selbst. Keiner wollte etwas in das Schweigen unterbrechen.

Die Welt lag totenstill um sie herum, während sie vorangingen, nur das leise Knirschen unter ihren Schneeschuhen war zu hören. Nicht ein Vogel sang, kein Rascheln des Windes durch die letzten toten Blätter an den Bäumen.

Überall lag unberührter Schnee. Man konnte die Straße nur erkennen, weil sie eine Schneise durch den Wald bildete. Wie ein Messer, das durch einen Kuchen schnitt. Kerzengerade. Nicht eine Krümmung konnte Alessio erkennen. Dies war definitiv von Menschenhand gemacht. Manchmal konnte man noch ein Straßenschild an einem Rand des Waldes sehen oder anhand eines Hügels waren Holzhaufen zu erahnen. Einige waren über das letzte Jahr hinweg schon umgekippt.

Ab und zu fiel Schnee lautlos von einigen Nadelbäumen. Es fühlte sich wie in einer Geisterwelt an. Nicht ein Vogel sang. War dies wirklich das Ende der Welt. Würde Alessio je wieder das unschuldige Lachen von Kindern. Nein, er durfte jetzt nicht darüber nachdenken. Er schüttelte den Kopf, um diese Gedanken herauszubekommen,

Während die beiden weiterwanderten, verrannen die Stunden und die Sonne begann, sich wieder dem Horizont anzunähern. Mittlerweile konnte Alessio sich kaum noch auf den Füßen halten. Jeder Schritt war eine Qual. Seine Muskeln schmerzten wie bei tausend Nadelstichen und sein Mund schmeckte säuerlich. Er musste immer wieder husten. Typisch Laktathusten! Er hatte während der Wanderung Milchsäure in seinen Muskeln aufgebaut, das war ihm bei seinem Astronautentraining passiert. Zusätzlich hatten sie beide über den Tag hinweg nur wenig gegessen. Sie mussten sich ihr Essen schließlich rationieren. Wer wusste schon, wie lange es dauerte, bis sie wieder Zeit zum Jagen fanden.

Seine Energie war fast aufgebraucht und sein Magen knurrte. Lange hielt er das nicht mehr aus. Trotzdem konnte er nicht um eine Pause beten. Sie mussten eine möglichst große Entfernung zu seinem ehemaligen Zuhause zurücklegen. Ihre Verfolger sollten sie nicht so schnell finden können und am Ende noch töten. Daher raffte er sich auf und versuchte, ohne zu Klagen Kimiko weiter zu folgen.

Vielleicht konnten sie am Abend etwas mehr essen. Alessio hätte direkt umfallen und einschlafen können – wie ein Stein.

Dagegen sah Kimiko wie aus dem Ei gepellt aus. Ihr schien dieser Marsch nichts auszumachen. Sie besaß wesentlich mehr Energie als er, denn sie marschierte ohne einen Schweißtropfen im Gesicht. Ihre Schritte waren kraftvoll und trugen sie ohne Probleme vorwärts. Lag dies an dem göttlichen Erbe ihres Vaters?

Sie war eindeutig kein Mensch. Ihre Stärke war um so vieles größer als seine. Alessio wollte nicht schwach aussehen – wahrscheinlich typischer Testosteronüberschuss -, doch konnte er schließlich nicht mehr an sich halten. Er musste eine Pause einlegen.

„Wie lange werden wir heute noch laufen?", fragte er erschöpft und außer Atem.

„Wir müssen eine ganze Weile weiterlaufen. Vielleicht die ganze Nacht. Wir haben gerade erst die Hälfte geschafft."

„Was?! Können wir nicht hier irgendwo in der Nähe übernachten?" Das Herz war Alessio bei dieser Ankündigung in die Hose gerutscht. Weiterlaufen, die ganze Nacht, das würde nicht gehen. Das würde ihn an den Rand eines Zusammenbruchs bringen.

„Seitdem wir die Stadt verlassen haben, gibt es nichts außer Wildnis. Es wird auch nichts in der nächsten Zeit geben."

Mutlos sackte Alessio in sich zusammen. Den ganzen Tag war er gelaufen, jetzt hatte er einfach keine Kraft mehr. Er brauchte eine Pause. Seine Kraftreserven waren aufgebraucht und die Kälte grub sich in seine Füße und Knochen.

Plötzlich blieb Kimiko stehen. Ihr Blick ging wachsam hin und her. Etwas schien sie aufgeschreckt zu haben. Sofort richtete sich auch Alessio wieder auf und versuchte, seine Sinne zu schärfen, doch auf den ersten Blick sah er nicht, alles blieb still.

Allerdings roch er etwas. Einerseits nahm er den ekelhaft fauligen Geruch von den Drillingen wahr, aber dieser Geruch schien alt zu sein – vielleicht einige Tage. Andererseits roch er noch etwas, das ihn an ein Parfüm erinnerte, was aus Sandelholz hergestellt wurde. Suchend blickte er sich um. Woher kam dieser Geruch? Dabei bemerkte, dass Kimiko einfach weiterging ohne sich umzuschauen.

„Riechst du das auch?"

Sie sah ihn fragend an. „Was denn?"

„Ich rieche diese schrecklichen Drillinge. Sie sind hier vor einiger Zeit langgekommen. Und dann ist da noch so etwas wie Sandelholz. Komisch."

„Ich rieche nichts" Kimiko schaute ihn merkwürdig an. Ganz vorsichtig sagte sie schließlich, „Mein Geruchssinn ist besser als bei einem normalen Menschen, und ich rieche nichts. Die Drillinge haben keinen Geruch. Hatten sie noch nie. Sie sind die perfekten Tötungsmaschinen – man kann sie nicht hören, nicht sehen, nicht riechen. Dass ich sie gestern rechtzeitig bemerkt habe, war reines Glück. Bist du dir wirklich sicher, dass du etwas gerochen hast?"

„Den ekelhaften Gestank der Drillinge würde ich überall wiedererkennen. Jedes Mal, wenn ich sie gesehen habe, habe ich auch diesen Geruch in der Nase gehabt."

„Ich wusste nicht, dass normale Menschen so einen guten, fast schon perfekten Geruchssinn haben können. Eigentlich sollte es so was nicht geben. Hast du schon immer so eine feine Nase gehabt?"

Nachdenklich ging Alessio sein Leben durch. Schließlich hatte er die Antwort gefunden, und die war alles andere als beruhigend. „Ich denke, ich habe meinen verbesserten Geruchssinn erst seit Kurzem – genauer gesagt seit dem Tag als die Menschen gestorben sind. Vorher habe ich nicht so viel gerochen."

Kimiko fragte ihn nach ein paar Sekunden verständnislosen Schweigens: „Und das ist dir bis jetzt nicht eingefallen mir das zu erzählen? Oder hast du es etwa nicht mitbekommen?"

„Na ja, ich weiß nicht. Ich habe zwar mehr über das letzte Jahr gerochen, allerdings habe ich es nie richtig für voll gerochen. Ich fand es schon ungewöhnlich, dass ich die unterschiedlichen Nuancen des Bodens, den Staub, der in der Luft hin und her schwirrt, der Schnee in den Bäumen.

Am Anfang dachte ich, dass wäre ein Überbleibsel von meinem Aufenthalt im All, und danach hatte ich mich anscheinend daran gewöhnt, sodass ich nur noch die außergewöhnlichen Düfte mitbekomme. Wahrscheinlich hat mich mein Gehirn vor dieser Sinnesüberflutung geschützt. Ich war mit etwas anderem beschäftigt: dem Überleben."

Entschuldigend zuckte Alessio mit seinen Schultern, woraufhin sich Kimiko schließlich kopfschüttelnd umwandte und erneut die Umgebung untersuchte. Sie schien sich nicht weiter darum zu kümmern, dass Alessio so eine Gabe besaß. Anscheinend war ihr schon einiges Seltsames passiert, sodass solche ungewohnten Fähigkeiten nicht überraschend waren.

„Was riechst du genau?", hakte sie nach.

„Hm, die Gerüche kommen von links, diese schmale Schneise da entlang."

Alessio streckte seine Hand in die entsprechende Richtung. Ein schmaler Grat ging zwischen den Bäumen entlang. Eigentlich war sie nicht richtig sichtbar, mit ein bisschen Fantasie konnte man eine Linie erkennen. Die Bäume ragten fast bedrohlich übereinander. Wenn man in einem Horrorfilm so eine Landschaft sah, wusste jeder Zuschauer, dass dort die Ungeheuer lauerten.

Kimiko wandte sich in die angegebene Richtung, ging ein paar Schritte, bevor sie sich hinkniete. Eine Hand legte sie auf den Schnee. Augenblicklich begann er zu schmelzen. Nicht einmal eine Minute später war der Schnee bis auf den Boden verschwunden – ein perfektes kreisrundes Loch. Kimiko schob den Schnee auf den Boden zur Seite und schaute kurz hoch. Sie meinte letztendlich, „Hier, so glaube ich, führte mal eine Straße entlang. Ich kann den Schotter erkennen. Anscheinend befindet sich wirklich etwas, wenn wir in diese Richtung gehen."

Alessio lehnte sich zu ihr hin und schaute in das Loch im Schnee. Von einer Straße würde er jetzt nicht reden, Schotterpiste war ein besserer Begriff dafür.

Beide richteten sich zeitgleich auf und liefen diese neue alte Straße entlang. Sie mussten sich beeilen, da die Nacht hereinbrach. Im Dunkeln und dazu in der Wildnis von Kanada draußen zu übernachten und zu wandern, war riskant und oftmals tödlich. Wölfe und Bären zogen durch diese Gegend. Und dann gab es noch die Elche.

Fast eine Stunde liefen sie die Straße entlang. Von Zeit zu Zeit schmolz Kimiko ein weiteres Loch, um zu kontrollieren, ob sie sich noch auf dem richtigen Weg befanden.

Kurz bevor das letzte Sonnenlicht vollständig verschwand, erreichten sie ein altes Haus. Es war ein mehrstöckiges Gebäude, das im Stil der Fünfziger-Jahre des letzten Jahrhunderts gebaut worden war. Kantig, nüchtern, ohne irgendwelche Verzierungen.

Die Häuserwände schienen einmal weiß gewesen zu sein, doch über die Jahre, durch Regen, Wind und Sonne, hatte die Farbe einen gräulich-bräunlichen Ton angenommen. An einige Stellen waren große Teile des Putzes abgebrochen und die alten Ziegelsteine kamen darunter zum Vorschein. Die Fenster waren klein gehalten und jedes einzelne zerbrochen.

Das Dach war an einigen Stellen eingebrochen. Welche Farbe es früher gehabt hatte, konnte Alessio nicht mehr erkennen. Eine alte Spanplattentür befand sich erhöht über einem kleinen Schneehügel, anscheinend befanden sich darunter Stufen. Davor war ein Schild aufgestellt worden, allerdings war es mittlerweile schräg abgesunken und infolgedessen komplett mit Schnee bedeckt.

Alessio ging hinüber und wischte mit seiner Hand das Schild frei, doch es war so dunkel geworden, dass er nicht lesen konnte, was draufstand.

Da wurde es neben ihm mit einem Mal heller. Er schaute zu Kimiko und zuckte überrascht zusammen. Kimiko hatte mithilfe ihrer Hand Feuer erzeugt, allerdings hatte sie keine Werkzeuge benutzt und auch keinen Stock. Ihre Hand stand wortwörtlich in gelblichen Flammen. Wer konnte mit seinen Händen einfach so ein Feuer erzeugen? Kimiko musste ihm unbedingt nochmal erklären, was sie konnte und was nicht. Es würde bestimmt spannend werden.

Nach einem Augenblick wandte er sich um und las, was auf dem Schild stand. Das war jedoch nicht unbedingt ermutigend. Was Gruseligeres konnte er sich kaum vorstellen. Der Name des Hauses lautete *Nobody's Inn*. Das Bauwerk konnte seinem Aussehen nach ebenso gut aus einem Horrorfilm stammen und dann dieser Name. Alessio hatte das Gefühl, auch noch weiterwandern zu können. So dringend mussten sie jetzt doch nicht eine Pause einlegen.

Vorsichtig gingen beide die kleine Treppe hoch zur Eingangstür. Klopfen mussten sie nicht mehr. Während Kimiko mit ihrer Hand leuchtete, stupste Alessio sanft die Tür auf und hob seine Machete hoch. Sie wussten nicht, was sie erwarten würde. Vielleicht gab es versteckte Fallen. Oder ein Tier lebte hier.

Die Tür quietschte beim Aufschwingen Wie in alten Horrorfilmen. Wachsam schlichen beide in das Haus hinein. Das Erste, was sie sehen konnten, war ein verfallener Gang. Von der Decke hingen Tapetenfetzen runter. Man konnte noch die großen geometrischen Muster, die so typisch waren für die damalige Zeit, erkennen. Zusätzlich hingen dicke Spinnweben die Wände herunter.

Weiter hinten konnten sie eine Treppe erkennen, die in die oberen Stockwerke führte. Allerdings mussten sie nicht hochsteigen, da die Etage durch das eingestürzte Dach unbewohnbar war. Den Gang entlang gingen zu jeder Seite zwei Türen ab, wobei die fast vollständig aus den Angeln hingen.

Mit leisen vorsichtigen Schritten liefen sie den Gang entlang. Das Licht von Kimiko reichte nicht aus, um alles auszuleuchten. An der Wand tanzten ihre Schatten hin und her. Es bildete sich ein Wechselspiel aus flüchtenden und angreifenden Schatten, die Alessios Nackenhaare aufstellten. Es schien sogar langsam schwächer zu werden. Suchend schaute sich Alessio um, ob so was wie eine Fackel zu finden wäre. Auf den ersten Blick konnte er jedoch nichts dergleichen erkennen.

Vorsichtig blickte er durch die offenen Türen. Bei zweien befanden sich die alten Toiletten dahinter. Uringelbe Fliesen waren über den Boden verstreut und einzelne Platten klebten noch an der Wand. Die altbackenen Waschbecken waren von braunen Flecken übersät und überall lagen die Überreste von Insekten und sogar Ratten. Ein kalter Schauer lief Alessio den Rücken runter. Es war gruselig.

Er wandte sich um, ging zu der nächsten Tür und schob sie mit einem kräftigen Ruck auf. Dahinter befand sich die Küche, sehr klein gehalten, und die Schränke hingen teilweise schief über dem Boden.

Die Pfannen und Töpfen lagen überall verteilt und waren verrostet. Es schien ein Sturm durch die Küche gejagt zu sein, denn Alessio sah, das Laub hereingeweht worden und auch Wasser eingedrungen war. Davon kündeten die gefrorenen Pfützen auf dem Boden.

Alessio schaute zu Kimiko. „In dieser Küche können wir bestimmt nichts mehr zubereiten. Vielleicht schauen wir, ob wir einen Raum finden, wo wir uns zumindest ausruhen können, aber ich habe keine große Hoffnung, in diesem alten Horrorhaus."

„Schauen wir, was sich im letzten Raum befindet, bevor wir den Kopf in den Schnee stecken?", fragte Kimiko. „Lange kann ich diese Flamme nicht mehr aufrechthalten. Wir müssen zumindest ein Feuer für uns anzünden."

81

Die Flamme war sichtlich kleiner geworden. Der Wettlauf gegen die Zeit nahm an Fahrt auf.

Sie drehten sich gemeinsam von der Küche ab und öffneten die letzte Tür. Alessio wusste nicht, was er erwartet hatte. Das war es allerdings nicht gewesen: Vor ihnen erstreckte sich ein großer Raum, in dem unzählige Tische mit Stühlen standen. Auf den Tischen befanden sich die alten Plastikdecken, die inzwischen verklebt und verdreckt waren.

Weiterhin standen Glasvasen darauf, die durch jahrelanges Benutzen milchig geworden waren und eine braune Kruste hatten. Darin standen noch die Blumen, sofern man überhaupt von Blumen reden konnte. Es waren vielmehr halb zusammen geschmolzene verschrumpelte Klumpen, die unterschiedliche Brauntöne angenommen hatten.

Das Beunruhigendste waren allerdings die pissgelben Gardinen, die von Motten halb zerfressen waren. Einige ihrer Verankerungen hatten sich gelöst, wodurch sie halb herunterhingen. Horrorregisseure hätten ihre helle Freude an diesem Ort gehabt.

Die Tapeten hatten hier wohl schon vor einigen Jahrzehnten aufgehört, an den Wänden zu kleben. Sie hingen in Fetzen runter und waren teilweise in Stücke gerissen worden. Der Parkettboden war regelrecht von Holzwürmern zerfressen. An einigen Stellen konnte man große Stapel Papier auf dem Boden liegen sehen.

Als Alessio sie sich genauer anschaute, erkannte er Filmposter aus der ganzen Bandbreite der fünfziger Jahre, allerdings waren es aus einem für Alessio sehr verrückten Grund ausnahmslos Horrorfilme. Er konnte die Filme *Kampf der Welten*, *Tarantula*, *Frankenstein* oder auch *Das Dorf der Verdammten* identifizieren. Mein Gott, wer hatte nur diesen Pub betrieben?! Hatten sie sich nicht eine schönere Umgebung überlegen können?

Weiterhin lagen überall Exkremente von Tieren herum und er konnte teilweise Skelette von Ratten und anderen Kleintieren erkennen. Alessio gruselte es bei der Vorstellung, hier zu übernachten, doch sie hatten keine Wahl. Sie brauchten eine Pause.

„Ich will es eigentlich nicht sagen, aber ich fürchte, wir haben unsere Übernachtungsmöglichkeit für heute gefunden", meinte Alessio unwirsch.

„Ein Luxushotel kann man in diesen Zeiten nicht mehr erwarten" Kimiko legte ihre Waffen ab und schaute sich um. „Ich sehe mich mal um, ob ich eine nicht entzündbare Form finde. Dann können wir ein kleines Feuer in der Mitte entfachen. Du kannst ein paar Tische wegräumen, sodass wir mehr Platz haben. Aber pass auf, dass du dich nicht schneidest. Wir brauchen nicht noch eine Sepsis."

Kimiko verließ den Raum. Dieses Haus jagte Schauer der Furcht über ihren Rücken. Es war jedoch nicht das Heruntergekommene, was ihre Angst bereitete, sondern die Trauer, Angst und Bösartigkeit, die nur so aus den Wänden herausfloss. Sie wollte eigentlich nicht länger als notwendig in diesem Haus bleiben und gleich weitergehen, doch spürte sie, wie ihre Kraft schwand.

Nicht nur der lange Marsch durch den tiefen Schnee zerrten an ihr. Auch das Feuer in ihrer Hand aufrechtzuerhalten, wurde von Sekunde zu Sekunde schwerer. Sie musste ihre Energie wieder zurückgewinnen und sich ausruhen. Ansonsten würden sie beide den zweiten Teil des Marsches nicht überstehen.

Sie lief zurück in die Küche und trat diesmal vollständig ein. Dort schaute sie sich um und ging die verrosteten Kochplatten entlang. Es war seltsam, aber es sah so aus, als wäre die Küche in großer Hast verlassen worden. Überall standen die Töpfe und Pfannen noch auf den Platten. Teilweise mit Kochlöffeln darin. Allerdings waren keine Essensreste mehr übrig. Die waren vor Ewigkeiten verrottet. Es war nur eine schmierige Dreckkruste zu sehen.

Mit ihrer nur noch schwach brennenden Hand hoch erhoben, durchstöberte sie mit der anderen die Schränke und Regale. Fast alles, was sich da drinnen befand, war unbrauchbar. Schließlich fand sie einen großen Kochtopf, der für ein Feuer geeignet war.

Er schien aus Edelstahl zu bestehen, weswegen er die Zeit unbeschadet überstanden hatte. Zusätzlich stapelte sie Teller und Pfannen in den Topf. Sie konnte damit eine Unterlage bilden. So würde der Boden unter dem Topf nicht durchbrennen, wenn sie ein Feuer darin entzündeten.

Kimiko ging in den Essbereich zurück und schaute sich um. Alessio war in der Zwischenzeit fleißig gewesen. Nicht nur dass er einen kleinen Bereich freigeräumt hatte, er hatte ihn auch, so gut es ihm möglich war, von Dreck und Überresten befreit, obwohl das nicht wirklich geholfen hatte.

Jetzt saß er auf einem der Stühle und schien auf sie zu warten. Sie ging zu ihm und legte zuerst die Teller und dann die Pfannen auf den Boden, um den Topf darauf zu stellen. Alessio, der sich zwischenzeitlich auf den Boden neben sie gehockt hatte, warf einige zusammengeknüllte Poster und ein paar Holzscheite hinein. Fragend schaute Kimiko ihn an. Woher hatte er die denn?

Er zuckte die Schultern und meinte: „Einer der Tische war schon morsch. Ich konnte ihn leicht zu Kleinholz verarbeiten."

Kimiko schob ihre Hand in diesen kleinen Feuerholzstapel und zündete ihn an. Es war im wahrsten Sinne in der allerletzten Sekunde gewesen. Nur wenig später und sie hätte kein Feuer mehr gehabt. Sofort zog sie ihre Hand wieder raus und wollte sich gerade entspannt zurücklehnen, als Alessio ihre Finger in seine nahm.

Sofort durchströmte sie ein warmer Schauer. Kurz überlegte sie, ob sie ihre Hand zurückziehen sollte, doch dann ließ sie sie in seiner. Sie versuchte, sich nichts anmerken zu lassen, und fragte ihn verwundert: „Was machst du da?"

Alessio erneut untersuchte ihre Hand. Er analysierte sie regelrecht. Mit seinen Fingerspitzen fuhr er über ihre Haut, wahrscheinlich auf der Suche nach Brandnarben. Langsam wurde es eintönig, dass er es nicht glauben konnte und daher ihre Hand kontrollierte, daher überlegte sie, ihre Hand nun doch zurückzuziehen.

In ihrem ganzen Leben hatte nur ihre Mutter sie liebkost, so wie es eine Mutter mit ihren Kindern eben tat. Die anderen Menschen hatten meist einen großen Bogen um sie gemacht. Sie war anders als die Menschen und das spürten sie. Die Übernatürlichen schauten ebenso auf sie herab. Für diese Wesen gehörte sie zu unreinen.

Das sogenannte kostbare Blut war durch das Menschenblut verdünnt und schwach geworden. Das hatten einige der Übernatürlichen schon öfters ihr ins Gesicht gesagt. Zuletzt waren es die bösartigen Drillinge gewesen. Kimiko gehörte keiner Welt an.

Verwundert stellte sie fest, dass Alessio sie nicht losließ. Er schien in seinen Gedanken festzustecken, während er ihre Hand kompromisslos hielt.

„Ähm, Alessio, könntest du vielleicht meine Hand loslassen?",
fragte sie schließlich.

„Bitte was?" Alessio schaute sie verwirrt an, bevor er seinen Blick
senkte. Sofort ließ er ihre Hand los, dabei lief sein Gesicht rot an und wie
Kimiko bemerkte, wurde auch sie ein rot. Beide verhielten sie sich wie
Schulkinder. Das war peinlich.

Nach einer Weile des verlegenen Schweigens fragte Alessio: „Wie
kann es sein, dass dir das Feuer nichts ausmacht?"

„Keine Ahnung. Ich denke, das hat etwas mit dem Erbe meines
Vaters zu tun."

Wieder entstand betretenes Schweigen. Wirklich, Schulkinder!

„Ich denke, wir sollten abwechselnd Wache stehen. Nicht dass wir
noch einmal böse überrascht werden", entschloss Alessio. „Ich werde die
erste Wache übernehmen. In drei Stunden werde ich dich wecken."

„Okay, aber wage es nicht die drei Stunden zu überziehen." Kimiko
legte sich auf die eine Seite des Feuers mit dem Rücken dazu und schlief
wenig später ein. Sie war erschöpfter, als sie gedacht hatte.

Alessio schaute zu Kimiko hinunter und dachte nach. Ihre Haut war
ganz weich und zart gewesen. Es gab keine einzige Brandblase, nicht
mal eine Rötung der Haut. Faszinierend. Allerdings war diese
Faszination nur die halbe Erklärung, warum er ihre Hand so genau
untersucht hatte. Es war wie ein Instinkt gewesen. Er hatte es einfach tun
müssen. Komplett irrational!

Während er in das Feuer starrte, dachte er über den Tag nach. Auf
einmal merkte er, dass er nicht mehr allein war. Neben ihm lag der Bär.
Der schaute ihn an, während er sich auf den Pfoten aufstützte.

„Na du, bist du wieder da?"

Der Bär schnaubte zur Bestätigung. Alessio fuhr ihm mit der Hand
quer über den Kopf und kraulte ihn hinter den Ohren.

„Ich weiß nicht, was du möchtest oder brauchst. Ich habe leider
nichts zu fressen für dich."

Der Bär schüttelte sich und stand auf. Letztendlich war der Bär nur
ein Tier, auch wenn er ein Geist war. Man musste schließlich mal fragen.
Alessio wandte sich dem Feuer zu, als der Bär noch einmal schnaubte.
Daraufhin schaute Alessio ihn verwundert an. Der Bär warf den Kopf
seitlich nach hinten, als wollte er, dass Alessio ihm folgte.

„Nein, das geht nicht. Ich muss Wache schieben und kann nicht einfach so von hier verschwinden. Das würde Kimiko mir sehr übelnehmen."

Der Bär zerrte erbarmungslos an Alessios Ärmel.

„Nein, lass los. Ich kann Kimiko nicht einfach so allein lassen. Wenn jetzt die Drillinge kommen würden, wären wir nicht genügend geschützt."

Dann schoss ihm eine Idee durch den Kopf. Er holte ein Brett und verbarrikadierte die Tür damit. Zusätzlich nahm er mehrere Töpfe aus der Küche und verteilte sie so strategisch, dass sie genügend Lärm machten, wenn eine Person eindringen wollte. Das würde hoffentlich helfen. Trotzdem war Alessio sich nicht sicher, ob es wirklich ausreichend war. Jetzt stellte sich der Bär hinter Alessio und schob ihn mit aller Macht vorwärts.

Der gab sich nun geschlagen und ging, mit einem letzten Blick zur schlafenden Kimiko, dem Bären hinterher. „Du weißt schon, dass es spät in der Nacht ist und ich Wache halten sollte? Ich kann Kimiko nicht allein lassen. Sie könnte in Gefahr geraten. Die Drillinge sind da draußen."

Der Bär schnaubte und ging weiter. Anscheinend gab der Bär nichts auf diese Gefahr. Alessio hingegen war nicht so zuversichtlich. Die Angst vor einen plötzlichen Angriff ließ ihn nicht locker. Der Bär drehte sich um und knurrte regelrecht ungeduldig.

Seufzend folgte Alessio ihm. Er würde heute wohl nicht mehr zur Ruhe kommen. Der Bär trabte nach hinten in Richtung einer Kellertreppe und stieg sie hinunter. Alessio folgte ihm widerwillig ins Dunkel. Kurz überlegte er, ob er einen Holzschneit hätte mitnehmen sollen. Jetzt war es allerdings ohnehin zu spät. Er berührte den Bären und hielt sich an seinem Fell fest, um sich von ihm führen zu lassen.

„Du weißt schon, dass ich hier nichts sehen kann, ja?", sagte er zu dem Geistertier.

Sofort begann ein sanftes warmes Licht die Treppe und auch den Gang auszuleuchten. Es strahlte direkt vom Bären heraus. Magisch. Alessio hatte nicht gedacht, dass der Bär so etwas vollbringen konnte.

Jetzt konnte er wenigstens etwas erkennen. Alessio begann, sich umzusehen. Auch hier schaute es heruntergekommen aus. Die Tapete rollte sich herunter und dicke fettige Spinnweben hingen von der Decke, jedoch war der Gang freigehalten von irgendwelchen Exkrementen und Skeletten, als hätte jemand das Gröbste aufgeräumt.

Sofort stieg ihm der ekelhafte Gestank der Drillinge und sowie den Moder des Staubes, sowie die letzten Moleküle des Geruchs von verwesendem Fleische in die Nase. Sie waren an diesem Ort gewesen und schienen sich längere Zeit in dem Keller aufgehalten zu haben.

Vorsichtig schlich er weiter und hielt schließlich vor der einzigen Tür, die es hier gab. In Gegensatz zu den Türen im oberen Stockwerk schien diese neu zu sein. Der Stahl glänzte und die Türangeln waren geölt. Er öffnete sie und trat ein.

Zutiefst erschrocken blieb er direkt hinter der Tür stehen. Es handelte sich um ein Lager, allerdings keins für Werkzeug oder Kleidung: Hier hingen überall Fleischhacken von der Decke. An einigen fanden sich noch menschliche Schädel, während darunter Reste menschlicher Knochen zusammen mit Stofffetzen lagen. Hier waren Männer oder Frauen gestorben. Regelrecht geschlachtet worden. Das zeigten die scharfkantigen Einkerbungen an den Knochen und die mittlerweile rostroten Blutspritzern an den Wänden.

Sofort kam Alessio sein Mageninhalt hoch, der allerdings nur aus saurer Galle bestand. Hatten die Drillinge in diesem Haus gelebt? Oder war es ihre Folterkammer gewesen? Er ging zu den Knochen und schaute sie sich genauer an. Bei einigen konnte er einzelne Spuren erkennen. Klare, scharfkantige, dünne Einschnitte, die von Messern stammten. Tränen rannen ihm über die Wangen. Wie konnte man Menschen so etwas antun? Besaßen die Drillinge keine Scham?

Es schien, als wäre das Haus die ehemalige Mörderburg der drei – ähnlich wie bei dem Serienkiller H.H. Holmes, doch was war zuerst dagewesen: die Gaststätte oder die Mörderburg? Es war die makabre Frage von dem Ei und dem Huhn. Alessio wollte es nicht so genau wissen.

Mit einiger Überwindung begann er, die Kleidung zu durchsuchen. Vielleicht würde er so einen Hinweis darauf bekommen, wer die Toten waren. Er fand einige Brieftaschen, zwei Edelsteine, Schlüssel und sogar ein paar Briefe. Die Überreste von Leben.

Alessio packte alles zusammen und ging wieder hoch. Hier unten wollte er sich die Sachen nicht genauer anschauen. Dieser Ort war kalt, dem man die grausamen Dinge, die hier geschehen waren, anmerkte. Der

Bär folgte ihm und ließ sich im Erdgeschoss neben ihm am Feuer nieder. Dort breitete Alessio die Sachen vor sich aus. Nacheinander nahm er die einzelnen Stücke in die Hand und untersuchte sie. In allen Brieftaschen fand er Ausweise von Frauen – Micheline Pare, geboren 1951 – zumindest stand es so auf dem Ausweis -, Shelly-Ann Bascu, 1967, Madison Scott, 1991, und noch einige mehr. Irgendwie kamen ihm diese Namen bekannt vor.

Dann durchfuhr es ihn. Es waren Namen von gesuchten Frauen, welche alle ihr vierzigste Jahr nicht gesehen hatten. Kalte Schauer der Angst und Trauer durchfuhren ihn. Die Frauen hatten schreckliche Grausamkeiten erlebt und waren dann ermordet worden. Erneut stiegen Tränen in seine Augen.

Um sich davon abzulenken schaute er sich die Edelsteine genauer an. Einer war smaragdgrün und durchsichtig, der andere violett. Etwas kam ihm an diesen Steinen bekannt vor, aber er konnte nicht sagen, woran das lag. Auch blieb ihm rätselhaft, warum sie bei den Knochen der Frauen dabei lagen. Allerdings gab es bestimmt eine logische Erklärung dafür, zum Beispiel, dass eine der Frauen sie bei sich getragen hatte. Er legte sie wieder weg und begann, sich die Briefe durchzulesen. Größtenteils waren es Rechnungen von Strom, Wasser und anderen alltäglichen Diensten. Nichts, was Rückschlüsse auf die Menschen und ihren Charakter zuließ.

Also schaute sich Alessio erneut die Brieftaschen an. Vielleicht hatte eine Frau etwas versteckt. Doch er konnte nichts mehr finden. Es war, als hätten diese Frauen kein Leben geführt. Keinerlei Fotos auf Familien, Geliebte oder Kinder, oder ein anderes Erinnerungsstück. Alessio schüttelte nur den Kopf. Die Mörder haben den Frauen nicht nur ihr Leben gestohlen, sondern auch deren Seele.

Aufgrund von diesem seltsamen Ort ließ es ihm keine Ruhe über diese Frauen nachzudenken und ihren Weg zu diesem Punkt nachzudenken, während er weiter ins Feuer starrte und den Bären hinter den Ohren kraulte. Wie waren die Frauen in diese Fänge ihrer Mörder gekommen und wie haben sie vorher gelebt. Waren sie gute Menschen gewesen? Alessio schüttelte den Kopf. Er kam jedoch zu keinem sinnvollen Ergebnis. Aus irgendeinem Grund waren sie alle hier gelandet. Es konnte gut sein, dass die Frauen von der Straße entführt worden waren.

Alessio dachte so lange nach, bis seine Wache vorbei war. In der Zwischenzeit war der Bär verschwunden. Nach drei Stunden weckte er Kimiko, vorher räumte er jedoch die Brieftaschen weg. Kimiko sollte sie nicht finden. Nicht, dass sie zu in Angst geriet oder eine Paranoia entwickelte. Trotzdem musste er ihr zumindest eine Warnung geben. Sie mussten beide jetzt umso mehr die Augen offenhalten.

Verschlafen richtete sich Kimiko auf. Ihr Gesicht war immer noch recht blass. Sie schwankte leicht. Ihrem Aussehen nach schien sie erschöpfter zu sein, als sie es bisher gezeigt hatte. Ihre Haut war eingefallen und ihre Augen lagen tief in ihren Höhlen. Fast sah sie wie ein Gespenst aus.

„Schaffst du es oder willst du dich noch eine Weile ausruhen?", fragte er vorsichtig. Er wollte nicht, dass Kimiko sich überanstrengte. Sie war die körperlich Stärkere von ihnen beiden, aufgrund ihres Erbes ihrer Eltern.

„Es geht schon. Ich werde es packen. Leg du dich hin. Ich werde dich in drei Stunden wecken."

Alessio legte sich auf die andere Seite des Feuers. Kaum hatte er seine Augen geschlossen, *fand er sich in dem Kreis aus Bäumen wieder. Jedoch stand vor ihm nicht der alte Mann von den beiden letzten Besuchen. Es war diesmal eine alte Frau, die ziemlich seltsame Kleidung trug.*

Sie hatte ein langärmliges schwarzes Kleid an. Darauf waren viele unterschiedliche Symbole aufgestickt. Manche bildeten ineinander verwobene Kreise, andere formten Linien in abstrakte Formen. Zusätzlich waren Federn angestickt, mit den Musterungen von unterschiedlichen Vögeln. An einige waren farbige Perlen gebunden. Weiterhin hatte die alte Frau interessante Ketten um den Hals: Sie waren teilweise mit Hörnern verziert, andere wiederum hatten einige Zähne dranhängen.

Auf ihren weißen Haaren befand sich eine Mütze mit zwei riesigen schwarzen Flügeln auf jeder Seite – es sah wie ein Filmrequisite aus, so klischeemäßig -, von den weißen Perlen an schwarzen Schnüren runterhingen.

Diese ganzen seltsamen Sachen verhinderten, dass Alessio als Erstes in ihr Gesicht schaute. Ihre Lippen waren über die Zeit blass geworden. Am meisten erschreckten ihn jedoch die Augen: Sie waren milchig weiß. Anscheinend war diese Frau blind gewesen, als sie noch gelebt hatte. Doch etwas an diesen weißen Augen ließ einen kalten Schauer über seinen Rücken laufen. Gruselig!

„Hallo, ich habe dich schon seit Tagen erwartet. Du bist mit deiner Weggefährtin an einen Ort gelangt, der eine grausige Geschichte besitzt. Hier sind viele Menschen, vor allem junge Frauen, schmerzvoll und langsam getötet worden. Aber etwas verhindert, dass ihre Seelen an den ihnen vorbestimmten Ort gelangen, eine dunkle Macht. Du musst ihnen helfen, ansonsten werden ihre Seelen bis in alle Ewigkeit nicht zur Ruhe kommen und dieser Ort wird für immer heimgesucht werden. Sollten sie nicht bald erlöst werden, wird das Haus zum Ort des Gräuels werden und sich in Zukunft krebsartig ausbreiten", eröffnete sie.

Ihre Stimme klang dabei wie das Knarzen eines uralten Baums.

„Was ist das für eine bösartige Macht, die Seelen festhalten und sich ausbreiten kann?", fragte Alessio entsetzt. Wer konnte nur so etwas den Frauen antun? Allerdings wusste er nicht, ob er die Antwort wirklich hören wollte.

„Ich weiß es nicht. Es gibt einige Mächte in der Welt, die auf der hellen Seite sind, und noch viele mehr auf der dunklen Seite. Durch den Tod der Menschen ist das fragile Gleichgewicht aus der Balance geraten. Leider sind es zu viele, als dass ein Mensch alle kennen könnte. Nun gibt es niemanden mehr, der sie noch stoppen könnte. Alle können ihren Hunger nach Macht und Gewalt ausleben und gerade hier gibt es ein Wesen, was hungrig nach Macht der Lebenden, besser gesagt der Seelen von ihnen, ist."

„Warum nicht mehr? Wie hat die Menschheit sie bisher aufgehalten?"

„Sie brauchen keine Angst vor der Entdeckung mehr zu haben. Wenn die Menschen das Wesen entdeckt hätten, wäre durch die alleinige Überzahl ein Lynchmord passiert. Jetzt kommen das Wesen und alle anderen heraus, die vorher untergetaucht waren. Es steht ein Krieg bevor, der zuerst die Schwächsten trifft. Die Menschen waren nur die Ersten, die dran glauben mussten. Die nächsten Jahre werden das Zünglein an der Waage sein, in welche Richtung diese neue Welt sich entwickeln wird. Es werden noch weit mehr Opfer gefordert werden. Die Menschen waren nur der erste Teil, welcher ausradiert worden ist."

„Ich verstehe nicht. Wer hat es zu verantworten, dass die Menschheit ausgestorben ist? Es muss doch von irgendjemandem ausgehen."

„Keiner weiß es. Dieses Rätsel muss aber gelöst werden, um die Anzahl der noch kommenden Toten zu verringern", meinte die alte Frau besorgt. „Noch befindet sich dieses Wesen im Nebel. Wir können nur die Auswirkungen seines Tuns sehen, aber nicht den Drahtzieher an sich. Daher musst du herausbekommen, wer es genau ist, damit die wenigen Überlebenden der Katastrophe in Sicherheit leben können. Jetzt solltest du dich zunächst auf dieses Haus und die Seelen darin konzentrieren. Ich habe nicht viel Zeit, dir ein Ritual beizubringen, das für den Übergangsritus von Seelen überaus wichtig ist. Seelen, welche an so einen Ort gefangen sind, vergiften nach und nach. Jeder, der mit diesem Ort oder ihren Hinterlassenschaften in Berührung kommt, würde dahinsiechen. Dies kann sich sogar ausbreiten bis in diesem Teil des Kontinents niemand mehr überleben kann. Ich werde es nun an dich weitergeben. Du wirst diese Zeremonie an den Knochen ausführen müssen. Dadurch sollten die Seelen von ihren sterblichen Überresten getrennt werden und können zu der anderen Seite übergehen. Dieser Ort würde geläutert werden."

Alessio erkannte die Notwendigkeit, doch die Zusammenhänge blieben für ihn noch im Dunkeln. Allerdings wusste er zwei Dinge. Einerseits würde er es bestimmt im Laufe der Zeit besser verstehen und andererseits würde es sein Gewissen erleichtern, wenn die Seelen frei sein würden. Seelen, Menschen sollten nicht gefangen halten werden.

„Warum sind die Seelen noch an ihre Knochen gebunden?", fragte Alessio die Frau. Für ihn war es ein Mysterium dieser neuen Welt.

„Das passiert häufig bei gewaltsamen Morden. Frag dich doch einmal, warum so viele Beerdigungsrituale als Bestandteil das Verbrennen haben.", antwortete die Frau.

Langsam begann er zu verstehen. Die Situation war etwas weittragender als er gedacht hatte, daher nickte er entschlossen.

„Zeig mir, was ich zu tun habe.", forderte er die Frau auf. So konnte er wenigstens etwas für diese armen Seelen tun. Letztendlich akzeptierte Alessio nun, dass es so etwas wie das Übernatürliche gab. Schließlich redete er mit einer Toten in einem Traum und einem Bären im wachen Zustand.

Sofort kam Leben in die Frau. Sie ging auf ihn zu, ohne etwas zu sagen, und begann singend zu tanzen. Auf Alessio wirkte das seltsam. Diese Bewegungen sahen irritierend aus. Sie sang zudem in einer fremden Sprache, die Alessio nicht kannte oder auch zuordnen konnte. Er schaute sich die Bewegungen an, befürchtete jedoch, dass er nicht alles mitbekam. Ihm schwirrte der Kopf.

„Es tut mir leid, aber ich glaube, das ist zu viel auf einmal."

Die Frau ließ sich nicht unterbrechen, sondern ignorierte ihn. Sie tanzte einfach weiter. Alessio schaute zwar weiterhin aufmerksam zu, aber er wusste schon, dass er es vermasseln würde. Nachdem er sie gebeten hatte, die Bewegungen noch einige Male vorzuführen, schaffte er es sich schließlich alle Bewegungen zu merken. Es waren mehrere Drehbewegungen in einem Kreis. Es hatte es von den Regentänzen der amerikanischen Ureinwohner. Nur hatte es etwas Irritierendes an sich als würde man die Seelen aus der Umgebung ziehen und in den Himmel hochwerfen. Anders konnte Alessio es nicht mit den Handbewegungen erklären. Denn, wenn es wahr sein sollte, dass die Seelen noch an diesem Ort gefangen sind, dann sollte er alles daransetzen, dass sie aufsteigen – gab es überhaupt so etwas wie ein Aufsteigen?

Es ging eine ganze Weile weiter. Dann hörte sie schließlich auf und stand wieder ruhig vor ihm. Sie war nicht mal außer Atem, allerdings brauchte sie als Geist vielleicht keine Luft.

„Du wirst es schaffen. Das menschliche Gehirn ist leistungsfähiger, als die meisten annehmen würde. Die Erinnerung der Bewegungen wird dich begleiten. Außerdem wird dir dein Krafttier zur Seite stehen. Er kann dir helfen, wenn es schwierig wird. Das Ritual muss gelingen. Wir, die Schamanen, wir alle glauben fest an dich."

„Wann soll ich diese Zeremonie denn starten?", fragte Alessio zögerlich. Er war sich immer noch nicht sicher, ob er wirklich diesen Tanz durchführen konnte, aber er würde es versuchen. Denn schließlich musste man immer es erst versuchen, damit man erfuhr, ob man es schaffte oder nicht.

Wenn er einfach so tanzte und sang, würde im schlimmsten Fall gar nichts passieren.

„In der Abenddämmerung, kurz bevor die Sonne untergeht. Du kannst während des Tages den Tanz noch etwas üben. Doch achte darauf, nie das gesamte Ritual durchzuführen. Sonst sind die Seelen weiter in

ihrer Zwischenwelt gefangen. Erst am Abend, wenn die Sonnenstrahlen kurz vor dem Verlöschen sind, werden sie die Seelen mitnehmen. In meinem Volk, die hier vor einigen Jahrhunderten aus der Nähe lebten, wird es seit Urzeiten so gemacht. Jedes Mal war es erfolgreich. Dabei zeigte sich, dass dieses Ritual unabhängig von der religiösen Gesinnung der Seelen durchgeführt werden kann. Du wirst unser Erbe fortführen, und jetzt wird es Zeit, aufzuwachen. Deine Weggefährtin wird dich in ein paar Minuten wecken und Antworten bekommen wollen – sie hat die Brieftaschen gefunden. Sie ist was ganz Besonderes. Du musst gut auf sie aufpassen und sie beschützen. Auch wenn sie körperlich stärker ist als du, ist ihre Seele fragiler."

Damit drehte sich die alte Frau um und verließ den Kreis. Sie verschwand ins Nichts.

Alessio öffnete die Augen. Kimiko hatte gerade die Hand nach ihm ausgestreckt und wollte ihn anscheinend wachrütteln. Er war ihr zuvorgekommen. Sie sah dabei aber nicht sehr freundlich aus. Sie war eher grimmig. Ihr Lippen waren ganz schmal und eine Falte hatte sich zwischen den Augenbrauen gebildet. In der anderen Hand hielt sie die Brieftaschen.

Anstelle eines Guten-Morgens kam: „Woher hast du diese Brieftaschen?!"

„Ich habe sie gefunden", antwortete Alessio mit unsicherer Stimme. Was würde Kimiko jetzt sagen?

„Und wann hast du sie gefunden? Hast du vielleicht gedacht, dass sie mir nicht auffallen?"

Oh, oh, Kimiko war ganz schön sauer. Ihre Augen warfen regelrecht Blitze in seine Richtung. Ihre Hände zitterten vor Wut.

„Während du geschlafen hast, hat mich etwas zu ihnen hingezogen" Eigentlich wollte Alessio nichts über die ganze Bären-Krafttier-Sache erzählen, aber anscheinend musste er es jetzt doch tun. Irgendwie fühlte es sich so privat an. Außerdem hatten sie weitaus dringendere Themen als irgendein Geisterbär.

„Und was soll das sein, was dich dahingezogen?"

„Ähm, ich weiß, das klingt jetzt komisch, aber ähm … mein Krafttier?", stammelte Alessio. Er wusste nicht, inwieweit Kimiko über Schamanismus Bescheid wusste – oder ob sie ihn eiskalt auslachen würde.

Allerdings beruhigte sich Kimiko auf der Stelle wieder. „Seit wann hast du das Krafttier und was ist es?", fragte sie sachlich, während sie auf die andere Seite des Raumes schlenderte. Ihre Wut hatte sich gelegt. Sie schien mit seiner Erklärung zufrieden zu sein.

„Er begleitet mich wahrscheinlich seit knapp einem Monat. Es ist ein weißer Bär, allerdings kein Eisbär."

Seufzend kniete sich Kimiko neben ihn. „Warum hast du das nicht eher gesagt? Was ist dir in dem letzten Jahr noch Neues passiert? Oder hattest du das von Geburt an diese Verbindung zum Mystischen?"

„Nein, und bei der vorhergehenden Frage, meinst du, außer dir selbst?"

Kimiko ging nicht auf seinen Scherz ein.

„Ich habe seltsame Träume."

Kimiko forderte ihn mit ihrem eindringlichen Blick auf, fortzufahren, daher berichtete er ihr von dem Kreis im Wald, den Schamanen und Ritualen.

Kimiko schwieg nachdenklich und schaute dabei auf die Brieftaschen. Sie war in Gedanken versunken. Ihr ging die ganze Zeit das Gesagt von Alessio nicht aus dem Kopf. Um sich auf andere Gedanken zu bringen klappte sie eine der Brieftaschen auf und schaute sich den Ausweis an. Dann nahm sie sich jede einzelne Brieftasche vor und schaute sich alle Ausweise an, bis sie die Augen schloss, als wollte sie es nicht wahrhaben.

Mit todernster Stimme fragte sie ihn: „Was haben dir diese Geister aufgetragen, was du mit diesen Sachen machen musst?"

„Ich soll einen sogenannten Übergangsritus durchführen. Die Seelen sind noch an die Knochen gebunden."

„Ach, scheiße!", entfuhr es Kimiko. Alessio schaute sie verständnislos an. „Du entwickelst dich zu einem waschechten Schamanen!"

„Das entscheide doch immer noch ich selbst! Was soll das überhaupt sein?! Die Geister haben es nur angedeutet, als ob ich die Bedeutung davon kennen sollte. Ich bin jedoch ein Mann der Wissenschaft, auch wenn ich langsam mehr über diese neue Welt lerne. Es ist wie ein neues Universum, was zu erforschen gilt."

„Ein Schamane ist ein spiritueller Spezialist – ein Heiler, der Rituale durchführt. Früher gab es in jedem Stamm der Welt einen oder mehrere Schamanen, der zum Wohle der Gemeinschaft die Stammesmitglieder physisch und psychisch geheilt hat. Sie üben dabei mentale Praktiken aus. Manche sagen auch, dass sie mit den Mächten des transzendenten Jenseits Kontakt aufnehmen können: Sie sind als Geisterbeschwörer bekannt gewesen. Allround-Spezialisten für die physische, psychische und mystische Welt."

„Ich weiß, dass haben mir auch die Schamanen in meinem Traum erzählt. Ich hielt es zuerst für Humbug, aber langsam beginne ich daran zu glauben."

Kimiko griff ihm mit einer Hand an den Hals und holte die Bärenklaue an seiner Kette hervor. „Seit wann besitzt du die?"

„Seit knapp einem Monat. Mir waren schon einige Male der Gedanke durch den Kopf gegangen, dass es miteinander zusammenhänge könnte, aber ich war mir nie wirklich sicher. Schließlich lag diese ganze Sache bisher außerhalb meiner Vorstellung. Aber jetzt beginne ich es zu verstehen."

„Ich denke, es wird damit zusammenhängen. Dadurch bist du so was wie einen Vertrag eingegangen. Jetzt musst du diese Reise zu einem richtigen Schamanen absolvieren. Du kommst nicht mehr da raus. Diese Riten führen nur Schamanen aus, bei anderen würden sie keine Wirkung zeigen."

„Und wenn ich diesen Übergangsritus nicht durchführe? Was dann?", fragte Alessio herausfordernd. Er wollte wissen, was Kimiko darüber dachte. Er wusste zwar, dass er diesen Ritus durchführen würde. So wie Beerdigungen für die Lebenden wichtig war, so würde dieses Ritual auch etwas zu Ende bringen. Trotzdem war ihm ihre Meinung wichtig, schließlich konnte er sich immer noch alles einbilden.

„In den alten Zeiten hat es niemand gewagt, sich gegen die Schamanen zu stellen – sie hatten eine heilige Stellung innerhalb Gesellschaft innegehabt. Zwar ist dieser Glauben durch die moderne Wissenschaft über die letzten Jahrzehnte verschwunden, doch werde ich nicht damit jetzt anfangen. Meine Mutter hat mir ab und zu davon erzählt. Sie war ein Anhänger dieses Glaubens."

„Also werden wir diesen Ritus durchführen? Die Geisterfrau meinte, ich soll es heute Abend vollziehen", erklärte Alessio nüchtern.

„Wir müssen alles dafür vorbereiten. Gibt es mehr als diese Brieftaschen?"

„Leider ja. Es gibt einen Raum im Keller mit Knochen und Kleidung", erzählte Alessio ihr.

„Wir werden sie am Morgen zusammenräumen und aufstapeln. Das heißt, wir müssen noch einen weiteren Tag in diesem Horrorhaus hier verbringen." Sie schauderte, „Ich werde noch ein bisschen schlafen, dann können wir gemeinsam anfangen. Du hältst wieder Wache!", befahl Kimiko ihm.

Zwei Stunden später ging die Sonne auf. Alessio weckte Kimiko sanft und Beide machten sich für den kommenden anstrengenden Tag fertig.

Zusammen gingen sie schließlich in den Keller. Sobald Kimiko die Überreste sah, wurde sie leichenblass. Es musste sie an ihre eigene Folter erinnern, schien Alessio zu vermuten. Mit zitternder Hand griff sie einen Schädel und hielt ihn sich vor die Nase. Laut zog sie Luft ein, sie schien zu schnüffeln.

„Ich kann keinen Geruch ausmachen, aber kannst du vielleicht etwas erkennen, was mir entgeht?"

Alessio nahm den Schädel in die Hand. Gestern hatte er nicht so darauf geachtet, doch konzentrierte er sich nun genauer auf diesen Sinneseindruck. Er erstarrte.

„Es ist der Geruch dieser Drillinge."

Kimiko nickte, als habe sie vermutet, dass es sich um die Folterkammer von den Drillingen handelte.

„Ich werde sehen, dass ich etwas zu essen jage. Kannst du in der Zwischenzeit die Knochen nach oben bringen? Aber lass sie im Haus. Sobald ich wiederkomme, werden wir uns stärken und dann alles vorbereiten."

Kimiko eilte die Treppe hinauf, bevor Alessio irgendetwas erwidern konnte. Er nickte in die plötzliche Leere hinein.

Kimiko wollte offenbar so schnell wie möglich raus aus dem Keller. Alessio konnte das verstehen. Auch er verspürte keine Lust, hier länger als notwendig zu bleiben. Also machte er sich zügig daran, die Knochen und die Kleidung in das Esszimmer zu schaffen. Er legte sie jeweils auf einen Tisch, damit er weiterhin unterscheiden konnte, von welcher Frau sie stammten. Vielleicht würde es wichtig sein, Alessio wusste es im Moment noch nicht. Kaum war er fertig, kam Kimiko von ihrer Jagd zurück.

Sie hatte ein paar weiße Schneehasen erlegt. Geschickt nahm sie die Hasen mit einem Jagdmesser aus. Die Eingeweide verscharrte sie einige Meter vom Haus entfernt. Währenddessen schürte Alessio das Feuer. Danach brieten sie das Fleisch und begannen, zu essen. Sofort fühlte sich Alessio stärker. Das Fleisch versorgte sie beide mit der notwendigen Energie für das Ritual. Er hatte gar nicht mehr bemerkt, wie hungrig und entkräftet er gewesen war.

„Wie gehen wir vor?", fragte Alessio.

„Wir werden die Knochen auf einen Haufen legen. Während du deinen Übergangsritus durchführst, können wir die Knochen verbrennen, sodass auch ja nichts mehr die Seelen an diesem bösen Ort festhalten kann. Die Brieftaschen werden wir dazu legen müssen. Nichts darf mehr von ihnen bleiben."

„Das ist eine gute Idee."

Danach schwiegen beide. Auf einmal schien Alessio etwas aufzufallen.

„Warum sollte ich vorhin eigentlich mir den Schädel genauer anschauen?", wollte Alessio wissen.

„Ich hatte so ein Gefühl. Dieses Haus hat eine dunkle bösartige Ausdünstung, dass ich mir schon gedacht habe, dass die Drillinge hier gewesen sein mussten."

„Aber es gibt doch bestimmt unzählige böse Wesen. Warum hast du gerade an diese Drei gedacht?"

„Früher habe ich nur Gerüchte über diese Drillinge gehört. Sie sind mit den bösartigsten Übernatürlichen auf diesem Kontinent …. Früher haben sie Kinder, Frauen und Männer entführt, gefoltert und zum Teil lebendig gefressen", Kimiko schwieg auf einmal.

Sie schien in sich zusammenzusinken. Alessio konnte sich denken, dass es etwas mit der Folter zu tun hatte. Die Ergebnisse davon hatte er verarzten müssen.

Vorsichtig fragte Alessio nach: „Was ist passiert?"

„Kurz bevor du mich gefunden hast, hatte ich mit ihnen Bekanntschaft gemacht. Um es nett zu umschreiben: Es war nicht lustig."

„Sie haben dir die Schnitte zugefügt?" vergewisserte sich Alessio bei Kimiko, als wollte er die Wahrheit aus ihrem Mund hören, um es zu glauben.

„Bei jedem davon haben sie gelacht und mir erzählt, was sie noch alles mit mir anstellen wollen. Bei jedem Einschnitt habe ich gefleht, dass sie mich töten sollen. Dann wurde auf einmal alles schwarz. Ich war nicht mehr interessant für sie."

Schweiß rann über das blasse Gesicht von Kimiko. Mit beiden Händen fuhr sie sich über den Kopf und die Haare. Sie litt an diesem Erlebnis.

Das konnte er an ihrer blassen Gesichtsfarbe und dem Schweißausbruch erkennen. Ihre Hände zitterten sichtbar.

„Warum haben sie dir das angetan?", fragte Alessio vorsichtig nach.

Er wollte Kimiko kein Leid zufügen, aber er musste wissen, was der Grund war. Vielleicht kam er so hinter die Bewegründe von diesen höllischen Drillingen.

„Um ehrlich zu sein … ich weiß es nicht. Sie waren auf einmal da, standen vor mir. Sie begannen ohne Vorwarnung, auf mich einzustechen, und fragten mich immer wieder, wo die anderen wären. Aber ich weiß weder, wer die anderen sind noch, wo sie sind. Zumindest war das so am Anfang, nach einer Weile, als ihnen klar wurde, dass ich keine Informationen hatte, quälten sie mich nur noch zum Spaß. Durch die Schnitte haben sie mir meine Kraft geraubt, daher war ich auch in meiner tierischen Form, als du mich gefunden hast. Ich konnte meine menschliche Erscheinung nicht mehr halten. Du hast mir mein Leben gerettet. Ich werde dir auf ewig dankbar sein."

„Und ich habe mich schon gewundert, wieso du die ganze Zeit bei mir bleibst.", versuchte Alessio, die Situation etwas aufzulockern, während er verunsichert lachte. Ein kleines, fast ängstliches Lächeln umspielte Kimikos Lippen. Die Erinnerungen würden sie noch eine Zeit lang verfolgen.

Um sich abzulenken, holte er die Edelsteine raus, die er gefunden hatte. „Ich habe neben den Brieftaschen noch diese hier entdeckt. Ich habe keine Ahnung, warum, aber irgendwie kommen sie mir bekannt vor."

Kimiko nahm die Steine in die Hand und hielt sie sich vor die Augen. „Hast du vielleicht Bilder davon gesehen oder was anderes?"

Auf einmal fiel es Alessio ein: „Wo du es sagst, ich habe in einem Buch, das ich vor einigen Tagen in Burns Lake gefunden habe, etwas über zwei Steine gelesen. Sie sollen als so etwas wie eine Brücke zwischen Magie und Wissenschaft dienen. Wenn ich es richtig verstanden habe. Aber ich habe das als Unsinn abgetan. Wer könnte schon wissen, ob so etwas wirklich wahr ist? Letztendlich ist dieses Gerede um Seelen nicht wirklich greifbar. Technische Mechanik, Biologie hingegen schon."

„Wenn es wirklich so sein sollte, Alessio, musst du die Steine immer bei dir tragen. Du bräuchtest so was wie einen kleinen Medizinbeutel, den die Schamanen früher immer mit sich geführt haben. Dann kannst du vielleicht herausfinden, ob da was dran ist. Wenn du es um den Hals trägst, verlierst du es nicht so schnell wie bei einer Hosentasche. Hosen wechsels du eher und am Ende vergisst du es. Zusätzlich befinden sich so die Steiner näher an deinem Herzen und Gehirn. Schließlich sollen sie deine schamanischen Fähigkeiten verstärken."

„Hm, ich besitze so etwas nicht. Ich muss mal sehen, vielleicht finde ich in dieser Stadt einen Lederbeutel. Hier werde ich den eher nicht auftreiben können. Nicht, dass ich überhaupt etwas von hier mitnehmen will. Dieser Ort ist bösartig."

„Ich denke, das ist auch besser so. Jetzt müssen wir uns um etwas anderes kümmern – den Übergangsritus. Wir brauchen unbedingt mehr Holz. Das Feuer muss sehr heiß werden, dass die Knochen vollständig zu Asche verbrennen."

„Dann, auf geht's."

Alessio schlug tatkräftig die Hände zusammen. Er wollte diese Aufgabe endlich beenden.

Zusammen trugen beide über den Tag hinweg einen riesigen Berg von Holz auf den Vorhof des Hauses zusammen. Sie sprachen kaum miteinander. Jeder war zu sehr auf seine Aufgabe konzentriert.

Kurz bevor die Abenddämmerung anbrach, holten Kimiko und Alessio schließlich die Knochen raus. Wenn Kimiko gewusst hätte, was sie hier finden würden, hätte sie einen großen Bogen um dieses Haus gemacht. Gleich darauf schalt sie sich innerlich. Wie konnte sie nur so etwas denken.

Sie konnte sich nicht vorstellen, was diese Frauen durchgemacht haben mussten, doch hatte sie es am eigenen Leib erfahren müssen. Daher musste sie ihnen helfen.

Menschen waren um einiges zerbrechlicher als die Übernatürlichen – und sie hatte schon kaum die Folter von den Drillingen überstanden. Was da erst diese Frauen erleiden mussten? Sie glaubte, was sie gerettet hatte, war die Tatsache, dass die Drillinge unbedingt wissen wollten, wo sich die anderen befanden. Wer auch immer diese anderen waren. Wäre sie zu ihrem Spaß gefoltert worden, hätten die Drei sie definitiv getötet, so wie diese armen Frauen.

Dann war es so weit. Alles war angerichtet. Der Holzhaufen war gestapelt, die Hinterlassenschaften lagen etwas entfernt davon, sodass sie während des Tanzes reingeworfen werden können. Alessio richtete sich auf und schaute in Richtung der Sonne und zu Kimiko. Sie beobachtete ihn.

„Es ist fertig! Wir können anfangen", sagte Alessio.

„Ich werde das Feuer legen." Kimiko ging zu den riesigen Feuerholzstapel und zündete sie mit einer Handbewegung an. Anschließend ging sie zu dem Haus und lehnte sich an die Außenwand. Jetzt hieß es: warten. Sie beobachtete, wie Alessio zuerst zögerlich und dann immer selbstsicherer den Übergangsritus durchführte. Er tanzte und sang. Es war das erste Mal, dass sie so was sah. Faszinierend, wie fremdartig und perfekt sich diese Bewegungen, in dieses Ritual einfügten.

Bisher hatte sie nur wenig über Schamanismus gelesen oder gehört. Es war ihr seltsam vorgekommen, dass Menschen eine Verbindung zu der anderen Seite haben sollte. Doch wer war sie, dass sie darüber richten durfte? Kimiko war schließlich selbst das unnatürliche Bindeglied zwischen zwei gegensätzlichen Welten.

Sie war der Beweis, dass alles möglich war. Bisher war ihr noch nie ein anderer lebender Hybrid begegnet. Die Menschen wussten zumeist nicht, dass es die Übernatürlichen gab, und die Übernatürlichen achteten zu sehr auf die sogenannte Reinheit des Blutes. Somit war sie höchstwahrscheinlich der einzige lebende Hybrid auf dieser Welt und würde es jetzt auch immer bleiben.

Sie beobachtete Alessio weiter, wie er für Minuten sein eigenartiges Tanz-Gesangsritual weiterführte. Sie wusste nicht, wo er es gelernt hatte, aber es schien ihm ins Blut übergegangen zu sein. Kimiko staunte über dieses Ritual und wie es sie in ihren Bann zog, während im Hintergrund der Holzstapel brannte. Es ergab ein so machtvolles Bild, dass sie ihn mit offenem Mund anstarrte.

Vielleicht konnte sie eine Art dauerhafte Wohngemeinschaft in Fraser Lake mit ihm bilden. Sie würde sich sicherer fühlen, wenn sie bei ihm blieb. Einen Augenblick lang stockte Kimikos Atem. Woher war dieser Gedanke gekommen? Hatte sie etwa Gefühle für ihn entwickelt? Innerlich schüttelte sie den Kopf, nur um im Nachhinein sich weiter über diesen plötzlichen Einfall zu beschäftigen.

Sie konnte jagen gehen und er würde mit seinen schamanischen Kräften für Schutz sorgen. Ein weiterer Gedanke kam ihr: Vielleicht konnten sie auch Ackerbau betreiben. Es würde helfen, dass sie nicht immer jagen gehen mussten. Sie konnten eine Farm aufbauen. Ihre Gedanken an die Zukunft lenkten sie von dem Ritual ab.

Auf einmal blieb Alessio stehen, ohne Vorwarnung. Gerade waren die letzten Sonnenstrahlen verschwunden. Außer Atem drehte er sich zu Kimiko um und meinte: „Fertig."

Verständnislos schaute sie ihn an. „Wie, fertig? Sollte jetzt nicht irgendwas Großartiges passieren, wenigstens ein Knall?"

„Hast du vielleicht zu viele Filme gesehen?". Alessio zwinkerte ihr zu.

„Ich weiß nicht. Es kann doch gar nicht *nichts* passieren", meinte Kimiko. „Ich habe gedacht, es wird so, wie man es kennt! Da gibt es immer einen großartigen lauten Abschluss."

Alessio schaute sie erst stutzig an und begann dann laut loszulachen, ein fröhliches warmes Lachen, das Kimiko zum Schmunzeln brachte. Ihre Stimmung hellte sich auf. Erst jetzt bemerkte Kimiko wie sehr sich ihr Gemüt über die letzten Stunden verdüstert hatte. Beide beobachteten noch eine Stunde lang, wie das Feuer runterbrannte.

Als die Glut schließlich erloschen war, sammelten beide die Asche in einem Beutel. Dann vergruben sie sie im Wald. Kurz standen beide andächtig vor dem kleinen Grab.

Aus dem Augenwinkel konnte sie erkennen, wie Alessio sich anspannte. Sein Kopf bewegte sich hin und her, als würde er sich beobachtet fühlen. Wurden sie unter die Lupe genommen? Waren die höllischen Drillingen wieder da?

Kimiko schaute zu ihm rüber. „Ist was?"

„Nichts. Ich habe mir wahrscheinlich nur etwas eingebildet. Wollen wir wieder reingehen?", fragte Alessio zurück.

„Es wird für dich wohl ein bisschen zu kalt. Wie fühlst du dich?" Er müsste ziemlich ausgebrannt sein, vermutete sie.

„Es geht. Geschafft. Seltsamerweise geht es mir gut. Sogar ein bisschen erleichtert. Es ist, als wäre eine große Last von meinen Schultern genommen worden. Ich verstehe es nicht."

Kimiko horchte auf. Was meinte er damit? Sie drehte sich langsam zum Haus um und schaute es sich an. Es schien sich verändert zu haben, ohne dass sie diese Veränderung hätte benennen können. Woher kam dieser Gedanke?

Das Haus war immer noch genauso runtergekommen wie vorher, doch hatte sich die bedrohliche Aura, die es durchdrungen hatte, wie ein schlechter Atem verflüchtigt. Ein Lächeln huschte über ihr Gesicht.

„Ich denke, die Seelen sind auf die andere Seite gegangen. Schau dir mal das Haus an!", forderte Kimiko Alessio auf.

„Es hat sich verändert", meinte er stutzend. „Nicht mehr so, in Ermangelung eines besseren Wortes, bösartig." Scheinbar hatte er nicht damit gerechnet, als sie seine zaghafte Stimme so hörte.

Kimiko nickte zustimmend. „Ich denke, wir sollten unsere Kraftreserven auffüllen, bevor wir morgen endgültig weiterziehen können. Unsere Aufgabe haben wir erledigt. Wir haben noch eine lange Wanderung vor uns und wenn ich mich nicht täusche, wird es heute Nacht schneien."

Prüfend schauten sie sich noch einmal um – nicht, dass sie irgendetwas übersehen hatten, ob Haus oder den unsichtbaren Beobachter - und gingen in das Gebäude. Abwechselnd Wache stehend verbrachten sie die Nacht.

„Ich sehe, dass du die Seelen erfolgreich auf die andere Seite geführt hast. Sie sind jetzt an einem besseren Ort. Dafür danke ich dir." Die alte Frau stand direkt vor Alessio und schaute zu ihm hoch.

„Was wird jetzt mit ihnen passieren?", fragte er sie.

„Die Seelen konnten entweichen. Allerdings ist die böse Macht, die die Seelen hier gehalten hat, noch nicht besiegt. Sie lauert woanders.

Dies war nur ihre Außenstelle", offenbarte sie. „Ich werde jetzt in meine Gefilde gehen. Allerdings werden wir uns bald wiedersehen."

„Was meinst du damit?", erwiderte Alessio.

„Ich musste nur kurz in deiner Ausbildung dazwischenfunken, sodass du diesen armen Seelen helfen konntest. Jetzt kann deine Ausbildung normal weitergehen. Dann werde ich dir alles über meinen Schamanismus beibringen."

Alessio nickte. Jetzt verstand er, warum er dauernd in diesem Kreis stand. Dies war seine Lehrstätte. Ein Glück hatte er diese Bärenklaue gefunden.

„Werde ich meine Ausbildung je abschließen? Es kommt mir so viel vor, wenn ich anscheinend von der ganzen Welt jeden einzelnen Aspekt des Schamanismus lernen muss. Das würde mein gesamtes Leben dauern und selbst dann würde ich nicht alles wissen. Sollte ich nicht lieber nur die einfachsten Punkte lernen?"

„Ich weiß, was du meins, doch müssen wir einerseits dich mit Wissen versorgen und andererseits können wir nicht in die Zukunft sehen, doch sehen wir jede einzelne momentane Bewegung und versuchen, dir dabei zu helfen, mit den unterschiedlichen Situationen umzugehen. Egal, was noch kommen wird, du musst dafür gewappnet sein."

Alessio verstand, denn die Vorboten einer dunklen Zeit konnte er schon jetzt sehen.

6. Kapitel: November, Jahr 1 nach der Menschheit
„Denkst du nur ans Parieren, Zurückschlagen oder Aufhalten des Gegners, wirst du nicht in die Lage kommen, ihn wirklich zu treffen." - *Miyamoto Musashi, Buch des Wassers*

Alessio schlug die Augen auf. Er hatte die ganze Nacht geschlafen. Kimiko hatte ihn nicht geweckt, was ziemlich ungewöhnlich war, wenn er bedachte, dass sie an den vorhergehenden Tagen so fanatisch auf die Sicherheit geachtet hatte. Wollte sie ihn ausruhen lassen? Das war nett von ihr. Er richtete sich auf und schaute sich nach Kimiko um.

Sie saß bei der Tür und schien ganz in Gedanken versunken zu sein.

„Guten Morgen, Kimiko", sagte er verschlafen.

Kimiko drehte sich um. Sie sah erstaunlicherweise nicht so aus, als hätte man sie durch die Mangel genommen.

„Guten Morgen, Alessio. Gut geschlafen?"

„Ich bin richtig ausgeruht. Warum hast du mich nicht geweckt? Ich hätte doch eine der Wachen übernehmen können."

„Du warst zu ausgelaugt. Der Ritus mit seinem Tanz und Gesang war anstrengender, als wir beide zuerst gedacht haben. Ich habe versucht, dich zu wecken, doch du bist nicht aufgewacht", meinte Kimiko. „Es ist schon okay. Ich kann mal eine Nacht durchmachen. Ich konnte mich trotzdem ausruhen."

Alessio war sich da nicht sicher. „Wenn du meinst … Wollen wir langsam aufbrechen? Wir müssen heute noch weiterkommen. Ich will wieder einen festen Ort haben, wo ich leben kann und den ich vielleicht auch Zuhause nennen kann."

„Wir sollten es heute bis dahin schaffen. Wir haben die erste Hälfte geschafft und uns gut ausruhen können. Sollte nichts dazwischenkommen, werden wir heute Frasier Lake erreichen", schätzte Kimiko.

Alessio stand auf und begann, seine Sachen zusammen zu räumen. Kimiko gesellte sich zu ihm und schob die Überreste des Feuers zusammen. Danach trug sie sie aus dem Raum.

Als sie zurückkam, fragte sie ihn: „Was machen wir mit dem Haus hier? Wir können es nicht einfach so stehen lassen. Es könnte sich leicht wieder jemand Böses hier einnisten. Gerade dieses Haus ist prädestiniert, dass sich die Übernatürlichen einnisten, welche bösartig sind. Sie werden von diesem Ort regelrecht angezogen."

„Du hast recht, aber wir können es auch nicht einfach abbrennen. Die Drillinge könnten vielleicht den Lichtschein oder den Rauch sehen."

„Und was wäre, wenn wir zumindest hier drin alles so weit vernichten, dass es unbrauchbar ist? Somit können wir Tötungen und Folterungen vermeiden. Zwar werden sich die Drillinge ein anderes Haus suchen, doch müssen sie sich zumindest eine neue Folterkammer erstmal aufbauen müssen, was etwas dauern kann. Dieser Ort hier muss gereinigt werden von dieser bösen ... ich weiß leider kein anderes Wort als *Energie*."

Kurz musste Alessio überlegen. Würde das so einfach sein? Nachdem er das Ritual durchgeführt hatte, wusste er nicht weiter. Vielleicht hatte Kimiko mit ihrer Überlegung recht. Eines war zumindest sicher, wenn sie dieses Haus zerstörten, egal, auf welche Art und Weise, dann konnte hier niemand mehr Gräueltaten vernichten.

„Dann beeilen wir uns. Wir müssen wahrscheinlich in spätestens einer Stunde aufbrechen, damit wir vielleicht noch bei Tageslicht in diesem Ort ankommen, wo du hinwillst", sagte Alessio.

Beide räumten ihre Rucksäcke aus dem Haus und hängten sie an einen Ast. Danach begannen sie, systematisch alles innerhalb des Hauses zu zerstören – noch mehr als es schon war. Besondere Sorgfalt ließen sie bei der Folterkammer walten. Niemand sollte hier mehr sein Leben lassen. Dabei schmolz Kimiko mit ihrer Hand alle Haken weg und Alessio hämmerte mit einer Eisenpfanne gegen die Regale, Wände und die Tür. Am Ende war die Kammer ein einziges Trümmerfeld.

Sobald sie fertig waren, verließen sie das Haus. Dabei schauten Kimiko und Alessio sich aufmerksam um, ob sie nichts vergessen hatten. Da hatte Alessio eine Idee.

„Vielleicht können wir einen Baum so fällen, dass er einerseits quer vor der Eingangstür liegt und es andererseits natürlich aussieht. Niemand darf mehr in dieses Haus gehen können. Wenn möglich, sollten wir die Fenster noch mit Ästen verbarrikadieren. Dann ist dieses Haus erstmal sicher. Eventuell können wir später noch dieses Haus abreisen, wenn es sicherer ist."

Kimiko schaute erstaunt zu ihm. Ihr war dieser Gedanke anscheinend nicht gekommen. Nachdenklich blickte sie zu den Bäumen, welche um das Haus herumstanden. Nach knapp einer Minute Abschätzens lief sie zu einem und schaute ihn sich an den Wurzeln und dem Stamm genauer an. Ihr Gesicht verzog sich, als wäre sie mit dem Resultat nicht zufrieden, daraufhin ging sie zu einem anderen. Er schien für ihre Wünsche besser geeignet zu sein.

Kimiko begann, ein Loch zu graben, bis sie auf eine Wurzel stieß. Die hielt sie mit ihrer Hand fest. So blieb sie einige Minuten stehen. Zuerst passierte nichts und Alessio wunderte sich schon, was Kimiko bewirken wollte, bis der Baum plötzlich laut knarzte und langsam in Richtung des Hauses kippte.

Kimiko stand mit einem zufriedenen Lächeln auf und stellte sich neben Alessio. Beide schauten zu, wie der Baum direkt vor die Eingangstür fiel und teilweise noch die Hauswand mit seinen Ästen mitriss. Er musste zugeben, dass es ein guter Anblick war.

Stumm blieben sie einen Moment stehen – jeder in seine Gedanken vertieft. Dann nahm Alessio seinen Wanderrucksack vom Ast. Gemeinsam machten beide sich auf den Weg zur Hauptstraße zurück. Der lange Weg zur nächsten Station, hoffentlich der Endstation, brach an.

Sobald sie aus dem Wald herauskamen, konnte Alessio erkennen, wie viel Schnee über die letzten Tage gefallen war. Mittlerweile lag der Schnee über ein dreiviertel Meter hoch. Das würde das Vorankommen um einiges erschweren. Schon der kurze Abschnitt im Wald ließ ihn schwitzen. Der tiefe Schnee raubte ihm die Kraft. Sollten sie aber nochmal eine ebenso lange Strecke wie vor zwei Tagen zurücklegen, würde er bestimmt für einige Zeit nicht mehr laufen können.

Nach einem kurzen Blick zu diesem bösen Ort zurück wanderte Alessio Kimiko hinterher, die schon losgelaufen war. Wie vor zwei Tagen hatte sie die Waffen wieder angelegt. Über ihre Schultern war ein Gürtel mit mehreren Messern – großen Jagdmessern – befestigt. In ihren Hosentaschen befanden sich Pistolen, ein Gewehr hielt sie in der Hand. So stapften sie durch den tiefen Schnee.

Von den vereinzelt stehenden Bäumen fiel ab und zu der schwere Schnee hinunter. Nichts durchdrang die Stille des Wintertages. Während sie so dahinstapften, kam es Alessio ab und zu vor, als würde etwas in den Wäldern aufblitzten. Wieso lagen immer noch so viel Glas herum oder bestimmt war es auch nur einfacher Schnee.

Sie folgten den Überresten der Straßen über den gesamten Tag hinweg. Zwischendurch mussten sie öfter eine kurze Pause einlegen, da Alessio nicht weiterkonnte. Ein Glück, dass die Strecke relativ eben war. Wären Steigungen hinzugekommen, hätte es Alessio den Rest gegeben.

Während er durch den Schnee ging, warf Alessio einen Blick um sich herum. Überall waren nur Bäume zu sehen, wie schon den ganzen Tag. In der Ferne entdeckte er ein paar Schnee bedeckte Berge, die aber nie näherkamen. Es war, als würden sie vor den beiden Wanderern flüchten. Die Sonne wanderte langsam über den Himmel und näherte sich mittlerweile im Westen dem Horizont.

Es wurde Abend und es war keine Stadt zu sehen. Verzweifelt schaute sich Alessio um. Warum entdeckte er ihren Zielort nirgends? Hatten sie sich etwa verlaufen? Sie mussten doch nur immer dieser Straße folgen. Seine Zunge hing an seinem Gaumen und er konnte kaum noch schlucken. Auch als er ab und zu etwas sauberen Schnee in seinen Mund nahm, half es ihm nicht. Der Durst überwältigte ihn fast vollständig.

Auf einmal kamen sie an einem Schild vorbei, das teilweise von Schnee bedeckt war. Es war das erste Zeichen der ehemaligen Zivilisation. Aufgeregt rannte Alessio hin und begann, an dem Schild zu rütteln. Sofort fiel der lockere Schnee runter und gab einen Namen frei: *Sandman Hotel, Inns, Suites*.

„Wir erreichen wieder zu einer Siedlung!", rief Alessio fröhlich Kimiko zu. Endlich kamen sie in Reichweite des Ortes. Die Schinderei hatte endlich ein Ende. Er freute sich schon, endlich in einer angenehmeren Umgebung zu schlafen, wo er nicht immer ein Auge offenhalten musste. Die zwei Nächte in dem Nobody's Inn hatten ihm diesbezüglich gereicht.

„In der nächsten Stadt können wir unser neues Lager errichten", bestätigte Kimiko. Die Erleichterung stand auch ihr ins Gesicht geschrieben.

„Wie lange wird es noch dauern, bis wir da sein werden? Die Sonne wird in ein oder maximal zwei Stunden untergehen", fragte Alessio vorsichtig nach. Er wollte nicht wie ein kleiner Junge klingen.

Kurz überlegte Kimiko, bevor sie ihm antwortete, „Ich denke, wir werden gerade so noch im Hellen ankommen. Vielleicht können wir vorher noch ein bisschen Feuerholz sammeln."

Sie wanderten die Straße entlang und folgten ihr zwischen zwei Seen über eine Brücke. Kurz blieb Alessio stehen. Es war ein atemberaubender Anblick, den er so schnell nicht vergessen würde. Der Fluss erreichte in weiter Ferne den Horizont und wurde von Bäumen und Bergen umrahmt. Diese waren durch den Schnee wie gepudert. Es hatte etwas von einem Winterwonderland.

Durch die ganzen Schrecken in dem letzten Jahr hatte er vergessen, wie schön die Natur eigentlich war. Schon nach wenigen Sekunden drängte Kimiko ihn weiter. Mit einem tiefen Seufzer wandte sich Alessio ab. Kurz danach machte die Straße eine Biegung. Seine Muskeln brannten und er musste dauernd Husten. Alessio konnte in der Ferne einen kleinen Hügel erkennen.

Kimiko zeigte in die Richtung und meinte: „Dahinter befindet sich Fraser Lake, unsere Endstation."

„Ein Glück, es ist nicht mehr weit weg" Alessio lächelte.

Bald hatte das Wandern, oder besser gesagt, dieser Gewaltmarsch, ein Ende. Dann konnte er sich ausruhen und schlafen – so richtig schön, tief und fest schlafen.

Die letzten Kilometer hatten sich zu einem wahren Höllentrip entwickelt. Jeder einzelne Knochen und Muskel taten ihm weh und er konnte sich kaum noch auf den Füßen halten. Die Anstrengung forderte ihren Tribut. Noch so einen Trip würde er wahrscheinlich nicht verkraften. Seine Muskeln wurden wahrscheinlich vorher streiken. Zusätzlich spürte er immer stärker, wie innerhalb der letzten Stunden der nasse Schnee mit der Kälte in seine Schuhe gekrochen war. Seine Schuhe waren durchweicht. Auch hier machten sich die Strapazen der letzten Tage bemerkbar. Was würde er nicht für einen einzigen Tag in der Zivilisation geben. Wie heißt es schön? Ein Königreich für ein Pferd. Doch dieser Traum hatte sich erledigt. Alessio wusste, dass er sich in den nächsten Tagen nicht einem wirklich ausruhen können würde.

Er musste wie in Burns Lake ein Lager mit allen möglichen Utensilien aufbauen. Es war ein Neuanfang – im wahrsten Sinne des Wortes. Das einzig Gute in dieser Situation war, er war diesmal nicht allein. Kimiko würde ihm helfen und Alessio hatte nun auch die nötige Erfahrung, was er brauchte und wo er es fand. Sie konnten nur hoffen, dass nach knapp anderthalb Jahren wenigstens ein paar Geräte funktionierten, ansonsten würde es ein langwieriges Unterfangen werden, hier ihren Lebensmittelpunkt zu errichten. In dieser Hinsicht glichen sich die Dörfer und Städte immer.

Sie gingen den Pfad zwischen den Bäumen entlang, das Ziel fest vor den Augen. Obwohl alles so nah erschien, zog sich dieser Teil der Strecke erschreckend lang hin. Doch Alessio durfte seinen Mut nicht verlieren. Jetzt aufzugeben, war faktisch einer Niederlage. Er verzog seinen Mund und marschierte weiter. Es wäre doch gelacht, wenn er es nicht schaffen würde. Kimiko durfte ihn nicht so schwach sehen und am Ende sogar noch hinter sich herziehen. Außerdem würde dann die Kälte ihn vielleicht noch einschlafen lassen und dass kam wirklich ein Todesurteil gleich.

Nach fast einer Stunde hatten sie endlich die Spitze des Hügels erreicht und konnten somit auf die andere Seite schauen. Zuerst konnte Alessio nichts erkennen. Überall war nur Schnee. Er dachte schon, Kimiko hätte ihn belogen, als er zwischen den Schneewehen einzelne Häuser ausmachen konnte.

„Wie groß ist eigentlich dieses Fraser Lake?", fragte Alessio Kimiko in die Stille hinein.

„Es ist ein Dorf direkt am See, das hauptsächlich von der Holzindustrie lebt … lebte. Es hatte eine winzige Schule, ansonsten gab es dort nichts. Es war definitiv kleiner als Burns Lake, nicht mal die Hälfte der Einwohner. Na gut, jetzt hat es sogar mehr Einwohner als Burns Lake, wenn wir ehrlich sind."

„Die Frage stellt sich nur, wo wir unser Lager aufschlagen wollen?", fragte Alessio, nur um dann gleich selbst zu antworten: „Die Grundschule wäre doch geeignet."

„Das könnte gehen. Sie liegt zentral und wir können um den Ort und die Schule ein Frühwarnsystem aufbauen. Sollten die Drillinge uns verfolgen, müssen wir auf der Hut sein. Es gibt hier einige offene Felder, die gut geeignet sind, um Fallen aufzustellen."

„Du warst schon mal in diesem Dorf?", fragte Alessio neugierig. Kimiko schien sich hier gut auszukennen.

„Vor knapp einem Jahr. Ich war hier, als die Menschen starben."

Kimiko ging weiter, ohne näher darauf einzugehen. Sie wollte anscheinend nicht darüber reden. Alessio folgte schweigend. Das

Sterben der Menschheit war keine schöne Geschichte. Ehrlich gesagt wusste er nicht einmal, ob er seine Seite der Geschichte erzählen wollte. Schließlich war auch seine gesamte Familie nicht mehr am Leben und er überlebte seitdem nur noch als ein toter Lebender.

Sie folgten der Straße um eine Kurve. Sofort konnte Alessio ein paar Häuser mehr sehen. Dieses Dorf war klein. Wenn er hier noch zu Zeiten der Menschen gewohnt hätte, wäre er eingegangen. Hier gab es nichts. Nur drei Läden konnte er zählen, während sie durch die Stadt gingen.

Kurz vor Sonnenuntergang erreichten sie die Schule. Mit einem Schlag fielen die Temperaturen erheblich. Schnell liefen sie hinein. In stummem Einverständnis begannen sie, nach einem leeren Klassenzimmer zu suchen, das noch intakte Fenster besaß. Erstaunlicherweise stellte sich dieser Teil der Suche als schwierig heraus.

Entweder enthielten die Zimmer die Überreste von Menschen oder die Fenster waren zerbrochen. Erst nach einer geraumen Zeit fanden sie schließlich ein Zimmer, das leer und isoliert war. Sofort räumten sie die Tische zur Seite und breiteten ihre Schlafsäcke auf dem Boden aus. Kraftlos sackte Alessio darauf zusammen. Dieser Tag war die Hölle gewesen.

„Ich werde die erste Wache übernehmen. Du kannst dich erst mal ausruhen", sagte er dennoch leise zu Kimiko. Obwohl er erschöpft war, musste letztendlich einer die erste Wache übernehmen.

Sie nickte. Dieser Gewaltmarsch hatte auch bei Kimiko seine Spuren hinterlassen. Tiefe Augenringe zeichneten sich auf ihrem blassen Gesicht ab.

„Weck mich in vier Stunden. So brauchen wir nur zwei Wachen, besser als jeweils drei Stunden."

Damit legte sie sich hin und schlief augenblicklich ein. Kurz schaute Alessio zu ihr hin, bevor er sich an ein Fenster setzte. Es würde eine lange Nacht werden.

Am nächsten Morgen, nachdem sich beide einigermaßen ausgeruht hatten, beratschlagten sie, wie sie vorgehen sollten. Mehrere Punkte standen auf der Tagesordnung. Sie brauchten einerseits ein Frühwarnsystem – und das so schnell wie möglich – und andererseits mussten sie ein Lager errichten, Vorräte anlegen für Medizin, Kleidung, Kochgeräte, Jagdutensilien und und und. Es war viel zu tun.

„Wie wollen wir vorgehen?", meinte Alessio.

Kimiko nickte. „Während ich Wache gehalten habe, hatte ich ein paar Ideen für dieses Sicherheitssystem: Wir brauchen Drähte für Stolperdrähte und Schaufeln für tiefe Gruben. Zusätzlich müssen wir Bretter mit langen schwarzen Nägeln, schwarz angemalt, anfertigen, die wir abends auslegen. Vielleicht können wir über den Winter hinweg eine Mauer aus Holz errichten, wie einen kleinen Wall aus dem Mittelalter. An den Eingangstoren werden wir Schnüre anbringen, die an schweren Balken befestigt sind. Sobald jemand meint, die Eingangstore, ohne unsere Zustimmung überwinden zu dürfen, werden die Balken denjenigen zermalmen. Was sagst du dazu?"

„Das klingt gut. Wir brauchen einen von diesen Stadtplänen, sodass wir die wichtigsten Stellen als Erstes abdecken können. Über den Verlauf des Walls können wir später sprechen. Wir brauchen erst eine Grundsicherung. Vielleicht gibt es einen an der Tankstelle oder an der Touristeninformation, an der wir vorbeigekommen sind."

„Die Touristeninformation befindet sich nur ein paar Straßen weiter. Das können wir somit rasch erledigen."

Beide räumten ihre Sachen sorgfältig auf. So legte Alessio die medizinischen Utensilien in einen kleinen Schrank und seine Kleidung legte er auf einen Stuhl. Kimiko hingegen platzierte feinsäuberlich ihre Waffen auf einen Tisch. Zusätzlich bauten sie eine Barriere auf, hinter der sie die Basis des neuen Lagers errichten wollten. Mit der Zeit würde das Lager größer werden, wodurch sie gezwungen waren, weitere Klassenzimmer zu renovieren. Doch das war etwas, worüber sich Alessio jetzt noch keine Gedanken machen wollte.

Sobald sie fertig waren, führte Kimiko Alessio zur Touristeninformation – obwohl man eher von einem einzelnen Anschlagsbrett reden musste, das sich am östlichen Rand der Stadt befand. Sie nahmen den dort angebrachten Stadtplan und einen Stift zur Hand, den sich Alessio in einem der Läden besorgt hatte, bevor sie sich zusammen darüber beugten.

„Ich denke, wenn wir den Wall errichten, sollen die Eingangstore auf dem Highway liegen. Vielleicht legen wir insgesamt drei Tore an – Ost, West und Süd. Zusätzlich müssen wir uns überlegen, wie wir die Seeseite absichern. Im Sommer ist es kein Problem – der See ist zu breit als dass man unbemerkt hier ankommen würde. Wir würden ihn immer rechtzeitig erkennen. Allerdings wird es im Winter schwierig werden. Jeder kann über das Eis eindringen", überlegte Alessio, während er die einzelnen Punkte auf der Karte markierte.

Kimiko nahm den Stift und begann, einzelne Striche hineinzumalen. Sie erklärte dabei: „Wir müssen auch die Flächen direkt am Wald absichern. Hier können sich am ehestens die Übernatürliche anschleichen. In der Nähe der Straßen müssen wir die ersten Fallen aufstellen. Die Angreifer werden sich abseits der Straßen halten, um möglichst nicht aufzufallen. Wir können direkt hier hinter diesem Gebäude anfangen.

Da ist eine große Fläche, die nicht bebaut ist. Hier können wir einige Fallgruben graben. Die müssen über zwei Meter tief sein und steile Wände besitzen. Wenn jemand reinfällt, darf er nicht mehr eigenständig rauskommen. Vielleicht können wir sogar mithilfe eines Baggers die Gruben ausheben. Hoffentlich funktionieren die Autobatterien nach einem Jahr Stillstand noch. Es kann sein, dass die ganz alten den Geist aufgegeben haben. Lass uns also bei den neueren Fahrzeugen schauen."

„Dann wäre die eine Seite hier abgedeckt. Auf der anderen haben wir zwischen dem Highway und der Steiner Road einen Engpass, den wir mit mehreren Stolperdrähten gut abdecken können. Hier sollten wir vielleicht auch einige Fangnetze deponieren. Dann kommt noch die Wasserfläche. Vielleicht können wir das bereits entstandene Eis so weit ausdünnen, dass wir es als eine natürliche Falle nutzen können. Eine Möglichkeit wäre, das Eis aufzubrechen oder du setzt deine Hitze ein. Weiterhin müssen wir auf der anderen Seite den Bereich bis zum See abdecken, besonders um den Francois Drive herum. Dort befindet sich eine sehr offene Stelle. Wieder mit Stacheldraht?"

Alessio zeigte dabei auf die entsprechenden Stellen auf dem Stadtplan. Kimiko murmelte bestätigend.

„Was machen wir mit der dritten Seite?", fragte sie. „Es ist eine ziemlich große Fläche. Hier können wir immer noch weitere Fallgruben errichten bis zur Chowsunket Street. Dort haben wir nur noch Wälder. Ich denke nicht, dass wir genügend Draht haben werden, um alles abzudecken und ein paar zusätzliche Pfähle auch noch."

„Ohja, Wir könnten wie bei den alten Ritterburgen spitze Pfähle in die Erde rammen, sodass jeder aufgespießt wird, der sie überqueren möchte. Allerdings müssen die Pfähle möglichst unauffällig sein. Wie wäre es mit den Bäumen? Wir könnten eventuell einige Äste ansägen und mit Stricken befestigen? Wenn jemand vorbeikommt, wird die Falle ausgelöst und er wird aufgespießt."

„Bei den Wegen müssen wir besondere Vorsicht nehmen. Eine Idee wären Bretter mit Nägeln. Wir könnten sie hinlegen, aber dazu müssten wir abwarten, bis es wieder zu schneien anfängt", überlegte Alessio, „dann wären sie besser versteckt. Das waren jetzt, glaube ich, alle Seiten."

„Dann auf geht's!", meinte Kimiko. „Ich werde mich um die Drähte kümmern und den anderen Teil der Stadt absichern. Du kannst dich hier mit den Baggern um die Fallgruben kümmern. Dort liegen bestimmt auch einige Handbücher rum, welche die Bedienung genauer erklären. Ach, ehe ich es vergesse, wir müssen auch noch ein paar Stricke an den Fallen befestigen und in unser Lager legen. Anschließend verknoten wir ein Glöckchen auf unserer Seite, damit wir immer mitbekommen, wenn jemand in die Fallen tappt."

Somit machten sich beide auf den Weg. Nach einigen Startschwierigkeiten schaffte Alessio seine Fallen aufzustellen. Wer hätte gedacht, dass Baggerfahren so viel Fingerspitzengefühl erforderte. Letztendlich schaffte er seine Aufgabe, genauso wie Kimiko ihre. Aus dem Ort wurde eine Festung und aus der Festung wurde ihr neues Zuhause.

7. Kapitel: Dezember, Jahr 1 nach der Menschheit
Heute wirst du dein gestriges Selbst besiegen, morgen diejenigen,
die dir unterlegen sind. - Miyamoto Musashi, Buch des Wassers

Alessio saß eines Abends – einige Wochen nach ihrer Ankunft - mit Kimiko an einem Tisch, sie aßen ein kleines Stück Fleisch von einer Schneeziege. Kimiko hatte sie an diesem Morgen erlegt.

Mittlerweile konnten sie tagsüber nur noch für wenige Stunden etwas machen. Die Sonne war nur noch einen kurzen Teil des Tages am Himmel. In der restlichen Zeit mussten sie zusehen, wie sie mit ihren Lichtquellen haushielten.

Trotzdem hatten sie es geschafft, die Stadt mit einem mechanischen Alarmsystem zu umgeben. Es war kein hundertprozentiger Schutz, das war Alessio klar. Daher hatten sie weitere Fallen innerhalb der Stadt aufgestellt. Sollte jemand es hineinschaffen, würde er sein blaues Wunder erleben. Jede Falle hatten sie mit einem Glöckchen verbunden, welches sofort läutete, wenn sie aktiviert würde. Eine komplette Wand in der Schule war somit mit Alarmglocken bedeckt. Zum Glück hatte es einen Liebhaber dieser Metallteile in der Stadt gegeben, weswegen sie daran keinen Notstand hatten.

Erst nachdem alles fertig war, fühlte sich Alessio sicherer. Nur etwas gab ihm Bedenken – der Schnee. Es hatte in den letzten Wochen einige Male heftig geschneit, wodurch sie gezwungen gewesen waren, einen Teil der Fallen, um mehrere Zentimeter zu erhöhen. Es war harte Arbeit gewesen, aber der Aufwand sollte sich lohnen: Nun waren die Fallen noch effektiver.

Trotzdem hatte Alessio ab und zu das Gefühl, beobachtet zu werden. Manchmal dachte er, er hätte Augen gesehen, gelbe hell funkelnde Augen in der Farbe der Sonne. Jedes Mal, wenn das passiert war, hatte er sich etwas unbehaglicher gefühlt, doch hatte er Kimiko nichts erzählt. Er wollte nicht vor ihr als der Paranoide dastehen – auch wenn es nicht zu Unrecht war. Er konnte es nicht sagen. Wenigstens für ein paar Tage noch wollte er den Frieden und die Ruhe wahren, dass hatten sie sich beide verdient.

Alessio vertrieb den Gedanken. Jetzt mussten sie sich um etwas anderes kümmern. Ein neues Problem war aufgetaucht.

„Wie wollen wir fortfahren? Wir brauchen irgendwoher Strom, damit wir die Mauer für die Festung errichten können. Mit normalen Sägen kommen wir da nicht voran." Alessio schaute Kimiko an. „Schon allein das Zuschneiden der Hölzer wird über den ganzen Winter dauern. Der Frost hat das Holz eisenhart werden lassen."

„Hmm, stimmt. Aber dann dauert es eben den ganzen Winter. Wir haben die Stadt erst grob abgesichert und jetzt bekommen wir zumindest mit, sollte ihr irgendjemand zu nahekommen. Ich habe da volles Vertrauen in unsere Anlage ... im Moment. Aber wir sollten später noch unser Sicherheitsnetz weiter verfeinern. Gerade jetzt dürfen wir nicht eine Sekunde nachlassen", brachte Kimiko hervor.

Alessio nickte schweigend. Er überlegte, wie sich die Zusammenarbeit mit Kimiko entwickelt hatte. Sie hatte bisher wenig von sich preisgegeben, allerdings war es für ihn okay. Mit der Zeit würde sie lernen, ihm zu vertrauen. Er wollte sie nicht bedrängen. Gerade bei misstrauischen Menschen war so etwas gefährlich. Sie könnten am Ende verschwinden und das wäre für niemanden gut.

Gerade wollte Alessio Kimiko eine Frage über den Wall stellen, als eines der Glöckchen hell läutete. Erstaunt schauten sie einander an. Bisher hatte nicht ein einziges Glöckchen, wegen einem Feind, geläutet. Erfolgte ein Angriff oder war es wieder ein wildes Tier? Sofort schauten sie nach, welche aktiviert worden war: die Fallgrube an der Chowsunket Street.

Sofort standen sie auf. Kimiko nahm eine Schusswaffe, steckte sie in ihren Holster und behielt eine Machete in ihren Händen. Alessio bewaffnete sich mit seiner Armbrust. Sie wussten nicht, was auf sie zukommen würde. Es konnte bloß ein verirrtes Tier oder ein unmenschlicher Angreifer – wie einer von den teuflischen Drillingen oder andere, welche die Jagd auf Kimiko eröffnet hatten - sein, daher mussten sie auf alles gefasst sein. Alessio zog sich einen Wintermantel und neue Schneeschuhe an. Kimiko brauchte das nicht. Sie trug ihre normalen kurzen Shorts und ein ärmelloses Oberteil. Obwohl es für sie normal war, so wenig zu tragen, fror Alessio umso mehr, wenn er sie so sah. Er würde sich bestimmt nie daran gewöhnen.

Kimiko nahm ein trockenes Holzscheit aus der Ecke und zündete es mit ihrer Hand an, um es Alessio zu reichen. Dann gingen sie los. Zum Glück mussten sie nicht sehr weit durch die Stadt laufen. Sie wendeten sich einmal nach links und liefen sonst nur gerade aus. Die Falle war nicht weit entfernt. Den Stadtplan hatten sie vollständig im Kopf, sodass sie den Standort einer jeden Falle auf den Zentimeter genau kannten.

Nach fünf Minuten erreichten sie ihr Ziel. Zuerst konnten sie nichts erkennen, also zündete sich Alessio ein weiteres Holzscheit, das er geistesgegenwärtig mitgenommen hatte, an. So begannen sie die Wände und den Boden der Fallgrube genauer abzusuchen. Irgendetwas hatte die Falle schließlich ausgelöst.

Sie wurden nicht fündig. Der Eindringling schien nicht hinein gefallen zu sein. Aber warum war das Glöckchen dann angegangen? War ein wildes Tier schon wieder weggerannt oder ist am Ende doch ein Ast abgebrochen und auf der Leine gelandet? Als Alessio auf die andere Seite der Grube schaute, konnte er im Schnee den dunklen Umriss einer Person erkennen und einige schwarz-rote Flecken. Er zeigte mit dem Finger schweigend in die Richtung des Körpers, während er Kimiko sachte antippte.

Bei genauerem Betrachten konnten sie beide einen Mann erkennen, der wohl viel Blut verloren hatte, denn einerseits war sein Körper Blut überströmt und andererseits hatte sich um ihn herum eine größere Lache gebildet. War er tot? Alessio hoffte es nicht. Er brauchte keine Leichen in seinem Hinterhof. Rasch gingen sie zu ihm hin und Alessio kniete sich neben ihn nieder. Vorsichtig tastete er nach dem Puls des Mannes. Nur ein leichtes Flattern war zu spüren.

„Wir müssen uns beeilen. Er ist gerade noch am Leben – nur sehr schwach", sagte Alessio zu Kimiko.

Schnell beugte sie sich zu den Füßen des Unbekannten und hob sie hoch. Alessio nahm die Hände. Zusammen trugen sie den Mann in die Schule.

Kaum waren sie angekommen, legten sie ihn auf eine Decke. Nicht ein einziges Mal hatte der Mann einen Laut von sich gegeben. Hoffentlich war es noch nicht zu spät für ihn.

„Ich weiß nicht, aber dieser Fremde hatte etwas an sich, was mich anspricht. Eine tiefere Ebene in mir schien etwas Bekanntes in ihm zu sehen. Aber was ist das nur?", murmelte Kimiko.

Alessio schaut sie etwas verwundert an, musste sich aber dann wieder

„Wir brauchen einen Tisch mit sauberen Laken. Weiterhin benötigen wir heißes Wasser und Desinfektionsmittel, wahrscheinlich auch Nadel und Faden ... und eine Schere", befahl Alessio zackig, während er sich umschaute.

Kimiko legte die Füße des Fremden vorsichtig auf dem Boden ab. Augenblicklich wimmerte der Mann. Alessio zuckte, fühlte jedoch auch Erleichterung. Wenn der Verletzte Geräusche von sich gab, war es noch nicht zu spät.

Kimiko rannte, so schnell sie konnte, um alles zu besorgen. Zum Glück hatten sie das medizinische Lager direkt nebenan aufgeschlagen. Nach drei Minuten, in denen Alessio seine ganze Kraft aufbringen musste, um den Mann nicht fallen zu lassen – er war erstaunlich schwer –, kam Kimiko zurück. Auf den Boden ablegen, wo sich Bakterien und Viren Gute Nacht sagen, wollte er nicht. Das würde die Gefahren einer Blutvergiftung drastisch erhöhen, wenn er sie jetzt noch nicht schon hatte. Ihre Hände waren mit den gesamten Utensilien vollgepackt. Die legte sie auf zwei benachbarte Tische und breitete ein sauberes Laken auf einem anderen aus. Sobald alles vorbereitet war, hievten Alessio und Kimiko den Mann auf den sporadischen Operationstisch.

Alessio wollte sich die Wunden genauer anschauen, aber es war zu dunkel.

„Kannst du mir ein bisschen mehr Licht machen?", fragte Alessio.

Sie nickte. Schnell errichtete sie in den kleine vorbereiteten Feuerstellen Holzstapel und zündete sie an. Sofort erhellte sich der Raum. Erst jetzt konnten sie mehr von dem Verletzten erkennen. Er war mittelgroß und hatte pechschwarzes Haar, das jetzt nass im Schein der Feuer glänzte. Seine Haut hatte einen braunen Farbton, allerdings wirkte der ungesund fahl. Seine Wangenknochen zeichneten sich deutlich ab, als hätte der Mann lange Zeit ohne Wasser und Essen auskommen müssen, trotz des Schnees um sie herum. Das würde bedeuten, dass er an einem Ort festgehalten wurde, der von der Außenwelt abgeschlossen war. Hoffentlich verstarb der Mann in seinem Zustand nicht, bevor sie ihm helfen konnten. Zuerst mussten sie herausbekommen, woher er diese Wunden hatte. Am Ende waren es die gleichen Wesen gewesen wie bei Kimiko.

Alessio nahm die Schere in die Hand und schnitt ihm vorsichtig die Kleidung vom Körper. Ja nicht die Haut berühren. Wer weiß, welche

Verletzungen der Mann erlitten hatte. Allerdings trat diese Frage in den Hintergrund, als Alessio die Verletzungen sah.

Sein kompletter Oberkörper war mit Stichwunden übersät. Es war ein grauenhafter Anblick, den Alessio so schnell nicht mehr los werden würde. Doch etwas kam ihm daran bekannt vor, als er sich die Wunden näher anschaute. Die Anordnung der Einstiche zeigten ein ähnliches Muster wie bei Kimiko. Das konnte kein Zufall sein. Dass dieser Mann noch lebte, grenzte an ein Wunder.

Alessio musste auch den restlichen Körper untersuchen. Was ihm noch ins Auge fiel, war der körperliche Zustand des Mannes. Er wirkte stark durchtrainiert. Seine Muskeln waren sogar jetzt zu sehen, obwohl er nur da lag und vollständig entspannt war. Nicht, dass ihm noch etwas entging. Als er vorsichtig die Hose aufschnitt, erkannte er, dass die Beine ebenso mit Stichwunden übersät waren. Er schaute zu Kimiko auf und erschrak: Sie war kreidebleich geworden. So hatte Alessio sie noch nie gesehen. Ihr ganzer Körper zitterte heftig und die Augen waren weit aufgerissen.

„Was ist los?", flüsterte er, denn er wollte sie nicht noch weiter erschrecken.

„Ich erkenne diese Stichwunden. Das Messer, das sie verursacht hat, auch mir meine Wunden zugefügt", kam es von ihr zurück. „Es sind genau die gleichen Wunden an den gleichen Stellen – komplett identisch."

Erstaunt schaute Alessio auf die Verletzungen. Jetzt fiel es auch ihm auf. Diese Stichwunden waren zu ähnlich, um Zufall zu sein. Das ließ nur eine Schlussfolgerung zu.

„Scheiße!", entfuhr es Alessio. „Das müssen die Drillinge gewesen sein!"

„Davon kannst du aber so was von ausgehen."

„Wenn wir diesen Mann zusammenflicken, kann er uns vielleicht mehr erzählen."

Kimiko murmelte bestätigend und ging zu den Feuern, um Holzscheite nachzulegen. Alessio brauchte mehr Licht.

Er begann jede Wunde nach und nach zu säubern. Es durfte nicht ein Schmutzpartikel darin verbleiben. Alessio hatte bisher noch keine Erfahrung darin, wie man eine Blutvergiftung oder eine Infektion behandelte, daher durften sie das nicht riskieren.

Als er fertig war, hielt er eine Nadel einen Moment lang in ein Feuer, bis sie leicht glühte. Das sollte genügen, um die meisten Partikel und Bakterien zu neutralisieren. Beim Nähen ging er den gleichen Ablauf durch wie bei Kimiko – zuerst die schlimmsten Stichwunden, die am wahrscheinlichsten zum Tod führen konnten, und dann vorarbeiten zu den einfachsten.

Immer wieder musste Kimiko ihm den Schweiß von der Stirn und den Schläfen abwischen. Zusätzlich musste sie einige Male die Wunden erneut säubern, weil ein Schweißtropfen reingefallen war. Es dauerte lange, bis Alessio fertig war, wesentlich länger als bei Kimiko.

Müde schaute Alessio auf. Draußen war es mittlerweile hell geworden. Endlich hatte er es geschafft. Die Versorgung der Verletzungen war sehr anstrengend gewesen. Insgeheim hoffte Alessio, dass er so etwas nicht mehr so oft machen musste. Es konnte so viel schiefgehen, dass er die Verantwortung der Ärzte von früher auf seinen Schultern spürte. Er mochte das Gefühl nicht.

Mit einem Blick auf die zugenähten Wunden machte Alessio sich klar, dass dieser Mann noch nicht über den Berg war. Er konnte immer noch Fieber oder Infektionen bekommen. Und wenn nicht, musste er wieder zu Kräften kommen – über Nahrungszufuhr oder Infusionen. Es gab nur ein Problem: Die Infusionen, die es hier noch gegeben hatte, waren abgelaufen und somit nicht gesundheitsfördernd, sondern Gift für geschwächte Personen. Sie brauchten einen anderen Weg, um den Energiehaushalt des Mannes anzukurbeln.

Nach einigen Minuten des ergebnislosen Nachdenkens meinte Alessio schließlich: „Ich glaube, wir haben ein Problem. Wenn wir ihm nicht ein paar Nährstoffe zuführen können, wird er es nicht überleben."

Kimiko nickte. „Vielleicht können wir so eine Glukoselösung selbst herstellen und vielleicht noch eine Elektrolytlösung. Das sollte die meisten Nährstoffe abdecken und über die erste Zeit helfen. Sobald er wieder aufgewacht ist, können wir ihm normale Nahrung geben."

„Das ist eine gute Idee", stimmte Alessio zu. „Jetzt stellt sich nur die Frage, wie man eine Elektrolytlösung herstellt. Die Glukoselösung durfte noch recht einfach sein. Wir brauchen Traubenzucker und sauberes stilles Wasser, vielleicht so was wie Mineralwasser aus der Flasche. Da hat er wenigstens noch ein paar zusätzliche Mineralien."

„Die andere ist doch, soweit ich weiß, eine festgelegte Zusammensetzung von den körpereigenen Nährstoffen, wie Natrium und Kalzium zum Beispiel. Das heißt, wenn wir schon in der Glukoselösung Mineralwasser verwenden, sind wir auf einem guten Weg. Zusätzlich können wir in der Elektrolytlösung ein paar Nahrungsergänzungstablette auflösen. Das würde weitere Mineralien hinzufügen.

Ich denke, ich werde schauen, ob es in den Häusern noch Verstecke mit weiteren Flaschen gibt, die nicht im letzten Winter zerbrochen sind und wir noch nicht gefunden haben. Dann haben wir zumindest eine gute Grundlage. Ich mach mich gleich auf den Weg, zu dieser Uhrzeit muss ich nicht so lange an der Kasse stehen", meinte Kimiko mit schwarzem Humor, bevor sie sich abwandte und hinauslief.

Alessio blieb bei dem Verwundeten zurück und untersuchte nochmals die Verletzungen, damit er sicher sein konnte, nichts übersehen zu haben. Kurz überlegte er, was die Ärzte sonst noch in den Filmen und bei seinen Untersuchungen gemacht haben. Sie leuchteten immer mit einer Lampe in die Augen, um zu schauen, ob die Reflexe noch funktionierten. Es hatte auch irgendwas mit den grundlegenden Gehirnfunktionen zu tun, so dachte Alessio. Wenn das nicht funktionierte, hatten sie ein ernsthaftes Problem.

Er schaute sich um, ob es irgendwas Helles finden konnte. Noch war es nicht taghell außerhalb der Schule. Also dunkelte er den Raum vollständig ab und nahm einen dünnen Holzstift. Diesen entzündete er und hielt ihn vorsichtig in der Hand. Er ließ das Feuer sich ein bisschen in das Holz hineinfressen, damit es nicht so leicht ausgehen konnte.

Mit der anderen Hand öffnete Alessio die Lider und zuckte augenblicklich zurück: Diese Augen kannte er. Er hatte sie seit über einem Monat in der Ferne aufblitzen gesehen. Augen so hell und gelb wie die Sonne.

Dieser Mann hatte definitiv Kimiko und ihn in den letzten Wochen beobachtet. Aber warum? Was wollte dieser Mann von ihm? Oder war dieser Mann bei Alessio und Kimiko genauso misstrauisch wie Kimiko im ersten Moment. Diese Unsicherheit stellte einen weiteren Grund dar, weshalb sie ihn am Leben erhalten mussten – bis dahin mussten sie ihn an einer Flucht hindern. Sie brauchten Antworten von dem Unbekannten.

Alessio rannte in das Kleiderlager und holten einige Gürtel und ein paar T-Shirts. Sobald er wieder in dem Schlafraum zurückgekehrt war, zerteilte er die T-Shirts mit einem Messer in dünne Streifen und begann, sie um die Gürtel zu wickeln. Obwohl der Mann eine potenzielle Gefahr darstellte, wollte Alessio nicht noch weitere Verletzungen hinzufügen. Anschließend begann er, die Gürtel um den Mann zu binden. Mit Vorsicht vermied er, die Nähte zu berühren. Sobald er fertig war, wartete er, dass Kimiko zurückkam.

Sie hatte zwei große Beutel mit Traubenzucker und Wasser gefüllt und trug sie nun herbei. Im Türrahmen blieb sie abrupt stehen.

„Ähm, Alessio, was hast du denn gemacht?", wollte sie wissen, dabei blickte sie ihn mit einer Mischung aus unterschiedlichen Gefühlen an. Einerseits zeigte sich große Sorge um den verletzten Mann, aber andererseits die Missachtung des Versprechens aus der Hütte in ihren Blick schmerzte ihn am meisten.

„Ich hatte in den letzten Wochen immer wieder das Gefühl gehabt, dass wir beobachtet wurden. Ab und zu hatte ich gedacht, ganz helle gelbe Augen gesehen zu haben. Meistens habe ich das als Einbildung abgetan und habe alle Gedanken daran verworfen."

Kimiko schwieg und starrte ihn weiter an. Ihr Gesicht verriet nichts.

Unsicher deutete Alessio auf den Fremden.

Kimiko ging zu dem Kopfende des Tisches und öffnete die Augen einen Spalt.

„Ich verstehe. Wir müssen ihn verhören, um rauszubekommen, was seine Ziele sind", meinte Kimiko nüchtern, um sich dann aufbrausend zu ihm umzudrehen. „Es hätte sonst wer sein können, der ihn gefoltert hat. Die Drillinge etwa. Später sollten wir mal ein schauen, wie wir uns noch weiter absichern können. Trotz dieser versteckten Lage befinden wir uns immer noch wie auf den Präsentierteller. Erstmal müssen wir uns jetzt jedoch um diesen komischen Typen hier kümmern."

Ihre Stimme war immer schärfer geworden. Oh, oh. Sie schien entschlossener zu werden.

„Ich hatte mich in den letzten Wochen an diese Situation zu sicher gefühlt, aber du hast recht. Wir sind hier nicht mehr sicher. Aber meinst du wirklich, dass wir hier auf einen Präsentierteller?", fragte er besorgt.

„Alessio, in dieser Welt hat vor einem Jahr genau der Teil der Bevölkerung überlebt, der als unmöglich und verrückt gegolten hat. Das bedeutet für uns, selbst die unwahrscheinlichsten Dinge sind vielleicht die Ergebnisse von Übernatürlichen. Gerade du solltest das wissen. Du bist der lebende Beweis, dass das Unmögliche möglich ist."

Zerknirscht schaute Alessio zu dem Mann hinunter. Kimiko hatte recht. Er hätte es sich wirklich denken können.

„Sobald ich wieder ungewöhnliche Dinge sehe oder anderweitig bemerke, werde ich dir Bescheid geben. Nochmal werde ich die Situation nicht unterschätzen."

Zufrieden mit seiner Antwort nickte Kimiko. Die Situation war für sie geklärt und die Diskussion beendet.

Alessio richtete sich wieder auf. „Ich werde sehen, dass ich die Lösung vorbereitete. Kannst du in der Zwischenzeit einen dünnen Schlauch mit einer Nadel versehen? Da wir keinen Beutel mit einer Aufhängestange haben, müssen wir improvisieren. Vielleicht gibt es in dem Biologiezimmer ein biologisches Skelett. Dessen Stange können wir verwenden. Bei dem Beutel müsstest du dir noch was überlegen."

Kimiko machte sich an die Arbeit. Alessio überlegte in der Zeit, wie das Mischungsverhältnis gewählt werden sollte. Dabei konnte man einiges falsch machen. Zu viel Traubenzucker und es könnte zu Ödemen führen, zu wenig Traubenzucker würde nichts bringen. Das wäre vielleicht nur eine leicht süße Flüssigkeit ohne Nährwert. Er blätterte in ein paar Medizinbüchern. Vielleicht stand die Antwort irgendwo. Schließlich fand er in einem Buch eine kurze Beschreibung. Es gab Lösungen mit 5, 10 20, 40 oder 50 Prozent Glucose. Schließlich entschied sich Alessio für 40 Prozent. Schnell rechnete er nach, wie viel Traubenzucker für den Beutel Wasser verwendet werden musste, und begann, die Mischung für die erste Infusion zusammenzumixen.

Sobald er fertig war, schaute er zu Kimiko hinüber. Für den Schlauch und die Nadel hatte sie schon alles vorbereitet. Sie hatte sogar ein Dosierventil für die Flüssigkeit angebracht. Gut, so konnten sie sie tröpfchenweise hinzufügen.

„Ich habe die Flasche am oberen Ende abgeschnitten und heiß ausgewaschen. Sie sollte jetzt sauber sein. Von steril will ich aber lieber nicht sprechen", erklärte Kimiko.

„Das sollte hoffentlich kein Problem sein. Ich habe die erste Lösungsmixtur fertig. Wir können sie ihm sofort verabreichen."

Alessio überreichte die gefüllten Beutel. Kimiko verschloss das Ventil und schüttete die Lösung vorsichtig in die Flasche. Anschließend öffnete sie das Ventil langsam und ließ die Flüssigkeit bis zur Nadel fließen. Sobald die ersten Tropfen rauskamen, verschloss sie das Ventil wieder. Die gesamte Luft war jetzt raus, somit konnte sie ihm sicher die Nadel einführen, ohne dass Luft in den Blutkreislauf geriet.

Zuerst versuchten sie es der Hand, doch waren da keine Adern zu sehen. An den Armen hatten sie mehr Glück, man konnte die Blutbahnen recht leicht erkennen. Gut, dass dieser Mann so muskulös war. Vorsichtig stach Alessio die Nadel in die Ader. Erst danach öffnete Kimiko das Ventil wieder. Langsam begann die Flüssigkeit runter zutropfen.

Nun war abwarten angesagt. Sie wussten beide nicht wie lange es dauern würde, bis der Mann sich soweit erholt hatte, dass er aufwachte und normal Nahrung zu sich nehmen konnte. Alessio hoffte, dass der Unbekannte nicht Wochen brauchte.

Es dauerte schließlich knapp drei Tage und noch drei weitere Infusionslösung, bevor der Mann urplötzlich seine Augen aufschlug. Kimiko hatte gerade die Wache übernommen, Alessio war auf dem Weg, die Begrenzungen zu kontrollieren. Sie hatte sich hingesetzt und geistesabwesend aus dem Fenster geschaut. Ihre Gedanken gingen mal wieder zu Alessio mit seinem Wissen über die moderne Wissenschaft wie Physik und Chemie und der beginnenden Einsicht des Übernatürlichen. Es war zum Mäusemelken. Warum kehrten ihre Gedanken immer wieder zu ihm zurück?

Auf einmal hörte sie ein Stöhnen neben sich. Schnell drehte sie sich um und schaute überrascht zu dem Mann hinunter. Er begann wieder zu wimmern. Seine Augen bewegten sich unter den Lidern hin und her. Die Hände verkrampften sich, dann schlug er die Augen auf und drehte den Kopf zu Kimiko. Er war auf der Stelle hellwach.

Zuerst sagte er nichts und Kimiko schaute ihn nur ruhig an. Es war, als würden sich zwei Raubtiere gegenüberstehen und beurteilen, wer der gemeinere Jäger war. Letztendlich schien es ein Unentschieden zu werden.

Er räusperte sich und sagte mit rauer Stimme: „Hallo."

„Guten Morgen Sonnenschein.", entgegnete Kimiko neutral, „wie geht es dir?"

„Erstaunlicherweise ganz gut."

„Hm, weißt du, wie du heißt?"

Nach kurzer Überlegung sagte er: „Mein Name lautet Easifa. Ist das ein Verhör?"

„Dein Name hört sich seltsam an."

„Für euch klingt es vielleicht, als wäre ich eine Frau, er ist arabisch und bedeutet Feuersturm. Meiner Mutter gefiel er und sie meinte immer, mein Vater wäre wie ein Sturm gewesen."

„Wie alt bist du?", fragte ihn Kimiko weiter aus.

Sie musste wissen, wer dieser Mann war. Wenn schon nicht die Augen daraufhin deuteten, so befand sich bei ihm noch unterschwellig etwas, was sie nicht genau bestimmen konnte. Lag es an dem Geruch? Es war so undefinierbar, dass Kimiko nicht sagen konnte, ob er ein Mensch war oder ein Übernatürlicher.

„Ich denke, ich werde dieses Jahr …", Easifa verstummte und schien zu horchen. „Wer ist noch hier außer dir?"

Kimiko horchte jetzt auch und hörte schließlich die schweren Schritte von Alessio näherkommen.

„Das ist Alessio. Er hat dich zusammengeflickt. Das war eine ziemlich blutige Angelegenheit. Weißt du eigentlich noch, was passiert ist? Wer dich so zugerichtet hat?"

Eine lange Zeit schwieg Easifa. Kimiko runzelte befremdet die Stirn. Würde er noch etwas sagen?

„Ich weiß es leider noch."

In diesem Moment betrat Alessio den Raum. „Ah, du bist aufgewacht."

„Wo bin ich hier?"

„Du bist in Fraser Lake."

Nachdem er das offenbart hatte, nickte er in eine Ecke des Zimmers und besprach mit Kimiko, was die bereits erfahren hatte, ehe sie zu ihrem Gefangenen zurückkehrten.

„Easifa, kannst du uns etwas über dich erzählen?", hakte Alessio nach.

„Wenn ihr mir auch was von euch erzählt … Vor allem, warum du am Leben bist, obwohl alle Menschen tot sind", meinte Easifa zu Alessio. „Und bei dir bin ich mir nicht so sicher, was du bist", wandte er sich zu Kimiko.

Beide schauten sich an. Er wusste eine ganze Menge. Das hatten sie nicht erwartet.

„Information gegen Information", stimmte Alessio langsam zu.

Einverstanden nickte Easifa. „Ich wurde vor knapp 200 Jahren geboren, in dem heutigen Marokko, oder das, was Marokko mal war. Meine Eltern sind zwar menschlich gewesen, jedoch war mein Vater in der Zeit der Empfängnis von einer Aisha Qandish besessen, eine Art Dschinn oder Feuergeist. Während der Empfängnis hat sich ein Teil von ihr mit mir verbunden, was mich zu einem Hybriden macht. Dieser Teil hat mich vor einem Jahr gerettet. Ich weiß nur nicht, ob ich deswegen dankbar oder traurig sein sollte."

„Bist du wirklich ein Hybrid?", wollte auf einmal Kimiko wissen. Das war nicht das, was sie von diesem Mann erwartet hatte.

Easifa schaute überrascht auf. „Du etwa auch? Wer, oder vielmehr, was bist du?"

„Wie kann ich es am besten ausdrücken … Mein Vater war ein Übernatürlicher, meine Mutter ein Mensch. Ich dachte eigentlich, dass ich der einzige noch lebende Hybrid auf dieser Welt wäre. Die Übernatürlichen, die mir begegnet waren, hatten mich immer behandelt wie ein Stück Dreck. Sie behaupteten immer, dass die DNA zwischen Menschen und Übernatürlichen zu inkompatibel sind. Eine Verbindung zwischen diesen Gattungen wären nie möglich und ich wäre eine Anomalie", erklärte Kimiko ihm.

„Das glaubte ich und es erklärt, warum mich etwas hierhergezogen hat."

Alessio meinte schließlich, „Die wissenschaftliche Wahrscheinlichkeit war recht hoch, dass es noch weitere wie Kimiko gibt. Nie gibt es nur eine einzige Anomalie, sondern es werden von Natur aus, immer Anomalien öfters auftreten. Nur die Wahrscheinlichkeiten sind gering. Weißt du, wie wir die *anderen* erkennen können?"

„Leider nicht, aber wenn ich darüber nachdenke, haben möglicherweise die früheren Hybriden keine lange Überlebenschance gehabt. Ihre Andersartigkeit hatte bestimmt Verfolgungen nach sich gezogen. Die Engstirnigkeit und Religiosität einiger Menschen früher - ich sage bloß Mittelalter - hatten sie bestimmt verfolgt und gefoltert. Zudem war es nicht einfach, so eine fremde Seite zu besitzen, welche einem vielleicht mit unvorhergesehen Kräften versehen hat, und wenn man dann noch Eltern hat, die fanatisch religiös waren, würde es mich nicht wundern, wenn einige sogar zu Mördern geworden sind.

Normalerweise wissen Hybride nichts über ihre übernatürliche Seite. Die Übernatürlichen haben die Hybriden nicht immer aufgeklärt."

„Das kann ich mir leider nur zu gut vorstellen", meinte Alessio traurig und auch Kimiko nickte zur Bestätigung.

Es war kein Wunder. Menschen waren früher oft nicht sehr tolerant gewesen. Beispiele gab es unzählige in der Geschichte. Wieso sollte das bei Übernatürlichen anders sein?

„Ich habe Auskunft gegeben, jetzt darf ich fragen", sagte Easifa zu Alessio. „Wie hast du überlebt?"

Alessio zuckte mit den Schultern. „Ehrlich gesagt weiß ich es nicht. Ich war gerade auf einer Station im All. Als ich mit meinen Kollegen wieder in die Erdatmosphäre eingetreten bin, hat es auch sie erwischt. Sie waren sofort tot. Ich konnte gerade noch landen, dann bin ich ohnmächtig geworden. Am folgenden Tag bin ich wieder aufgewacht. Das ist alles, was ich weiß."

Alessio zuckte mit den Schultern. Die Erinnerung an diesen Tag jagte immer noch Schauer seinen Rücken runter.

„Das ist seltsam. Vor allem da du ein hundertprozentiger Mensch bist", meinte Easifa. „Ich fühle das."

Kimiko fragte verwundert: „Hat das was mit deiner Ausbildung zu tun? Oder mit deiner übernatürlichen Fähigkeit?"

„Kann gut sein, dass es an meiner Fähigkeit liegt. Ich konnte es schon immer fühlen, wenn jemand nicht menschlich war", überlegte Easifa.

Alessio fragte nachdenklich, „Aber was machen wir nur mit dir? Du hast uns über den letzten Monat immer wieder beobachtet. Ich habe deine Augen aufblitzen sehen."

„Ich war unsicher, was ihr zwei zusammen macht. Es wirkte so surreal für mich, nachdem ich seit über einem Jahr nur tote Menschen oder reine Übernatürliche gesehen habe. Und die meisten Übernatürlichen begannen, sich zu bekämpfen. Nach einer Weile bin ich ihnen aus dem Weg gegangen. Dafür ist mir mein Leben zu viel wert."

„Aber wieso haben dich die Drillinge gefoltert? Was wollten sie wissen?", konnte Kimiko nicht mehr an sich halten. Sie hatten mittlerweile zu lange um den heißen Brei herumgeredet. Ihr reichte es nun endgültig.

„Ich weiß es nicht. Ich weiß nur, dass sie dabei immer gelacht haben und mich selten gefragt haben, wo die anderen sind. Irgendwann haben sie mich allein gelassen. Glücklicherweise hatte ich noch genug Kraft, hierher zu fliehen."

„Mich haben sie auch nach den anderen gefragt, doch konnte ich keine Antwort geben, da ich nicht wusste, wer die anderen sind", sagte Kimiko leise.

Beide schwiegen, Stille kehrte ein, bis Alessio auf einmal meinte: „Mir stellt sich die Frage, wieso die Drillinge so eine Jagd auf euch beide gemacht haben? "

„Das verstehe ich auch nicht. Wir sind doch um einiges schwächer als die reinrassigen Übernatürlichen."

„Wenn ich weiter darüber nachdenke, dann haben diese Jagd und herablassende Art der Übernatürlichen, sowie dem Massensterben etwas von der Ideologie der Nazis im Zweiten Weltkrieg. Für sie existiert nur die übermächtige Herrscherrasse und die anderen, welche diesem kranken Ideal nicht entsprechen, werden dem Euthanasieverfahren unterzogen. Doch eure vermeintliche Schwäche konnte vielleicht eure Stärke sein – die Menschlichkeit."

„Was meinst du mit Menschlichkeit?", wollte Kimiko ungläubig wissen. Ihr Gesichtsausdruck verriet, dass sie diese Begründung für ausgemachten Blödsinn hielt.

„Ich habe immer wieder von Menschen gehört, die über sich selbst hinausgewachsen sind, weil – die Bindung zu anderen Personen, Empathie", suchte Alessio nach Worten.

„Viel von dieser Stärke habe ich bei mir noch nicht gesehen. Meine einzigen Fähigkeiten sind die Wandlung in einen kleinen schwachen Fuchs und ein paar einfache Feuerspiele. Das war's auch schon", entkräftete Kimiko sofort die Aussage von Alessio und auch Easifa schien nicht wirklich dieser Meinung zu sein.

Er meinte stattdessen: „Ich habe bisher auch nur ein kleines Feuer zustande bekommen und es gab auch einige brenzlige Situationen, in denen Mitglieder meiner Familie in Gefahr waren. Aber ich konnte es nie wirklich festmachen, woran es gelegt hat. Das sind bisher nur Vermutungen."

„Hm, dann war es vielleicht nur ein Schnellschuss meinerseits", gab Alessio zu. Er fühlte sich unwohl, dass er seine These laut ausgesprochen hatte.

„Aber wieso bist du mit deinen Verletzungen zu uns gekommen?", versuchte Kimiko krampfhaft, das Gespräch auf ein anderes Thema zu lenken.

Easifa überlegte kurz. „Etwas hat mich zu euch gezogen – eine Art von Vertrautheit und Heimat -, zudem hatte ich das Gefühl, bei euch sicher zu sein. Es war irritierend, als hätte eine Stimme in meinem Kopf gemeint: *Geh da hin!* Wenn ich es mir aber jetzt überlege, war es wahrscheinlich eure Auren und Gerüche!"

Alessio lachte leise und auch Kimiko fühlte, wie ihre Mundwinkel sich nach oben bogen. Es klang so unmöglich, dass es wahrscheinlich wahr war – in dieser verrückten Welt.

„Dann ruh dich noch etwas aus. Meinst du, du kannst schon wieder was Richtiges essen?", fragte Alessio Easifa.

„Vielleicht in ein paar Stunden, momentan fühle ich mich noch zu schwach dafür."

„Wir werden dir was zubereiten und stellen es dann hier für dich bereit. Kimiko, kannst du bitte die Gürtel abmachen? Ich werde ein bisschen was kochen."

„Mach ich." Kimiko begann die Fesseln vorsichtig zu lösen und abzustreifen, damit sie auch ja keine Wunde berühre. Doch das war nicht nötig, da die Verletzungen mittlerweile verschwunden waren. Faszinierend!

Alessio drehte sich noch einmal zu Easifa um. „Gib uns aber einen guten Grund, warum wir dir vertrauen sollen?"

„Ich kann euch keinen nennen, außer euch mein Wort geben, dass ihr mir vertrauen könnt. Wenn ich euch was böses gewollt hätte, dann hätte ich euch schon längst überfallen, da ich euch fast einen Monat beobachtet habe."

Alessio dachte einen kurzen Moment nach. Easifa hatte Recht mit seinem Argument. Wenn er was Böses tun wollte, dann wäre es längst passiert. Er lächelte leicht Easifa zu. Vielleicht hatten sie einen Verbündeten gefunden.

8. Kapitel: Dezember, Jahr 1 nach der Menschheit

Das Schwert schnell zu bewegen, ist gegen den wahren Weg des Schwertes. Es muss mit Gelassenheit und langsam geschwungen werden.
- Miyamoto Musashi, Buch des Wassers

„Hallo Alessio, ich möchte dir heute etwas beibringen, was dich und deine kleine Gemeinschaft in Zukunft besser sichern soll und die Verteidigung deiner provisorischen Festung vereinfachen soll."

„Warum gerade jetzt?", wollte Alessio wissen.

Wie immer fragte er die Schamanen zuerst nach mehr Informationen. Innerlich musste Alessio leicht aufseufzen. Das war schon zu einem Ritual zwischen ihnen geworden. In den letzten Wochen hatte er immer wieder von dem Kreis geträumt. Zudem hatten ihn unterschiedliche Schamanen der nordamerikanischen Ureinwohner mit immer mehr Wissen über Rituale und Heiltränke versorgt, sodass er manchmal dachte, dass sein Kopf noch platzen würde. Zudem hatte ihm sein Krafttier in der realen Welt immer wieder die unterschiedlichsten Orte gezeigt, die ihn in seiner Ausbildung weiterbrachten - in den Bergen, am Seeufer und Bäume mitten im Wald.

Jedoch war eine der wichtigsten Lehren gewesen, dass er rein bleiben sollte. Angeblich würde es seine Seele beflecken, wenn er Lebewesen das Leben nahm. Er durfte nicht töten, um des Spaßes willen, sondern nur für einen Zweck: Essen. Ein weiterer Bestandteil der Rituale war die Danksagung. Bei jedem getöteten Tier musste er sich bei der Natur bedanken. Zuerst fand Alessio das seltsam, aber es konnte ja nicht schaden, sich daran zu halten. Die Schamanen hatten es ihm mit dem natürlichen Kreislauf erklärt – Nichts ging in der Natur verloren. Tote Tiere dienten Lebenden als Nahrung und Nährstoffe, wodurch das Überleben weiter gesichert wurde.

Als er schließlich gefragt hatte, warum er die ganzen unterschiedlichen Rituale lernen und absolvieren sollte, lautete die Antwort: „Du baust eine enge Bindung zur Natur auf. Du bildest mit ihr eine Einheit. Jedes Mal, wenn du etwas gegen diese Einheit unternimmst, stört es die Bindung und die Natur wird sich irgendwann gegen dich wenden. Ihr müsst beide im Einklang sein – das ist die Aufgabe eines Schamanen."

Alessio hatte sich dem mit einem Murren gefügt.

In diesem Moment ging es jedoch um Schutz und der altbekannte Schamane, der vor ihm stand und bisher die meisten Rituale gelehrt hatte, antwortete ihm schließlich: „Deine Gemeinde wächst. Du musst sie von nun an vor den äußeren Gefahren schützen."

„Wieso? Das ergibt doch keinen Sinn! Es ist nur einer hinzugekommen und ich weiß noch nicht, ob er bleiben wird. Er hat zwar gute Argumente gebracht, weswegen wir ihm Vertrauen können, aber ich bin über die letzten Wochen etwas zu misstrauisch geworden. Daher kann ich ihn noch nicht genau einschätzen."

„Das kann schon sein. Zumindest kennt er aber dann einen sicheren Hafen und vielleicht wird er es auch anderen seiner Art erzählen, wenn er welchen begegnet. Da sowohl Kimiko als auch Easifa angegriffen wurden, könnten all die anderen ebenfalls in Gefahr sein, daher wäre dein Ort das sicherste für sie – ein Platz der Ruhe. Um das gewährleisten zu können, brauchst du mystischen Schutz. Für diesen Zauber braucht es allerdings ein bisschen mehr als nur einen Tanz oder ein paar simple Kräuter. Es ist eine Kombination aus mehreren unterschiedlichen Dingen, die zusammenkommen. Du musst unter anderem eigene Kerzen herstellen und eine Trommel selbstständig anfertigen. Sobald du diese Sachen besorgt hast, bringst du große Zeichen in die Erde ein. Die Schwierigkeit ist, dass du bis zur Wintersonnenwende fertig sein musst. In dieser Nacht musst du die entsprechenden Gesänge und Bewegungen durchführen. Tust du es später, hat der Schutzzauber keine Bedeutung und damit keine Macht mehr."

„Warum gerade die Wintersonnenwende?", wollte Alessio wissen.

„Dieses Ereignis hat die Bedeutung, dass aus der tiefsten Dunkelheit neues Leben entsteht – etwas keimt und wächst. Es ist das Zeichen für die Wiedergeburt des Lichtes und der Beginn eines neuen Kreislaufs. Seit jeher haben es die Menschen zelebriert."

Danach ging der Schamane jeden Schritt mit ihm durch.

„Ich werde dir zu gegebenem Zeitpunkt die Gesänge und die Tänze beibringen. Aber bedenke, das komplette Ritual muss in der Nacht der Wintersonnenwende durchgeführt werden – nicht eine Nacht später."

Alessio nickte, mittlerweile verstand er immer besser die Zusammenhänge zwischen den Ritualen und der Natur. Zusätzlich begann er, wissenschaftlichen Ansätze in diesem Schamanismus zu sehen.

130

Besonders bei den Heilkräutern konnte er das erkennen. Er baute eine Verbindung zwischen der sogenannten Magie und der Wissenschaft auf. Darauf war er ein kleines bisschen stolz, ohne diese Verbindung wäre es für ihn schwierig geworden, es zu akzeptieren.

„Ich werde dir jetzt die Zeichnungen und die Anleitung der Zubereitung der Kerzen geben. Dann kannst du beginnen, alles vorzubereiten."

Alessio wachte auf. Diesmal hatten sie ihn mit viel Wissen vollgestopft. Ihm drehte sich der Kopf. Vielleicht würde ein Schluck Wasser helfen. Er richtete sich leise auf und schaute zu Kimiko hinüber, die neben ihm lag und schlief. Sie sah friedlich aus – fast unschuldig. Alessio stand auf und ging in den Nachbarraum, wo Easifa schlafen sollte – eigentlich.

Allerdings tat er das nicht. Der Mann saß auf einem Stuhl und schaute regungslos aus dem Fenster. Er bewegte nicht einen Finger und doch schien er sofort zu wissen, dass Alessio den Raum betreten hatte, denn er sagte, ohne sich umzudrehen: „Guten Morgen, Alessio, wie war deine Nacht? Du schienst etwas unruhig zu sein. Kimiko wollte dich nicht allein lassen und hat sich dann einfach neben dich gelegt. Ich habe in der Zeit Wache gehalten."

„Die Nacht war wieder stressig."

„Wie kann die Nacht stressig gewesen sein? Das verstehe ich nicht, trotz deines unruhigen Schlafes solltest du dich zumindest ein bisschen ausgeruht haben.", meinte Easifa verwundert.

„Ich habe öfter irgendwelche Träume, darin geht es hoch her" Alessio lachte leise. Noch vertraute er Easifa nicht genug, um über seine *Ausbildung* zu sprechen. „Eine andere Frage, wie geht es dir? Konntest du dich ein bisschen weiter erholen?"

„Mein Körper muss noch die verlorene Energie zurückholen. Die Schwäche steckt immer noch in meinen Knochen. Das Fleisch, was ihr mir zubereitet habt, hat einen Teil wiedergebracht. Der Rest, der mir noch zur vollständigen Gesundung fehlt, wird schwierig werden. Ich muss diese Energie über Feuer zurückgewinnen, damit auch meine Dschinnseite Nahrung bekommt, sonst wird dieser Teil von mir verhungern und ich werde wieder schwächer."

131

„Was bedeutet es eigentlich, wenn du von dem Dschinn redest? Was ist ein Dschinn?", fragte Alessio neugierig nach. Er hatte noch nie von solchen Geschöpfen gehört. Er kannte nur die Kinderversion aus dem Film Aladin.

„Dschinn sind Feuerwesen, die es lieben, Menschen zu beeinflussen. Ob zum Guten oder zum Schlechten ist jedem Dschinn selbst überlassen. Sie haben wie die Menschen die unterschiedlichsten Charakterzüge. Nur die Neigung zur Beeinflussung der Menschen haben sie alle gemein. Aber es ist sicher, dass sie keine Wünsche wie in den alten Märchen erfüllen. Meine Dschinnmutter war etwas Besonderes. Sie hatte eine unstillbare Gier nach Männern: Sie konnte in sie fahren, sodass sie besessen waren, und sie zu Dingen zwingen, die die Männer nicht tun wollten. Mehr als einmal haben sich die Männer danach selbst verstümmelt oder sogar Suizid begangen. Sie zwang auch meinen Vater zu meiner Mutter zu gehen. Der Rest ist ebenfalls eine nicht so schöne Geschichte."

Alessio hatte sich während des Monologs neben Easifa gestellt und schaute mit aus dem Fenster. Es war ein wunderschöner sonniger Wintermorgen und die Sonne ging gerade über den Bergen auf. Der Schnee glitzerte im Licht und in der Ferne konnte er den gefrorenen See erkennen. Es war friedlich und still. Keine Musik, keine Autos, kein Kirchengeläut – nichts. Nichts schien die Ruhe zu stören.

Und doch stürmte es in Alessio. Waren alle Übernatürliche so grausam? Gab es nicht einen, der sich freundlich gegenüber den Menschen verhielt?

Vielleicht hatten die Schamanen recht und es war gut, wenn er seinen Wohnort als Festung ausbaute. Gerade jetzt, wo es scheinbar die Hybriden zu ihnen zog – wer wusste schon, wie viele sich noch bei ihnen einfanden. So wie es die Schamamen prophezeit hatten. Nicht, dass er darüber traurig war. Er genoss es, in dieser mittlerweile verrückten Welt ein paar Menschen zu kennen, die sich mit ihm gegen diesen Irrsinn stemmten. Vielleicht wurde es seinem Leben einen neuen Sinn geben.

In die Stille hinein fragte Alessio: „Wie lange wirst du bei uns bleiben? Nur damit wir wissen, ob wir dich einplanen können oder nicht. Wir müssen leider einen ziemlich strikten Tagesablauf einhalten. Wir sind gerade dabei, die Stadt in eine Festung umzuwandeln."

Easifa blieb ruhig, während er aus dem Fenster schaute. Er überlegte anscheinend, was er wollte.

„Ich denke, ich werde eine Weile bleiben – nur solange, bis ich wieder vollständig auf dem Damm bin, aber nicht für immer. Ich bin im wahrsten Sinne des Wortes ein Freigeist. Liegt wahrscheinlich an meiner übernatürlichen Hälfte. Ich werde euch allerdings bei dem Bauen der Festung helfen. Da kann ich wenigstens meinen Dank zeigen. Sobald ich mich fit genug fühle, ziehe ich weiter. Allerdings würde ich euch gerne ab und zu besuchen kommen, wenn das okay ist?", fragte Easifa vorsichtig nach.

„Ich freue mich, dass du uns helfen willst und auch auf die Besuche. Wegen der Festung müssen wir noch ein paar Sachen vorbereiten, die bis zur Wintersonnenwende fertiggestellt werden sollen, daher kommt deine Hilfe zu einer guten Zeit."

„Ich werde mich um den Wall kümmern. Du kannst die anderen Sachen vorbereiten", bot sich Easifa an.

„Das passt. Ich denke, dass Kimiko dir zum Teil zur Hand gehen wird. Ansonsten wird sie wahrscheinlich jagen gehen. Sie ist eine wahre Expertin."

Easifa nickte und schaute weiter mit Alessio aus dem Fenster. Beide hörten, wie Kimiko aus dem anderen Raum zu ihnen hereinschlüpfte. Die beiden Männer drehten sich zu ihr um. Kimiko sah zerzaust aus, war aber ansonsten putzmunter. Ihre Augen schauten abwechselnd zwischen den beiden hin und her. Sie wirkte verunsichert.

„Guten Morgen, Kimiko. Sorry, dass ich dich in der Nacht gestört habe", begrüßte Alessio sie.

„Kein Problem. Du warst diesmal nur noch unruhiger als normalerweise. Was haben sie dir gezeigt?", fragte sie ihn stattdessen. Sie hatte sich mittlerweile an seine Träume gewöhnt.

„In meinen Traum habe ich einen Auftrag bekommen. Ich muss bis zur Wintersonnenwende ein paar Zeichen vorbereiten, welche in die Erde eingebracht werden müssen. Zusätzlich soll ich Kerzen und eine spezielle Trommel herstellen. In der Nacht der Wintersonnenwende muss ich einen Tanz und bestimmte Gesänge durchführen, damit diese Stadt einen zusätzlichen mystischen Schutz bekommt und nicht von bösen Kräften überrannt wird. Es kann gut sein, dass ich jedes Jahr zur Wintersonnenwende dieses Ritual durchführen muss, damit der Schutz bestehen bleibt."

Easifa schaute ihn verwirrt an, sagte jedoch nichts. Kimiko nickte nur. Sie hatte verstanden und würde Alessio bei seinen Vorbereitungen helfen.

„Wie sehen diese Zeichen aus?"

„Es gibt drei Bestandteile. Links und rechts sind Pfeile, die zueinander zeigen. In der Mitte befindet sich ein Kreis. Die Pfeile stehen für den Schutz gegen die bösen Mächte. Der Kreis soll uns und die Stadt zeigen. Zumindest ist das die Erklärung, die ich mir herleiten konnte."

Nun hakte Easifa doch nach. „Und warum brauchen wir auf einmal einen Schutzzauber? Wir bauen doch schon einen Wall und die Fallen sind auch nicht zu verachten. Das sollte eigentlich reichen."

„Die Schamanen in meinem Traum meinten, dass wir uns zukünftig noch auf weitere Besuche einstellen können. Wir werden eine Art Gemeinschaft aufbauen", meinte Alessio mit einem Seitenblick zu ihrem Gast. „Sie meinten, dass auch wenn Easifa nicht für immer bleiben wird, es sich vielleicht herumspricht, dass es hier eine Art sicheren Hafen gibt. Was wahrscheinlich bedeutet, dass wir bald Zuwachs bekommen werden."

„Wirklich? Interessant." Kimiko schaute beide an und meinte schließlich: „Na gut, wenn das so ist, haben wir viel zu tun."

Easifa zog sich verwundert seine Jacke über, die wie bei Kimiko eher für den Sommer gedacht war. Alessio ging seine Wintersachen anziehen. Wenn er sich die beiden anschaute, zog er sich lieber noch Handschuh, Schal und Wintermütze über. Warum hatte er auch nur mit Hybriden zu tun, die mit Feuer spielten? Danach gingen alle drei raus.

„Gehst du mit Easifa zur Holzfabrik? Da könnt ihr weiter an dem Wall arbeiten", meinte Alessio. „Ich werde versuchen, die Kerzen herzustellen. Ich muss allerdings noch mal lesen, was man dazu alles benötigt. Ich glaube, das wird interessant. Vielleicht sollte ich noch ein paar Kräuter mit einbringen. Das konnte die Wirkung verstärken."

Die beiden machten sich auf den Weg, während Alessio sich zu einem kleinen Schuppen begab. Es war seine Schamanenhütte. Er war komplett mit unterschiedlichen Töpfen, getrockneten Kräutern, Sicheln und allerhand Werkzeugen ausgestattet. Alessio schaute sich um, ob er etwas fand, was ihnen helfen konnte. In seinem Kopf ging er durch, was er wusste. Er hatte schon einige Kräuter im Sinn, die er dem Wachs beimischen könnte. Allerdings hatte er noch keine Ahnung, wie man Kerzen machte. In einem der Bücher musste etwas stehen, er hatte da schon einmal etwas gelesen. Schließlich fiel es ihm wieder ein.

Es war in diesem handgeschriebenen Buch, diesem Tagebuch, das er in dem Haus der alten Dame gefunden hatte. Er brauchte nur genug von den noch nicht abgebrannten Kerzen und ein paar alte Konservendosen sowie Kerzendochte. Für die Dochte konnte er vielleicht ein paar Garnstücke nehmen. Er blätterte in dem Buch weiter und prüfte, welche Kräuter er verwenden konnte und welche er bereits in seinem Lager hatte.

Ein paar Sekunden später hatte Alessio es zusammen. Basilikum, Thymian und sogar Lavendel wollte er benutzen. An sich auch Kornblume, Beifuß und Baldrian, aber diese Kräuter musste er über den Sommer sammeln, bevor er sie nächstes Jahr verwenden konnte. Die anderen drei Kräuter sollte es bestimmt in der einen oder anderen hiesigen Küche zu finden geben. Noch hatte er sie nicht in seinen Lagern aufbewahrt, schließlich waren es normalen Küchenkräuter.

Er nahm sich einen Rucksack und ging in die Siedlung. Dabei kam er an zahlreichen Fallen vorbei, öfters musste er über diese springen oder vorsichtig unter Drahtseilen zu ducken. Er musste eine ganze Weile suchen, bis er eine ausreichende Menge Kerzen zusammengetragen hatte. Für die nächsten Jahre sollte er sich überlegen, wie er Kerzen selbst herstellen konnte, sonst würde es schwierig werden, die nächsten Schutzzauber durchzuführen. Zusätzlich hatte er noch Kräuter in ausreichender Menge gefunden.

Mit sich zufrieden lief er in die Schule zurück, während er vorsichtig die Fallen umging. Sobald Alessio die Schulkantine erreicht hatte, holte er einen der riesigen Kochtöpfe heraus. Er schüttete alle Kerzenreste in den Topf und erhitzte sie über dem Gaskocher, in dem eine der letzten Gaskartuschen gesteckt war. Nachdem alles geschmolzen war, schüttete er die Kräuter rein und Sekunden später breitete sich ein intensiver Geruch in der Küche aus. Wie er so dastand, kam Alessio sich wie eine mittelalterliche Kräuterhexe vor.

Er ließ es eine Weile vor sich hinköcheln und bereitete acht Konservendosen vor. Dabei wusch er die Dosen sorgsam aus. Mit den Holzstücken umwickelte er das Garn. Diese legte er über die offenen Seiten der Dosen und ließ das Garn hineinfallen. Anschließend goss er vorsichtig das Wachs in jede Dose und stellte die gefüllten Dosen in die Kälte hinaus. Jetzt mussten sie erst mal fest werden, dann hatte er die einfachste Aufgabe auch schon absolviert.

Während Alessio wartete, dass die neu gefertigten Kerzen abkühlten, schaute er sich um. Eigentlich sah es so normal aus, wie es Alessio und Kimiko zusammen errichtet haben. Allerdings überkam ihn ein sonderbares Gefühl. Etwas änderte sich gerade. Was passierte hier? Alessio hatte Schwierigkeiten, dieses Gefühl auf eine konkrete Ursache zurückzuführen. Woher kam diese Veränderung? Es musste in der Luft liegen.

Alessio blickte in den Himmel. Erst nach geraumer Zeit konnte er die Veränderung zuordnen: Es war der Geruch. Die Luft roch nach frischem Schnee, eisiger Kälte und Meerwasser wie ein näherkommender Schneesturm. Woher Alessio das wusste, war ihm in diesem Moment schleierhaft. Es war aber auch egal, wichtig war nur, dass er von dem kommenden Sturm wusste. Er war noch ein paar Stunden entfernt. Somit hatten sie noch Zeit, sich in der Schule einzugraben und die Vorräte zu überprüfen.

Alessio rannte zu der Holzfabrik. Kimiko und Easifa arbeiteten Seite an Seite an den Holzstämmen. Sie verstanden sich gut, denn Kimiko verzog sogar ihre Lippen zu einem leichten Lächeln, als sie beide miteinander flüsterten und Anekdoten austauschten. Im ersten Moment bemerkten sie ihn nicht, weswegen er sich diese Zeit nahm, die beiden zu beobachten. Ein Reißen der Eifersucht durchfuhr Alessio. Kurz schoss die Befürchtung durch seinen Kopf, dass Kimiko ihn mit Easifa verlassen würde, und dann wäre er wieder allein in dieser Welt. Er wollte lieber nicht darüber nachdenken. Es würde ihm das Herz brechen.

Mit düsterer Miene ging er zu beiden.

„Seid ihr gut vorangekommen?", begrüßte Alessio die beiden.

„Wir konnten eine ganze Menge Holz schneiden. Wie sieht es bei dir aus?", sagte Kimiko.

„Ich habe die Kerzen mittlerweile fertig gemacht und habe sie jetzt in Kälte gestellt. In spätestens einer Stunde sollten sie abgekühlt sein, sodass ich sie wieder reinholen kann."

„Das klingt gut und jetzt musst du noch die Zeichen und diese Trommeln anfertigen, oder?", fragte Kimiko.

„Stimmt, allerdings haben wir jetzt ein anderes Problem, was auf uns zu kommt: In einigen Stunden wird ein Schneesturm, wenn nicht sogar ein Blizzard, hier sein. Der Luftdruck ändert sich und ich kann frischen Schnee riechen. Zudem frischt der Wind auf. Daher denke ich, dass etwas Größeres auf uns zukommt. Wir sollten die Schule vorbereiten. Aus demselben Grund brauchen wir Nahrung für die nächsten paar Tage. Wer weiß, wie lange der Sturm anhalten wird? Ich denke nicht, dass die letzten Stücke der Schneeziege für uns drei über einen solchen Zeitraum ausreichen werden."

„Wir können doch ein paar der Holzplanken für die Schule verwenden. Wegen Essen habe ich leider keine Idee. Wir haben schon alle Dosen in unser Lager gebracht", meinte Easifa.

Er stellte die Aussage von Alessio über das Eintreffen des Sturms nicht infrage. Anscheinend hatte Kimiko ihn in einigen Punkten über Alessio aufgeklärt.

Kimiko schlug vor: „Ich könnte versuchen noch ein paar Tiere zu jagen.", und stürmte nach einem Nicken von Alessio zu dem Ausgang der Halle. Effektiv wie immer. Noch während sie sich entfernte, rief sie zu Easifa: „Es kann sein, dass ich gelegentlich deine Hilfe brauchen werde. Du kannst die Tiere in die Schule tragen."

Easifa nickte bestätigend. Kurz vor dem Tor der Halle blieb Kimiko stehen und begann, sich ihre knappe Kleidung auszuziehen, noch während sie um die Ecke ging. Sie schien sich nicht um die beiden Männer zu kümmern, die ihr nachstarrten. Alessio beeindruckte es, wie selbstverständlich Kimiko sich in ihrem Körper fühlte. Noch bevor sie die Hose auszog, verschwand sie um die Ecke. Sobald sie außer Sicht war, drehte sich Alessio zu Easifa um und stieß ihn mit der Hand an.

Das war jetzt doch etwas peinlich gewesen. Alessio meinte anklagend: „Du hast doch geschaut."

„Nein, du", feuerte Easifa zurück, woraufhin Alessio abwehrte.

Nach ein paar Sekunden unbehaglichen Schweigens meinte Easifa schließlich: „Komm, legen wir los. Wir müssen die Schule verbarrikadieren."

Mittlerweile hatte Kimiko die Halle verlassen. Beide griffen sich jeweils eine Holzplanke und gingen los. Kurz blieb Alessio bei Kimikos Kleidung stehen und hob sie hoch. Schnell wollte er sie noch aufräumen, nicht dass Easifa und Alessio darüber stolperten.

„Wann, glaubst du, wird der Schneesturm hier sein?", fragte Easifa Alessio.

„Ich weiß es nicht so genau. Ich kann es nicht genauer bestimmen. Vielleicht in zwei bis drei Stunden. Mit der Meteorologie habe ich nicht viel Erfahrung. Mein Wissensgebiet liegt woanders. Ich bin eher ein Mensch der Biologie und seit neuerdings kommt auch etwas Schamanentum hinzu. Aber dieses Metier ist noch neu, generell ist diese ganze Situation unbekannt für mich."

„Da wirst du bestimmt noch reinwachsen. Das habe ich immer an den Menschen bewundert – diese Anpassungsfähigkeit an die unterschiedlichsten Situationen."

„Hm!", meinte Alessio nur vage.

Ihm kamen seine Frau und seine kleine Tochter in den Sinn. Sie hatten keine Möglichkeit mehr, sich an neue Situationen *anzupassen*. Gleich darauf fühlte er sich schuldig, dass er Kimiko schöne Augen machte. Er wollte nicht in dieser verdammten Zwickmühle zwischen Vergangenheit und Gegenwart stecken. Klar, wusste Alessio, dass sich seine Frau für ihn freuen würde. Das war zumindest ein kleiner Trost und eine Ablinderung seines Schuldgefühls. Schnell schob er den Gedanken zur Seite, denn seine Augen begannen zu brennen. Zudem gab es jetzt andere Probleme als seine chaotischen Liebeswirrungen.

In den folgenden zwei Stunden schafften Alessio und Easifa so viele Planken wie möglich zur Schule und befestigte sie an den Fenstern und Türen. Zwischendurch verschwand Easifa immer wieder kurz und brachte mehrere erlegte Tiere ins Innere. Jedes Mal ging Alessio zu dem Körper hin und bedankte sich für das Opfer. Die Danksagung war ihm bald in Fleisch und Blut übergegangen.

Zuerst hatte Easifa Alessio dabei skeptisch beobachtet. Nach einer Weile hatte er es einfach als kuriose Eigenschaft hingenommen und nicht weiter hinterfragt.

Zwischendurch holte Alessio die mittlerweile abgekühlten Kerzen in die Schule. Sie rochen noch stark nach den Kräutern, weswegen Alessio sie in einen separaten Raum brachte. Auch wenn es Aromakerzen waren, würde diese mit der Zeit die Luft in ihrer Schlafstätte durchdringen. Schon Alessio hatte bei dem Geruch, damit zu kämpfen, nicht umzukippen, so kräftig waren die Düfte.

Immer wieder überprüfte Alessio den Himmel. Nach und nach war es windiger und kälter geworden. Zum Schluss musste sogar Easifa eine leichte Windjacke anziehen. Dann - auf einmal – war der Schneesturm direkt über ihnen. Die Sichtweite verringerte sich schlagartig auf wenige Meter, sodass Alessio kaum die Hand vor Augen sehen konnte. Sofort ginge die beiden Männer ins Innere der Schule.

Allerdings war Kimiko noch nicht von ihrer letzten Jagd zurückgekommen, was Alessio mehr Sorgen bereite, als es eigentlich sollte. Hatte sie der Sturm überrascht? Oder war sie in einen Fluss gefallen? Haben am Ende die Drillinge gefunden? Eigentlich wollte Alessio es sich gar nicht ausmalen, doch in seinen Gedanken starb Kimiko mit jeder Sekunde einen immer abscheulicheren Tod. Seine Atmung beschleunigte sich und der Angstschweiß brannte in seinen Augen. Was, wenn Kimiko niemals wiederkam?

Plötzlich klopfte es in einem speziellen Rhythmus an der Tür. Sofort sprang Alessio auf, denn es war das vereinbarte Klopfzeichen von Kimiko. Schnell machte er ihr die Tür auf. Da stand sie, wieder einmal mit einem riesigen Bären auf einen Schlitten hinter ihr. Wahrscheinlich hatte sie ihn aufgescheucht. Und wie erlegte sie diese ganzen Tiere überhaupt, wenn sie sich doch nur in einen kleinen zierlichen Fuchs verwandelte? Das war irgendwie faszinierend.

Bisher hatte sie sich noch nicht dazu geäußert und Alessio war im Moment zu froh, dass sie erfolgreich von ihrer Jagd zurückgekehrt war, als dass er fragen würde. Rasch kam sie in die Schule und legte den Bären ab.

„Puh, der war etwas widerspenstig", meinte sie trocken.

Sie wollte fortfahren, jedoch kam sie nicht dazu: Alessio zog sie erleichtert in seine Arme. Im ersten Moment war sie ganz starr, aber dann spürte Alessio eine leichte Berührung auf seinem Rücken. Nur zögernd löste sich Alessio von Kimiko und ging zu dem Bären. Wie immer bedankte er sich bei der Natur für diese Gabe.

Dann richtete er sich auf. „Jetzt können wir alles endgültig sturmfest machen."

Kimiko stand immer noch an der gleichen Stelle – sie schien sprachlos zu sein von der stürmischen Begrüßung. Auch Easifa schaute Alessio mit großen Augen an. Nach einem Moment des ungewohnten Schweigens kam wieder Bewegung in die beiden und auch Alessio schloss sich an. Schnell füllten die drei die letzten Ritzen an den Türen und Fenstern aus, bevor der Sturm heulend weiter anschwoll. Zusätzlich deckten sie sich mit dicken Decken zu. In einen kleinen Kamin, den es glücklicherweise in der Schule gab, fachten sie ein kleines Feuer an. Dann begann das lange Warten.

Die folgenden Tage hatten einen gleichbleibenden Rhythmus. Es war schon fast eintönig. In vier Stunden Schichten wachten sie über die Schule. Immer wenn ein Riss an den Fenstern oder der Türen entstanden war, mussten sie es sofort abdichten. Dabei konnte Alessio erkennen, dass die Dichte der Schneeflocke gleichblieb und auch das Heulen wurde nicht leiser. Ab und zu mussten sie jedoch nach draußen gehen, dabei wechselten sie sich ab. Der Schnee musste von dem Gebäude gefegt werden. Ohne diese Maßnahme wäre das Dach wahrscheinlich irgendwann unter dem Gewicht eingeknickt und hätte sie alle begraben.

Jedes Mal war es eine gefährliche Angelegenheit. Der Sturm war so stark, dass es jeden von ihnen hätte wegwehen können. Trotzdem mussten sie einzelne Teile des Schneeschutzes erneuern, die der Sturm weggeweht hatte. Dabei banden sie ein Seil um die Hüfte des Kletternden – meist waren es Kimiko oder Easifa, da sie körperlich stärker waren als Alessio. Beide überwanden den Weg bis zur Bruchstelle. Doch egal wie sehr oft sie das Dach flickten, es gab immer schneller nach. Hoffentlich dauerte der Sturm nicht zu lang, denn sonst würde die Schule zusammenbrechen.

Es war einer der vielleicht heftigsten Schneestürme, die Alessio miterlebt hatte. Manchmal hatte er sogar das Gefühl, dass die Erde bebte. Doch er redete sich immer wieder gut zu, dass es nur seine Einbildung war. Alessio fragte sich öfters, ob der Blizzard nicht wirklich so stark wüten würde, dass er die Erdteile auseinanderriss. Oder etwa doch?

In der Anfangsphase des Sturmes unterhielten sie sich noch miteinander, doch wurden mit der Zeit die Gespräche immer seltener und zum Schluss sagten sie nichts mehr. Was sollte man sich auch erzählen, wenn man jede einzelne Minute aufeinander hockte. Die Warterei schlug jedem von ihnen auf die Nerven. Dadurch fühlte sich das Heulen des Windes umso lauter an, was wiederum zusätzlich ihre Nerven strapazierte. Allerdings war lange Zeit keine Besserung des Wetters in Sicht.

Nach dem fünften Tag begannen die Vorräte weniger zu werden. Um ein Mangel vorzubeugen, begannen sie die Portionen zu rationierten, um länger auszuhalten. Schließlich wusste keiner von ihnen, wie lange es so weitergehen würde. Noch war Alessio nicht beunruhigt, allerdings breitete sich ein mulmiges Gefühl in ihm aus. Hoffentlich war der Sturm bald vorbei.

In dieser Zeit stellte Alessio die Trommel her und hatte dabei all die nötige Ruhe, was auch gut war. Es handelte sich um eine knifflige Angelegenheit. Schließlich musste er die Haut von einem der erlegten Tiere verwenden sowie die Rippen für den Rahmen, den er bespannte.

Als sich Easifa anbot, ihm zur Hand zu gehen, meinte Alessio: „Du kannst mir leider nicht helfen. Die Utensilien, die ich für dieses Ritual brauche, muss ich allein herstellen. Hat etwas mit meiner Ausbildung zu tun."

Easifa nickte nur. Er verstand es nicht, doch hinterfragte er es auch nicht.

Nachdem es auch am fünften Tag nicht besser wurde, begann Alessio, sein Schutzzeichen anzufertigen. Dabei versuchte er, mit einem Stück Metall, welches er aus den kaputten Stühlen genommen hatte und von Kimiko erhitzt wurde, auf Holz das Zeichen einzugravieren. Es war eine mühselige Arbeit, vor allem, da das Metall durch die eindringende Kälte, aus eben jenen Stühlen, sehr schnell abkühlte. Erst am siebten Tag beendete er seine Arbeit und die acht Holzstücke waren graviert.

Dabei überlegte sich Alessio, dass es wahrscheinlich sinnvoller wäre, wenn er für die folgenden Jahre Metallteile gravierte. Dann würde er nicht noch einmal diese schweißtreibende Arbeit machen müssen, denn die hielten länger. Für eine erste Anwendung musste es jedoch im Moment reichen.

Kimiko und Easifa hatten in der Zwischenzeit begonnen, aus den Überresten der Tiere Decken und Halterungen für die nassen Kleidung anzufertigen. Zum Schluss saßen sie jedoch nur noch da und warteten, dass der Sturm endlich vorbei war.

Nach zehn Tagen waren die Vorräte auf ein Minimum geschrumpft und der Schnee lag inzwischen meterhoch vor der Eingangstür, sodass sie nur über das obere Geschoss nach draußen gelangen konnten. Immer wieder fragte sich Alessio, wie es die Menschen vorher geschafft hatten bei solchen Schneestürmen zu überleben. Und endlich ließ das Unwetter nach.

Sobald der Sturm abgeflaut war, gingen alle drei vorsichtig hinaus und begannen, sich die Schäden durch den Sturm genauer anzuschauen. Mit einfachen Worten: Es war verheerend. Einerseits waren diese Gebäude um der Schule herum zugeschneit, andererseits waren ganzen Straßenteile einfach weg, sodass das Erdreich zu sehen war. Bei den wenigen nicht komplett eingeschneiten Häusern waren die Dächer vollkommen eingedrückt, wodurch sie jetzt wie die Überreste von toten Dinosauriern aussahen. Kimiko keuchte bei dem Anblick und auch Alessio fühlte den Schrecken in sich aufsteigen.

Was war nur passiert? Wie konnte so ein Sturm so lange anhalten und so viel Zerstörung bringen? Das war nicht natürlich gewesen.

Besorgt gingen Alessio und Kimiko die abgegrenzten Bereiche und ihre Fallen entlang. Währenddessen blieb Easifa in der Schule, jemand musste ihr Lager bewachen. In diesem Moment, da fast alle Fallen vernichtet worden waren, war ihre kleine Gemeinschaft schutzlos. Alessio konnte diese Verwundbarkeit regelrecht spüren. Er blickte sich immer wieder um, weil er einen Angriff erwartete. Auch Kimiko hatte ihre Krallen ausgefahren.

„Verdammt, das hat uns jetzt gerade noch gefehlt", meinte sie wütend. „Jetzt sind wir wieder am Anfang – und wir haben noch nicht einmal genügend Holz für einen Wall."

„Lass uns noch einmal die Fallen anschauen. Hoffentlich können wir sie unter den Schnee und Erdmassen noch ausmachen. Vielleicht sind welche von ihnen noch zu retten. Bei den unbrauchbaren machen wir uns vor Ort Gedanken, wie wir sie umarbeiten können."

Kimiko stimmte ihm nickend zu.

Es klang nach einem guten Anfang. Gemeinsam gingen sie erneut die Grenzen ab. Dabei zeigte sich, dass die Fallgruben zum Glück größtenteils nur vom Schnee zugeschüttet waren. Bei wenigen waren zudem die Seitenwände eingestürzt. Somit mussten sie hier lediglich einen Weg finden, wie sie die Fallgruben wieder freibekämen, ohne dabei all den Schnee wegzuräumen. Tatsächlich tarnte der Schnee sie sogar, wodurch die Falle noch effektiver wurde.

Jedoch zeigte sich bei den Stolperdrähten ein anderes Bild. Hier waren durch die große Menge Schnee und Erde viele von ihnen verschüttet worden und gerissen. Zusätzlich hatten an anderer Stelle umgestürzte Bäume die Drähte unter sich begraben, wodurch ihnen eine

Menge Draht für neue Stolperdrähte verlorenging. Frustriert stand Alessio neben den Bäumen. Verdammt, das durfte nicht wahr sein.

„Ich glaube, wir müssen uns für diesen Teil der Stadt was komplett Neues überlegen oder die Grenzen so weit in die Stadt verlegen, dass wir direkt bei den Häusern Fallen aufbauen können. Was meinst du?", fragte Alessio.

Kimiko dachte nach. „Hm, vielleicht können wir ein bisschen von beidem tun. Wir haben schon einige Bretter für den Wall hergestellt. Sie sind vielleicht nicht die besten, für einen ersten Schutz sollten sie aber reichen. In den nächsten Monaten können wir dann nach und nach den Wall verbessern und ihn um die Stadt ziehen. Wenn wir am See beginnen, dann können wir zumindest einen ersten Teil abdecken. Der See ist eine der wenigen Stellen, welche im Moment noch ungeschützt sind. Darüber hinaus müssen wir ihn wahrscheinlich in die Stadt hineinbauen. Wir können zwischen den Häusern die dünnen Seile spannen."

„Das klingt gut, allerdings sind die Häuser gewisse Sicherheitsrisiken. Da man durch sie oder über sie problemlos unerkannt in die Stadt reinkommen könnte", warf Alessio ein. Einen Moment lang schwiegen sie, bevor Alessio fortfuhr: „Vielleicht könnten wir ein paar spitze Pfähle in die Erde rammen und mit Laub und Schnee abdecken, damit sie nicht jeder gleichsehen kann. Wir müssten doch noch einige Äste von den bereits gefällten Bäumen haben. Zusätzlich verbarrikadieren wir die Fenster und Türen. Es ist etwas langwieriger, aber es sollte reichen, damit niemand unerlaubt in die Stadt kommt."

„Stimmt, wir haben jetzt definitiv mehr Holz durch die umgestürzten Bäume zur Verfügung als zuvor."

Beide gingen langsam zurück, bis Kimiko fragte: „Was hältst du eigentlich von Easifa? Kann man ihm vertrauen?"

„Hm, ein netter Mann, jedoch etwas unstetig. Er ist ein ziemlicher Freigeist, was wahrscheinlich auf seine Natur zurückzuführen ist. Aber ich denke, man kann ihm vertrauen. Wieso fragst du?"

„Na ja, wie soll ich es sagen? Ich habe mich nur gewundert, ob nicht mehr hinter den Verletzungen steckt und ob er wirklich das ist, was er vorzugeben versucht."

„Hm, ich denke nicht, dass wir das so schnell herausbekommen werden."

„Ich fürchte schon. Wir wissen nicht, ob er loyal zu uns stehen wird, wenn es wirklich gefährlich werden wird, oder ob er uns verrät. Allerdings, denke ich, werden wir es schneller erfahren, als uns lieb ist", meinte Alessio.

„Da gebe ich dir recht. Aus dem Grund würde ich ein bisschen vorsichtig in seiner Nähe sein. Vielleicht irren wir uns und er verrät uns oder unsere Befürchtungen sind unbegründet und er steht loyal zu uns", führte Kimiko aus.

„Vorsicht ist besser als Nachsicht", stimmte Alessio ihr zu. „Allerdings weiß ich momentan noch nicht, was wir vor ihm verheimlichen sollten. Bisher haben wir nicht mal eine Gemeinde, geschweige denn entsprechende Sicherheitsmaßnahmen. Wir haben somit keine Geheimnisse, die uns verwundbar machen und die er meistbietend verkaufen könnte."

Beide liefen weiter. Die Landschaft war gespenstisch still. Man konnte nicht mal Tiere hören. Die Vögel waren verstummt oder geflohen. Es waren keine am Himmel zu sehen. Die Waldtiere befanden sich wahrscheinlich noch in einer Art Winterschlafmodus. Sie wussten vielleicht nicht, ob der Blizzard vorbei war. Oder hatten sie noch Angst?

„Das war ein ganz schön heftiger Blizzard", meinte Alessio schließlich.

„Ich habe mal von solchen Schneestürmen gehört, die sogar ganz Erdteile mit sich gerissen haben. Sie wurden auch als Black Blizzards bezeichnet. Ich glaube, so einer ist in den letzten Tagen über uns hinweggezogen. Wir haben verdammtes Glück gehabt, dass wir in der Schule recht gut geschützt waren."

„Hm, wie oft kommen eigentlich solche Black Blizzards vor?", fragte sich Alessio.

„Ich denke, durch die vergangenen Jahre, durch das, was die Menschen gemacht haben, sind solche extremen Wetterbedingungen jetzt die Regel. Es wird dauern, bis solche Stürme nicht mehr an der Tagesordnung sind und die Natur wieder im Gleichgewicht ist. Besonders in den letzten Jahren haben die Menschen immer mehr Raubbau betrieben, was zu dem Klimawandel geführt hatte. Das wiederrum hat heftigere Wettererscheinungen hervorgerufen."

„Hmmm. Dann müssen wir den Wall, die Fallen und auch die Gebäude noch weiter verstärken. Der erste Schutz ist gut, aber wir müssen ihn in den nächsten Jahren ausbauen. So ein Sturm kann jederzeit wiederkommen und wir haben jetzt nicht mehr die technischen Vorwarnsysteme, wie es sie noch zu Lebzeiten der Menschen gab."

„Ja, das wird das Beste sein", stimmte ihm Kimiko zu. „Ich denke, allerdings wir sollten vielmehr eine weitere Sicherheitsstufe, einige Kilometer entfernt, für Besucher oder Angreifer einrichten. Dann können wir uns immer vorbereiten. Bezüglich des Wetters haben wir immerhin eine Frühwarnung bekommen … dich.", neckte Kimiko ihn.

Alessio lachte. Sie hatte recht. Sein Geruchssinn hatte sie diesmal gerettet. In Laufe der letzten Monate hatten sie festgestellt, dass seine Nase um einiges feiner war als die von Kimiko. Was sehr ungewöhnlich war, aber sie konnten sich keinen Reim daraus, weswegen sie sich erst später – wenn etwas Ruhe eingekehrt war – darum kümmern wollten. Mittlerweile hatten sie die Schule fast wieder erreicht. Für Alessio war es jedoch zu früh, um zu Easifa zurückzukehren. In den letzten Tagen hatte er zu wenig Zeit mit Kimiko allein verbracht. Er hatte die letzten beiden Stunden genossen, als er mit ihr die Fallen abgegangen war und über die Ausrichtung der Stadt nachgedacht hatte. Es war ein schönes Gefühl gewesen. Auch Kimiko hatte die ganze Zeit über ein leichtes Lächeln auf den Lippen gehabt.

Sobald sie beide die Schule erreicht hatten, kam auch schon Easifa rausgeeilt und wollte wissen, wie es um die Fallen stand.

„Einige sind unbrauchbar geworden und bei anderen müssen wir uns ein bisschen was Neues einfallen lassen", erklärte ihm Kimiko.

Easifa nickte kurz. „Ich würde euch gerne dabei helfen, dass ihr schnell wieder geschützt seid. Es gefällt mir hier wirklich gut und ich würde euch unterstützen, dass es wieder eine schöne und vor allem sichere Stadt wird."

„Das ist nett. Dann geht alles schneller", sagte Kimiko langsam. Sie schien jetzt vorsichtiger zu sein, doch bekam es Easifa glücklicherweise nicht mit. „Allerdings müssen wir jetzt erst mal sehen, dass wir was zu essen finden. Die letzten Tage waren ziemlich kräftezehrend. Ich muss unbedingt etwas jagen gehen. Allerdings wird es schwierig werden. Der Schnee ist zu tief. Man kann kaum richtig vorwärtskommen, geschweige denn schnell rennen. Und die Tiere sind auch noch nicht wieder rausgekommen. Sie sind zu sehr von dem Sturm verschüchtert."

„Hm, verdammt, das wird uns schwächen. Weiß jemand, wie dick die Eisdecke vom See ist?", fragte Easifa.

„Sie sollte jetzt eigentlich dick genug sein, um uns alle drei sicher zu tragen. Wieso? Was hast du vor?", wollte Alessio wissen.

„Na ja, wir könnten mal ein bisschen eisangeln. Ich könnte ein Loch in das Eis schmelzen und dann könnten wir zumindest versuchen, einen Fisch zu fangen. Wäre zumindest mal eine kleine Abwechslung auf dem Tisch."

Alessio schluckte. Sein letzter Versuch beim Eisangeln stand ihm noch vor den Augen und besonders sein knappes Überleben dabei. Ihm war nicht wohl bei dem Gedanken, es noch einmal zu versuchen. Er wich zurück und spürte eine Sekunde später eine Hand auf seiner Schulter. Alessio schaute daraufhin zu Kimiko hinüber und sie nickte ihm aufmunternd zu. Es würde schon nichts passieren. Schließlich nickte er auch.

Gemeinsam machten sie sich auf den Weg zum See. Erstaunlicherweise war der Schnee auf den See nur einige Zentimeter hoch. Der Wind hatte den Schnee in die Wälder reingeweht. Sobald sie das Eis betreten hatten, beugte sich Alessio runter und wischten den Schnee nach und nach weg, bis er die Eisdecke freigelegt hatte. Dann beugte er sich runter und klopfte mit seinem Finger dagegen. Der Klang war fest. Sie sollte dick genug sein – zumindest hoffte Alessio es.

Er richtete sich auf und meinte: „Ich denke, einer der Menschen, die hier früher gelebt haben, hatte bestimmt eine Angelroute. Während ich eine suchen gehe, könnt ihr schon ein Loch schmelzen."

Alessio lief zurück aufs Festland. Er hatte schon eine Ahnung, wo er hingehen könnte, denn er hatte in einem der Häuser eine Angel gesehen und alle möglichen anderen Fischereigeräte. Zügig stiefelte er durch den Schnee zu seinem Ziel und schaute durch die offenstehende Tür rein. Es hatte schon bessere Tage gesehen.

Durch den Sturm hatte sich ein Teil des Daches gelöst, wodurch der Schnee auch ins Innere reingefallen war. Zusätzlich waren die Fenster zerbrochen. Es lagen einige Vogelfedern herum und sogar ein paar zerbrochene Eierschalen. Hier war offenbar über den Sommer eine kleine Vogelfamilie eingezogen. Wie schön. Alessio lächelte.

Er trat vorsichtig in das Haus ein und nahm sich die Angelsachen, welche versteckt in einen Schrank lagen, und einen Hocker, bevor er wieder zu den beiden anderen ging. Sie schauten gerade in das freigeschmolzene Loch. Alessio konnte erkennen, dass das Eis über einen Meter dick war. Diesmal war es definitiv stabil genug, ihn zu tragen. Erleichtert atmete Alessio aus. Er würde bestimmt keine Bekanntschaft mit dem eiskalten Wasser machen.

„Dann lasst uns mal beginnen. Ich hoffe mal, dass wir ein bisschen was fangen. Wir brauchen heute ein paar Fische."

Alessio setzte sich auf einen Hocker und hielt die Angel in das Wasser. Jetzt hieß es warten, dass die Fische anbissen. Die anderen beiden verabschiedeten sich zwischenzeitlich von ihm und gingen zum Ufer zurück, Alessio blieb allein am Eisloch und schaute hoch.

Jetzt konnte er erst erkennen, wie blau der Himmel war. Wieso war es ihm vorher nicht aufgefallen? Nach dem ganzen Heulen des Windes in den letzten Tagen war es jetzt gespenstisch ruhig. Die Stille war beunruhigend, schon die kleinste Bewegung eines Blattes oder seiner Kleidung klang in seinen empfindlichen Ohren so laut wie eine Explosion.

Daher rührte er sich kein bisschen und hing stumm und regungslos seinen Gedanken nach. So seltsam es klang, aber er genoss diese Ruhe. Mittlerweile verstand er, warum einige Menschen früher als Hobby Angeln gegangen waren. Man fühlte sich im Reinen mit der Natur.

Er schaute quer über den See und erkannte, dass die Sonne näher an den Horizont gewandert war. Nicht mehr lange und es würde dunkel werden, daher musste er so schnell wie möglich etwas fangen. Nach nicht einmal zwanzig Minuten ging ihm der erste Fang ins Netz.

In der nächsten Stunde fing er noch zwei weitere Fische. Jedes Mal fühlte er sein kleines Ritual durch. Dann ging er mit dem Fang in die Schule. Die anderen hatten mittlerweile ein kleines Feuer in der Kantinenküche gemacht und warteten auf ihn.

„Endlich, ich habe tierischsten Hunger!", rief Easifa freudig aus. Er schien sich mittlerweile zu öffnen. Schon während des Sturmes war es vorgekommen, dass er aus sich herausgekommen war, aber dann war er wieder in sich gekehrt. Es hatte etwas von einer Achterbahnfahrt gehabt und sowohl Kimiko als auch Alessio in den Wahnsinn getrieben.

„Du scheinst richtig gute Laune zu haben", meinte Alessio zu ihm. Er legte die Fische vor sich hin und begann, diese vorsichtig zu putzen und die Inneren auszunehmen. Besonders bei der winzigen Galle passte er auf, dass sie nicht platzte.

Währenddessen antwortete Easifa ihm: „Oh ja, seltsamerweise fühlt es sich hier richtig heimisch an. Es geht mir sauwohl. Vor dem letzten Jahr hatte ich kaum irgendwelche Orte gehabt, wo ich mich so wohl gefühlt habe. Mit euch beiden ist es für mich wie ein Zuhause."

„Selbst jetzt, wo hier alles in Schutt und Asche liegt?", fragte Kimiko erstaunt.

Das war neu für sie. Auch Alessio wusste nicht, was er dazu sagen sollte. Es kam so unverhofft. War die provisorische Gemeinde so etwas Besonderes? Konnte sie beiden dem Mann vertrauen oder spielte der nur mit ihnen? Sollte Alessio seinen Instinkten oder seinem Verstand trauen? Sein Instinkt sagte ihm, dass dieser Ort für Wesen wie Kimiko und Easifa wichtig werden würde. Sein Verstand empfand, dass eher als Hirngespinst. So wichtig waren weder er noch der Ort nicht.

„Ich weiß, es klingt seltsam, aber es ist so. Ich kann es nicht einmal genau begründen. Ihr beruhigt mich irgendwie." Er trat hilfsbereit zu Alessio. „Soll ich dir bei den Fischen helfen? Ich könnte sie über dem Feuer grillen."

„Sehr gerne, hier ist der erste. Die anderen mache ich noch schnell fertig. Dann können wir gemeinsam essen." Alessio reichte Easifa einen Fisch und fragte die beiden: „Wie wollen wir eigentlich fortfahren? Ich muss noch meine Zeichen vergraben und die Fallen müssen vollständig wiederhergestellt werden."

Easifa nahm den ihm gereichten Fisch und hielt ihn mit seiner bloßen Hand über das Feuer. Kimiko schaute hingegen nur in die Flammen.

Alle drei blieben still und hingen ihren Gedanken nach. Die Frage blieb für den Moment unbeantwortet. Niemand wollte sich dieser enormen Aufgabe annehmen. Diese Herausforderung würde sie alle früh genug treffen. Daher beließ Alessio es dabei. Sie brauchten jetzt eher Ruhe. Morgen würde alles wieder anstrengender werden.

Sobald alle drei Fische fertig gebraten und aufgegessen waren, legte sich Easifa auf die eine Seite des Feuers und Alessio und Kimiko auf die andere. Die letzten Tage hatten sie ausgelaugt.

Der ständige Wind, die Anspannung und heute den ganzen Tag an der frischen Luft – das hatte ihre Körper und ihre Nerven strapaziert. Jetzt konnten sie sich endlich richtig ausruhen.

Jedoch schliefen nur Kimiko und Easifa, Alessio konnte für eine ganze Weile kein Auge zu tun. In der letzten Stunde war ein Gefühl in ihm hochgestiegen, dass der Sturm gar nicht vorbei war, sondern dass es vielmehr die Ruhe vor dem eigentlichen Sturm gewesen war. Etwas kam auf sie zu und Alessio wusste nicht, ob alle drei ihrer Gruppe es überleben würden.

9. Kapitel: Dezember, Jahr 1 nach der Menschheit
Sei stark in deinen Gefühlen, aber lasse niemanden deine letzten Absichten durchschauen. - Miyamoto Musashi, Buch des Wassers

Der nächste Morgen kam schneller als gedacht. Kimiko wachte als Erstes auf und schaute sich um. Easifa lag noch im Tiefschlaf in seiner Ecke des Raumes. Während er atmete, stiegen kleine Rauchwölkchen aus seinem Mund, was ziemlich lustig aussah. Anscheinend seine Art von Schnarchen.

Alessio lag direkt neben ihr und hatte einen Arm über sein Gesicht gelegt. Er war komplett relaxt und sah dadurch um einige Jahre jünger aus. Die Sorgenfalten in seinem Gesicht waren verschwunden.

Über die letzten Tage war er, so schien es, um einiges gealtert, als würde er das Gewicht der Welt tragen. Einerseits hatten ihn die Tage erschöpft, das Fallenbauen und die Vorbereitung des Schutzrituals. Andererseits waren auch die Nächte nicht immer eine Wohltat gewesen.

Jetzt schlief er ausnahmsweise einmal friedlich. Wahrscheinlich träumte er gerade nicht. Wer wusste schon, was er normalerweise in seinen Träumen erlebte?

Das Wissen, das er in den letzten beiden Monaten angesammelt hatte, war für Kimiko fast schon beängstigend. So viele Rituale, und erst die ganze Kräutersammlung! Aber Kimiko konnte damit leben.

Ihre Mutter hatte ihr ein bisschen über Schamanen beigebracht, daher wusste sie, dass es die normalen Bräuche waren. Es half ihnen schließlich in vielerlei Situationen – schon dieser Schutzzauber würde eine große Hilfe werden.

Kimiko stand leise auf und ging in das Nachbarzimmer. Dort zog sie sich um und trat aus der Schule. Sie genoss es, ab und zu allein an der frischen Luft zu sein und zu sehen, wie die Welt zum Leben erwachte.

Nach einer Weile gesellte sich Alessio zu ihr und beide schwiegen, während die Sonne langsam aufging. Alessio war um einiges dicker angezogen als sie.

Für Kimiko war dieser Gegensatz immer eine Belustigung: sie mit ihren Sommersachen und er in seiner Winterkleidung. Er besaß leider kein inneres Heizkraftwerk wie sie.

Letztendlich drehte sich Kimiko zu ihm hin. „Ich werde mich heute mit Easifa um die Ostgrenze kümmern. Wir werden als ersten Schritt schon fertig gesägte Holzplatten aufstellen."

„Ich werde mich dann um das Vergraben der Zeichen kümmern. Ich hoffe mal, dass ich wenigstens ein bisschen in die Erde reinkomme. Der Boden ist bestimmt komplett durchgefroren, wenn nicht sogar vereist. Hoffentlich schaffe ich heute zwei oder drei Zeichen, solange die Sonne am Himmel steht. Allerdings habe ich mir etwas für das nächste Jahr überlegt."

Alessio erzählte ihr von seiner Idee, den Schutzzauber in Metall zu gravieren.

„Oh ja, das ist clever." Kimiko sah sich um. „Das Eingraben wird jetzt bestimmt schwierig werden. Solltest du es nicht schaffen, sag mit mir Bescheid. Ich wärme dir die Erde auf", bot sie an. „Ich werde mal Easifa wecken und dann können wir beginnen."

Alessio nickte und gemeinsam kehrten sie in die Schule zurück. Kimiko wandte sich zu dem Raum, wo Easifa schlief, betrat ihn und blieb vor dem Mann stehen. Langsam beugte sie sich runter und rüttelte ihn wach. „Komm, Easifa, wir müssen heute eine Mauer errichten."

Brummend stand er auf. „Warum müssen wir eigentlich so zeitig aufstehen? Wir haben doch alle Zeit der Welt", meinte er, während er in das Nachbarzimmer schlurfte. Einen Moment später hörte Kimiko Kleidung rascheln. Er zog sich an.

„Haben wir eben nicht. Die Zeit, besonders jetzt während der kurzen Tage im Winter, rinnt uns davon. Alessio wird die Zeichen vergraben, während wir das Sicherheitssystem wiederaufbauen", rief sie in den anderen Raum.

Immer noch brummelnd kam Easifa zurück. Er hatte sich genauso wie Kimiko dünn angezogen: Er hatte ein paar Jeansshorts an und ein Trägerhemd. Er sah aus wie die Variante eines kanadischen Holzfällers – bloß bei eisigen Temperaturen.

„Na dann, lass uns mal anfangen", sagte Easifa energisch und voller Tatendrang.

Während Alessio seine Zeichen und die Schaufel zusammenpackte, wanderte Kimiko mit Easifa zur Ostgrenze, wo sich die Holzfabrik befand. Die bereits produzierten Platten lagen wild verstreut umher. Der Sturm hat einige der säuberlich angeordneten Stapel umgeweht. Easifa und Kimiko standen vor den Platten und überlegten.

„Wie sollen wir anfangen? Wir können nicht einfach die Platten aufstellen. Die würden direkt wieder umfallen", meinte sie nach längerer Zeit.

Easifa schaute sich um und ging dann zu einer Stelle am Rand der Fabrik. Er hielt seine Hand auf den Boden und schmolz den Schnee, bis er auf den Grund traf. Der Boden war mit einer grauen Platte versiegelt.

„Hier ist überall Beton. Das heißt, wir können nicht einmal graben oder schmelzen. Wir müssen die Grenze näher zum Wald verlagern. Dort sollte es lose Erde geben."

Easifa ging in Richtung des Waldes und schmolz den Schnee direkt an einem Baum weg. Nach einer kurzen Weile richtete er sich wieder auf.

„Hier passt es. Wie ich es mir gedacht habe. Allerdings ist die Erde gefroren. Wie tief kann ich nicht sagen. Wir müssen sie erst aufweichen, bevor wir die Planken auch nur ansatzweise hineinrammen können", bestätigte er Kimikos Vermutung.

Kimiko stimmte ihm zu: „Allerdings würde es uns zu sehr verausgaben, wenn wir alles mit unserem Feuer auftauen würden. Es würde zwar schneller gehen, aber wir würden unsere Kräfte zu sehr aufbrauchen. Am Ende würden wir nicht mal Kraft zum Jagen haben. Wir wären verwundbar gegenüber Angreifern. Also nicht unbedingt zu empfehlen."

„Wir können zumindest versuchen, stückweise den Schnee verschwinden lassen und dann mit Schaufeln den Boden aufzubrechen. Vielleicht so einen halben Meter tief. Dann könnten wir die Platten aufstellen. Das sollte zumindest für die erste Zeit reichen und uns nicht zu sehr schlauchen."

„Das klingt gut. Dann lass uns mal anfangen", meinte Kimiko. Sie ging zu ihm hin und beide begannen, den Schnee nach und nach als Linie zu schmelzen. Sie brauchten den ganzen Morgen dafür, es war doch mehr Schnee, als sie gedacht hatten. Um die Mittagszeit war es endlich geschafft: Eine fast zwanzig Meter lange Schneise lag vor ihnen.

„Wir brauchen noch mindestens zwei Schaufeln. Mehr wären besser, da eventuell welche brechen werden. Wahrscheinlich befinden sich welche in der Fabrik. Gib mir ein paar Minuten, dann hole ich welche", sagte Kimiko, während sie sich auf den Weg machte.

Sie ging schnell in die Fabrik und holte vier Schaufeln, zwei als

Reserve. Die Spitzhacken, welche sonst normalerweise sich mit darin befanden, hatten durch den Fallenabbau sich abgenutzt, sodass sie unwiderruflich kaputt waren. Eine Schaufel händigte Kimiko Easifa aus. Zwei legte sie in den Schnee neben der Schneise. Die letzte behielt sie. Dann begannen beide, den Boden aufzubrechen. Es war körperliche Schwerstarbeit, denn der Boden war wie vermutet komplett vereist.

Urplötzlich überkam Kimiko ein Gefühl von Einsamkeit – eine tief gehende Einsamkeit, die ihr das Herz herausriss. Woher kam dieses Gefühl her? Sie richtete sich auf und schaute sich verwirrt um. Seltsam. Easifa war doch in der Nähe. Warum sollte sie sich auf einmal allein fühlen? Was erzeugte dieses Gefühl, sodass sie sich kaum noch auf ihre Arbeit konzentrieren konnte?

Es beunruhigte sie, doch konnte und durfte sie diesen Anflug von Negativität nicht die Oberhand gewinnen lassen – die Sicherungsmauer musste so schnell wie möglich fertig werden. Sie mussten weiterkommen. Außerdem konnte sie heute Abend mit Alessio über diese Situation sprechen und sie klären. Er wüsste durch seine Schamanenausbildung gewiss Bescheid. Mit einer bewussten Willensanstrengung wendete sie sich wieder dem vor ihr liegenden Graben zu.

Als die Dämmerung langsam anbrach, hatten sie nicht einmal die Hälfte der Bahn geschafft. Kimiko knurrte frustriert. Wenn sie so weiter machten, brauchten sie eine Ewigkeit für das Aufstellen der Planken. Bis dahin waren sie schutzlos - angreifbar. Sie wollte sich lieber nicht vorstellen, wie wenig Alessio vorwärtsgekommen war. Er musste noch mehr von seiner Kraft aufwenden als sie, da er als Mensch körperlich schwächer war als die Hybriden und auch nichts schmelzen konnte.

„Ich denke, heute schaffen wir nichts mehr", meinte sie schließlich. Sie blickte in die Richtung, in der die Sonne untergegangen war. „Ich werde etwas zu essen jagen, bevor es komplett dunkel ist und wir uns in die Schule zurückbegeben müssen. Dann kann Alessio sich um das Fleisch kümmern."

„Bevor du gehst, kann ich dich was fragen?", sagte auf einmal Easifa.

Kimiko nickte nur. Was würde jetzt kommen? Sie hatte immer noch ein paar Geheimnisse, die sie noch niemandem anvertraut hatte. Wollte er sie nun erfahren?

„Ich habe mich die ganze Zeit gewundert, wie du es schaffst, immer etwas zu essen zu jagen. Es ist doch schwierig, zu dieser Jahreszeit überhaupt etwas Essbares zu finden, aber du hast eine nahezu perfekte Erfolgsquote."

„Keine Ahnung. Ich habe es schon immer als einfach empfunden, etwas zu erlegen. Über das Wieso habe ich mir bisher keine Gedanken gemacht. Aber warum es jetzt nicht nutzen, wenn wir kaum die Möglichkeit haben Getreide oder Gemüse anzubauen?" Sie merkte, dass Easifa nachbohren wollte, also kam sie ihm zuvor: „Ehrlich gesagt ist es schon spät, wenn ich heute noch etwas finden möchte, daher sollten wir uns später unterhalten. Ich muss jetzt los. Wünsch mir Glück. Die Tiere sollten langsam wieder aus ihrem Angstmodus aufwachen."

Easifa nickte. Die Erklärung schien ihm im Moment auszureichen. „Ich werde mich noch ein bisschen um den Graben kümmern – noch ein paar Zentimeter hinzufügen – und werde in etwa einer Stunde wieder zur Schule kommen."

Kimiko nickte und begab sich in den Wald. Sie brauchte nicht mal eine halbe Stunde, bis sie ausreichend Beute für alle drei erlegt hatte. Ihr war mal wieder eine Herde von Rentieren vor die Nase gelaufen. So schleppte sie ein kleines schwaches Tier in die Schule. Sobald sie das Rentier in die Schulkantine gelegt hatte, musste sie warten, bis die zwei Männer zurückkehrten. Glücklicherweise dauerte es nicht sehr lange, bis Easifa kam.

Er war wohl völlig ausgehungert, denn schon von Weitem rief er: „Gott, habe ich einen Hunger. Wann gibt es etwas zu essen?"

„Wir müssen noch warten. Alessio ist noch nicht da. Bestimmt ist er bald fertig mit seinen Grabungen und sollte sich lieber konzentrieren. Da würde ich nur stören.", erklärte Kimiko ihn.

Langsam verschwand das letzte Licht und die ersten Sterne kamen heraus, doch Alessio war immer noch nicht zurückgekehrt. Als es vollständig finster war, wurde Kimiko unruhig. Sie wusste, dass Alessio in der letzten Woche das Sicherheitssystem stärker ausgebaut, daher sah es ihm nicht ähnlich, einfach so wegzubleiben.

„Wo ist denn Alessio? Er kann zu dieser Zeit unmöglich noch draußen arbeiten. Die Temperaturen fallen mit jeder Minute", meinte Kimiko beunruhigt zu Easifa. „Ich geh mal nach ihm schauen. Warte so lange hier, vielleicht kommt Alessio zwischenzeitlich zurück."

„Denkst du wirklich, dass das so besser? Soll ich dich nicht lieber begleiten?"

„Nein, ist schon gut. Ich werde schon zurechtkommen. Außerdem muss jemand unsere Glöckchen im Augen behalten, falls jetzt ein Angriff kommen sollte."

„Okay, bis später.", grummelte Easifa etwas widerstrebend.

Kimiko ging an die Grenze zum See und suchte die Stelle, wo Alessio sein erstes Zeichen vergraben wollte. Nach ein paar Minuten hatte sie die aufgewühlte Erde gefunden. Er war definitiv hier gewesen. Erleichtert stieß Kimiko die Luft aus, bevor sie weiter in Richtung Westen rannte. An der Nordwest-Grenze fand sie die nächste Stelle und auch die westliche Grenze war mit einem Zeichen abgesichert. Alessio war erstaunlich weit gekommen. Jetzt war Kimiko gespannt, wie weit er insgesamt fortgeschritten war.

Als sie an der Südwest-Grenze ankam, fand sie schließlich eine weitere Grabstelle. Allerdings war die anders als die ersten drei, und das erschreckte Kimiko, denn diese Grabung war nicht fertiggestellt worden: Die Erde war aufgebrochen, aber seine Schaufel lag daneben. Auch das Zeichen war noch nicht in der Erde. Der Schnee rundherum war von vielen Füßen oder Pfoten aufgewühlt worden. Ansonsten gab es keine Spur von Alessio.

Kimiko schaute sich um. War er irgendwo im Wald? War ein Tier vorbeigekommen und hatte ihn angegriffen? Sie konnte ihn nicht sehen und auch nicht wittern. Die Verbindung zu ihm war unterbrochen. War das der Grund für das Gefühl der Einsamkeit von heute Mittag? Kimiko betete, dass dem nicht so war, aber sie kannte im Grunde die Wahrheit. Alessio war weg – verschleppt.

So schnell sie konnte, rannte sie zu Easifa zurück. „Wir haben ein Problem. Alessio ist entführt worden."

Alessio befand sich wieder in dem altbekannten Kreis aus Bäumen. Er wusste nur nicht, wie er diesmal hierhergekommen war. Normalerweise begab er sich an diesen Ort, wenn er eingeschlafen war. Diesmal jedoch war er einfach so in dem Kreis gelandet – ohne Vorbereitung. Gerade war er noch beim Graben gewesen, jetzt befand er sich hier.

Ihm schwirrte der Kopf. Dieser abrupte Ortswechsel würde bestimmt noch Kopfschmerzen nach sich ziehen. Vor ihm konnte er wieder einen der alten Schamanen aus diesen Gefilden ausmachen. Mittlerweile konnte er sehr gut erkennen, aus welchen Teilen der Welt die Schamanen jeweils stammten, denn dieser kam aus der Mongolei.

„Hallo Alessio, gut, dass du dich hier eingefunden hast."

„Ähm, ja, warum *bin ich eigentlich hier?" Alessio breitete seine Arme zur Erklärung aus. „Ich war gerade dabei, die Zeichen für den Schutzzauber zu vergraben, und hatte gerade den südwestlichen Punkt erreicht, als ich mich hier wiederfand. Was ist passiert?"*

„Das kann ich dir leider im Moment nicht sagen. Es kam für uns ebenso unvorbereitet, dass du hier aufgetaucht bist, aber es passte gerade sehr gut. Wir wollten dir eine kleine Freude machen, wenn du das nächste Mal hier ankommst."

„Wie willst du mir eine Freude machen? Ich kämpfe seit einem Jahr tagtäglich um das nackte Überleben! Erst mit Kimiko konnte ich etwas aufatmen. Trotzdem habe ich keine Zeit für Spaß oder Annehmlichkeiten", brauste Alessio auf.

„Ich weiß, aber lass uns dir unsere kleine Überraschung erreichen. Du wirst dich freuen, das versprechen wir."

Alessio schaute den Schamanen ungläubig an. Was war nur in diese Menschen gefahren, dass sie ihm gerade jetzt etwas geben wollten, das ihm Freude bereitete? Es stimmte, was Alessio gesagt hatte: Er fühlte seit über einem Jahr keine länger andauernden Freuden mehr. Allerdings – und das musste er vor sich selbst zugeben – hatte er in den letzten Wochen mit Kimiko mehr positive Emotionen empfunden als in dem ganzen Jahr davor. Schnell schob er die Gedanken zur Seite, das war jetzt nicht wichtig. Es gab weitaus ernstere Probleme.

Auf einmal bildete sich aus dem näherkommenden Nebel vor ihm eine schlanke weibliche Gestalt, die eine kleinere an der Hand hielt. Was war das? Sollte das die Überraschung sein, von der der Schamane gesprochen hatte?

Nach einer nicht enden wollenden Zeit hatte sich die Person soweit geformt und verfestigt, dass Alessio wusste, wer da vor ihm stand. Es waren seine Frau und seine Tochter.

„Das kann nicht sein, nein!", schrie Alessio klagend auf. Der ganze Schmerz, den er über das letzte Jahr hinweg in sich vergraben hatte,

brach über ihn herein. Mit einem Schlag war der Verlust seiner Frau und seiner Tochter wieder so klar und deutlich wie zu Anfang.

Diese Schamanen waren geisteskranke Leute, wenn sie dachten, er würde sich darüber freuen.

„Mein Schatz, es fühlt sich so gut an, dich wiederzusehen", eröffnete sein Frau Zoe, doch sie kam nicht näher zu ihm. Sie blieb auf der Stelle stehen, mehrere Schritte entfernt.

„Wie kannst du hier sein? Das ist nicht möglich. Ihr seid tot!", beharrte Alessio schluchzend. Er war auf das Knie gesunken. Seine Tränen konnte er nicht mehr zurückhalten.

„Ich weiß. Es tut mir so leid, dass wir unser Leben nicht mehr zusammen verbringen können, und auch, dass du nicht mehr sehen kannst, wie unsere Tochter aufwächst und die Welt entdeckt. Glaub mir, es geht uns hier gut. Die Schamanen haben uns in diese Welt gezogen, sodass wir hier leben können", sagte Zoe, während sie seine Tochter auf den Arm nahm. Ihr liefen die Tränen an den Wangen runter.

„Was meinst du damit? Sie haben euch hierhergezogen? Hier dürften doch nur tote Schamanen leben."

„Zuerst wussten wir nicht, wo wir hier waren, aber dann haben die Schamanen es uns erklärt. Wir sind schon seit einer geraumen Zeit hier. Allerdings brauchte es Geduld und Übung, bis ich so stark geworden bin, dass ich mit dir sprechen konnte. Deine Tochter braucht noch ein bisschen mehr Zeit, aber in einigen Tagen ist auch sie so weit. Auch du musstest stärker werden – deine mentale Kraft musste wachsen. Unsere Verbindung hier beruht auf Gegenseitigkeit. Wenn du in der realen Welt mehr Kraft erlangt, wirst du auch hier mächtiger. Und jetzt ist es soweit, dass du genügend Kraft hast, um deine verbliche Frau und Kind zu sehen. Zumindest erstmal eine von beiden."

„Ihr seid schon eine ganze Weile hier?", wollte Alessio wissen. Er konnte es nicht wirklich glauben, weswegen er lieber noch einmal nachfragte.

„Ich konnte dich schon beobachten, seit du dich in der Schule verschanzt hast. Es tat gut, dich wiederzusehen. Besonders in den letzten Tagen bist du wieder um so vieles stärker geworden. Du hast begonnen, wieder richtig zu leben. Ich freue mich so sehr, dass du dein Herz jemandem öffnest."

Der alte Schamane trat neben seine Frau.

„*Wir alle, die vollständige Schamanengemeinschaft, haben einen Teil unserer Seelenkraft gegeben, um die Seelen deiner Frau und deiner Tochter hierherzuholen. Es soll ihnen an nichts fehlen. Du kannst sie so oft sehen, wie du willst. Du musst nur einschlafen und hierherkommen*", versprach er Alessio.*

Ihm schossen wieder die Tränen in die Augen. Er war gerührt von dieser Geste der Verbundenheit. Waren die Schamanen so selbstlos, dass sie seine Frau und seine kleine Tochter in die Gefilde der Lebensbäume aufgenommen hatten? Er wusste nicht, was er sagen sollte und wie er ihnen jemals genug danken konnte.

„Alessio, ich möchte, dass du weißt, dass du die Liebe meines Lebens warst. Doch bin ich jetzt hier – auf der anderen Seite - und du hast noch dein gesamtes Leben vor dir", sprach Zoe weiter, während sie langsam näherkam. „Ich weiß, dass du Schuldgefühle empfindest, da du Zuneigung zu einer anderen Frau spürst. Aber bitte lass Kimiko in dein Herz. Sie ist das Beste, was dir in diesem neuen Leben passieren konnte. Ich will, dass du weiterlebst.*"

„Es tut mir leid, dass ich so schnell Gefühle für jemanden entwickelt habe. Es ist einfach so passiert, so schnell. Wie kannst du mich dazu ermuntern, dass ich mit Kimiko zusammen sein soll? Ich versteh es nicht."

„Doch, du verstehst es, in deinem tiefsten Inneren. Kimiko ist eine herzensgute Frau. Sie wird dir helfen, wieder zu leben und deinen Weg in dieser neuen Welt zu finden. Ihr beide braucht euch gegenseitig. Ich weiß, dass du immer noch große Zweifel hegst, aber wage den Schritt. Geh auf Kimiko zu. Dein Leben ist noch nicht zu Ende, sondern steht erst am Anfang. Du hast meinen Segen dafür."

„Aber ich habe doch geschworen, dir auf ewig treu zu sein."

„Ich weiß und es erfüllt mich mit Stolz, dass du es bisher so strikt durchgezogen hast, aber es heißt auch: bis dass der Tod uns scheidet. Daher ist es kein Betrug, sondern ein Neuanfang. Du kannst nicht auf ewig allein in der realen Welt bleiben" Zoe zwinkerte ihm zu.*

Alessio schaute zu Boden. Er wusste nicht, was er sagen sollte. Die Großzügigkeit von Zoe machte ihn sprachlos.

„In ein paar Tagen kannst du auch mit Amelie reden. Sie und ich sind hier. Solltest du in deinen Träumen hierherkommen, können wir Zeit miteinander verbringen. Da kannst du uns von deinem Leben berichten.

Ich würde mich freuen, wenn du uns weiter als einen Teil von deinem Leben betrachten würdest. Die Entscheidung liegt bei dir."

Diese Aussage baute auf eine seltsame Art und Weise Alessio auf. „Danke, es bedeutet mir sehr viel."

Seine Frau lächelte zurück. Es war schön, dass sie ihm sein Verhalt nicht nachtragen wollte. Die Last auf seinen Schultern verringerte sich deutlich.

Plötzlich trat der alte Schamane zu ihnen. Er sah alarmiert aus. Sorgenfalten hatten sich in sein Gesicht eingegraben. Es musste etwas passiert sein. Sofort beschleunigte sich Alessios Puls.

„Es tut mir leid, aber ich muss euer Wiedersehen stören. Ich weiß, was dich hierhergeholt hat: Du bist in Gefahr und musst unbedingt aufwachen, am besten sofort! Es kommt eine Bedrohung auf deine Gemeinschaft zu. Wach auf!"

Schlagartig schlug Alessio die Augen auf. Zuerst war er orientierungslos, denn er befand sich nicht mehr in Fraser Lake. Das bemerkte er sofort. Er lag in einen kleinen finsteren Raum, die nichts gemeinsam hatte mit seiner neuen Heimstätte. Alessio konnte nicht erkennen, ob draußen Dunkelheit herrschte oder der Raum keine Fenster besaß. Nicht mal seine Hand konnte er vor Augen sehen. Weiterhin war es unnatürlich still. Normalerweise war immer ein Rascheln und Knarzen von alten Gebäuden oder ein anderes leises Geräusch, wie das Säuseln des Windes, zu hören, aber nicht jetzt. Seine Sinne waren wie lahmgelegt.

Das Einzige, was er in diesem Moment wahrnahm, war der widerwärtige Geruch der Drillinge. Hatten sie ihn schlussendlich doch geschnappt? Würden sie ihn genauso foltern wie Kimiko und Easifa? Alessio glaubte nicht, dass er diese Folter überleben würde.

Er versuchte seine Hände und Füße zu bewegen, doch hatten die Drillinge ihn so fest gefesselt, dass Kabelbinder bei jeder Bewegung tiefer in seine Gelenke schnitten. Er spürte, wie es nass an seinen Händen runterlief. Verdammt, das konnte nur Blut sein. Also blieb er reglos liegen.

Wie hatten diese drei Männer ihn schnappen können? Er hätte sie doch riechen sollen. Er hatte sie vorher immer gerochen, warum diesmal nicht? War seine Nase schlechter geworden? Alessio dachte zurück an die letzten Augenblicke, bevor sie zugeschlagen hatten. Er hatte im Wind gestanden und war konzentriert am Arbeiten gewesen. Das hieß, dass die Drillinge womöglich gegen den Wind an ihn herangeschlichen waren und das ziemlich schnell, wie er sich vorstellen konnte. Hoffentlich haben sie Kimiko und Easifa nicht entdeckt. Das durfte nicht noch einmal passieren, das würden die beiden nicht überleben. Doch jetzt musste er auf sich konzentrieren. Denn er musste hier raus, sonst gäbe es für ihn keine Zukunft mehr.

Plötzlich intensivierte sich der Geruch wieder – die Drillinge waren da.

„Was wollt ihr von mir?", schoss er. Alessio musste so viel wie möglich über diese Wesen herausbekommen. Vielleicht konnte er sie lang genug ablenken und sich einen Fluchtplan überlegen.

„Oh, er hat uns bemerkt. Wie außergewöhnlich für einen *Menschen*. Er scheint weiter entwickelt zu sein als die anderen beiden. Meinst du nicht auch, Abdal?", hörte er eine Stimme gehässig lachen.

„Ich denke, *sie* wird begeistert von ihm sein. Der letzte Mensch auf Erden und *sie* hat ihn ganz für sich allein. Mann, was glaubst du, wie hoch unsere Belohnung sein wird? "

„Oh, die wird riesig werden und weißt du, was der absolute Hammer ist? Die anderen zwei Kakerlaken werden ihm folgen und versuchen ihn zu retten – wie zwei brave Hündchen. Sie sind so vorhersehbar."

„Stimmt, das wird lustig. Die haben nicht mal die gleiche Stärke von Kraft wie wir. Ihr Level ist so weit unter unserem, dass der Vergleich schon peinlich ist. Das macht es für uns einfacher, eine unerkennbare Falle für sie aufzubauen."

„Kommt lass uns die vorbereiten. Wenn wir alle drei haben, können wir sie alle zusammen zu *ihr* bringen. Oh Mann, *sie* wird sich so was von freuen."

Alessio horchte auf. Dann waren diese Drillinge also auch nur Handlanger. Wen meinten sie mit *ihr*? Wer war *sie*? Wenn schon diese drei Männer so grausam waren, wie bösartig musste erst ihre Herrin sein? Diese ominöse „Sie " durfte seine Freunde nicht in die Finger bekommen, denn mit einem hatten die Drillinge recht: Kimiko und Easifa würden versuchen ihn zu retten. Das durfte nicht passieren. So wertvoll war er nicht.

„Also, wie wollen wir die Beiden einfangen?"

„Hm, ich denke, das ist ganz einfach. Wir brauchen nur diesen unterentwickelten Affen hier hinzulegen, öffnen die Tür, sodass sein Gestank hinauswehen kann. Dann heißt es abwarten. Diese Schwächlinge sind wie Lemminge. Sie werden kommen. Ihre menschliche Seite lässt ihnen keine andere Wahl. Die gegenseitige Hilfe macht sie schwach."

Jeder der Drillinge lachte laut los und das Geräusch ließ Alessio vor Angst ganz schlecht werden. Dann verließen alle drei den Raum.

Kimiko wusste nicht, was mit Alessio geschehen war. Doch es verhieß nichts Gutes, wenn seine Arbeitsmittel ungenutzt herumlagen. Auch Easifa schien beunruhigt zu sein, denn er wischte sich mit einer Hand immer wieder durch seine Haare.

„Wo genau hast du seine Sachen gefunden?", fragte er zum gefühlt tausendsten Mal.

„An der Südwestgrenze, in der Nähe der alten Baustelle."

„Hast du irgendwas anderes Ungewöhnliches mitbekommen?" Easifa wollte jedes Detail wissen.

„Na ja, wenn ich es mir recht überlege, war sein Geruch gedämpft, als würde etwas ihn überlagern. Aber etwas anderes habe ich nicht gerochen. Es gab keinen Hinweis auf das Einwirken von jemand Unbekanntem."

Kimiko verlor fast ihre Fassung. Alessio durfte nichts passieren. Nicht jetzt, wo sie gerade dabei waren, ein Leben aufzubauen und sie eine Heimat gefunden hatte.

„Hm, was meinst du? Waren es diese Drillinge?", überraschte sie Easifa.

„Oh scheiße, denkst du? Ich hoffe es nicht. Er würde die Folter nicht überleben. Und wie sollen wir die finden, wenn wir beide diese Drillinge nicht riechen können?"

„Ich habe keine Ahnung", meinte Easifa zerknirscht.

Keiner von ihnen beiden wollte diese Möglichkeit in Betracht ziehen, aber leider war es das Einzige, was einen Sinn ergab.

„Vielleicht ist es das Beste, wenn wir als Erstes zu der Stelle gehen, von der Alessio entführt wurde. Von dort aus können wir gemeinsam nach weiteren Hinweisen suchen. Allerdings sollten wir ein bisschen Fleisch vorbereiten, sodass wir Wegzehrung haben. Wer weiß, wie lange

161

wir durch den Schnee laufen müssen. Zugleich sollten wir unsere Kräfte schonen, denn ich gehe davon aus, dass es zu einem Kampf kommen wird. Aber zuerst brauchen wir eine Richtung, wo die Drillinge hin gegangen sein könnten."

„Ich glaube nicht, dass sie bei uns in der Nähe vorbeigekommen sind. Wir hätten sie vielleicht auf die eine oder andere Weise bemerkt. Also müssten sie in Richtung Westen gegangen sein. Dann wissen wir, wo wir nach Spuren suchen sollten."

„Wir hätten zumindest Alessio gerochen, wenn sie bei uns vorbeigekommen wären. Lass uns so schnell wie möglich aufbrechen."

Mit vereinten Kräften machten sie das von Kimiko erlegte Tier verzehrfertig, in dem sie es in kleine Stücke schnitt, damit sie es während des Gehens mit einer Hand essen konnte.

Nach einer halben Stunde war alles erledigt. Anschließend packten sie ihre Waffen zusammen, bevor sie schließlich in Richtung Südwesten loszogen. Bald hatten sie die Stelle erreicht, von der Alessio gekidnappt worden war. Der Schnee war immer noch aufgewühlt, jedoch konnten sie nichts weiter erkennen. Keine Spur, die hin- oder wegführte. Es war zum Mäuse melken.

„Scheiße. Welche Richtung sollen wir nehmen? Einfach nur nach Westen zu gehen, kann uns extrem schnell von Alessio wegführen. Vielleicht finden wir weitere Anhaltspunkte, wenn wir die Umgebung in der Richtung absuchen", meinte Kimiko. Sie war sichtlich nervös. Ihr Bewegungen wurden fahrig und auch ihre Augenlider begannen zu zucken. Sie wollte lieber nicht wissen, was die Drillinge in der Zwischenzeit mit Alessio anstellten. Wenn sie ihm die gleiche Folter antaten wie ihr, würde er es nicht überleben. Sie und auch Easifa hatten es ja kaum überstanden.

Nachdem sie fast eine Stunde die Umgebung untersucht hatten, blieb Easifa plötzlich stehen. Fast wäre sie in ihn reingerannt. Verwirrt schaute Kimiko zu ihm.

„Was ist los? Warum bleibst du stehen?", wollte sie wissen. Hatte Easifa etwas gehört oder gesehen, dass ihr entgangen war?

„Ich weiß nicht. Etwas ist hier in der Nähe! Etwas Übernatürliches!", meinte Easifa geheimnisvoll.

„Was Gutes oder was Böses?"

„Ich habe keine Ahnung. Es ist vielleicht … fürsorglich und

162

liebevoll. Seltsamerweise fühlt es sich nach Alessio an. Als wäre es etwas von ihm, was hier herumspukt!"

Easifa schwieg einen Moment und schaute sich um. „Ich weiß wirklich nicht, was es ist. Ich kann es leider nicht genau bestimmen."

Kimiko schaute sich ebenfalls um. Allerdings konnte sie genauso wenig entdecken. Sie wollte losgehen und weitersuchen, doch auf ein Handzeichen von Easifa verharrte sie erneut. Ohne Vorwarnung schob er Kimiko hinter sich. Bevor sie sich beschweren konnte, flüsterte er: „Bleib hinter mir, so lange, bis der Bär wieder weg ist."

Verdutzt fragte Kimiko nach: „Ein Bär?"

„Ein weißbrauner von der Rasse der Geisterbären. Er ist etwas kleiner als ein Eisbär. Momentan schaut er in unsere Richtung, ohne den Kopf abzuwenden. Vielleicht sieht er in uns eine leichte Beute."

„Ich kann keinen Bären sehen. Bildest du es dir auch wirklich nicht ein?"

„Definitiv nicht. Er steht einige Meter von uns entfernt und beobachtet uns", kam die entschlossene Antwort.

Kimiko verstummte. Woher kam ihr das, mit dem Bären, nur bekannt vor? Erst ein paar Sekunden später kam sie auf die Lösung – Alessio.

„Ich glaube, ich weiß, woher dieser Bär stammt.

Alessio entwickelt sich seit ein paar Monaten zu einem Schamanen. Seitdem steht ihm ein persönliches Krafttier – eine Art spiritueller Führer in der realen Welt – zur Verfügung. Er hat mir einmal erzählt, dass es ein weißbrauner Bär wäre."

Easifa spannte sich an. „Wann wolltet ihr mir davon erzählen? Ich vertrau euch doch. Warum vertraut ihr mir nicht?"

„Na ja, wie soll ich sagen … Du hast ja nie danach gefragt und wir hatte nicht den richtigen Moment erwischt, es dir zu erzählen."

„Ahja, ich denke, wir sollten mal ein Gespräch über Vertrauen führen."

Kimiko schaute ihn verdutzt an, bevor sie lächeln musste. Der Gedanke wärmte sie auf.

„Das sind die gleichen Worte, die ich zu Alessio gesagt habe, als er mir von dir erzählt hat."

Easifa blieb für einen Augenblick ruhig. Ihm schien die Bedeutung eines Gespräches durchaus bewusst zu sein. Dann meinte er leise: „Scheint so, als seid ihr schon ein eingeschworenes Team, stimmt's?"

Kimiko nickte traurig. Doch dieses Team stand vor dem Zerfall, wenn sie nicht Alessio retten konnten.

Bevor Kimiko sich immer schlimmere Szenarien ausdenken konnte, riss sie sich zusammen. Alessio war jetzt in Gefangenschaft und würde vielleicht sterben. Sie wollte aber lieber nicht, darüber nachdenken, denn sie würde das nicht zulassen, solange sie lebte. Alessio hatte ihr geholfen und nun war es Kimikos Aufgabe, ihm zu helfen.

„Vielleicht will der Bär uns zu Alessio hinführen?", fragte sie daher Easifa.

Der blieb einen Moment lang still und schien den Bären zu beobachten. „Seltsamerweise ja, du könntest recht haben. Er hat uns gerade den Rücken zugekehrt und schaut jetzt über die Schulter in unsere Richtung. Auch bewegt er seinen Kopf auffordernd, wenn ich es richtig interpretiere", meinte Easifa.

Kimiko rannte sofort in die Richtung, die Easifa gezeigt hatte. Wenige Sekunden später hörte sie ihn hinter sich her stapfen. Er folgte ihr.

Nach einer Weile übernahm er die Führung, da nur er den Bären sehen konnte. Zügig führte Easifa sie die Straße entlang, bis er auf einmal in einen Wald ging. Es dauerte zu lange und mit jedem Schritt stieg die Angst um Alessio weiter an. Kimiko wusste nicht, wie lange sie liefen. Der Gewaltmarsch zehrte an ihren Kräften und auch Easifa rann der Schweiß herunter. Auch wenn ihre Muskeln nach einer Pause schrien, mussten sie weiter. Daher war sie froh, dass sie zumindest Nahrung hatten. Um nicht komplett kraftlos, aßen sie immer wieder Fleischstücke. Nicht ein Wort sprachen sie in dieser Zeit.

Nach fast drei Stunden führte sie der Bär an dem Ufer eines Flusses entlang, welcher in einen See mündete. Von da aus ging es weiter in Richtung Westen. Und immer noch war kein Ende ihres Marsches in Sicht. Nicht lange danach hatten sie den größten Teil des Fleisches aufgebraucht. Wo hatten die Drillinge Alessio nur hingebracht? Waren sie wirklich soweit weggerannt?

Kimiko konnte mittlerweile kaum noch klar denken. Die Angst um Alessio hatte sich zu einer ausgewachsenen Panik gewandelt.

„Weißt du, wo wir hier sind? In diesem Teil von Kanada war ich noch nie", fragte Easifa sie.

Kimiko konnte nur verneinend den Kopf schütteln. Auch an ihm begann der Marsch und die Verzweiflung zu nagen. Immer weiter ging es. Als es wieder dämmerte und die Nacht endete, hielt Easifa an. Kimiko stellte sich keuchend neben ihn.

„Ich glaube, wir sind da", sagte er in die Stille hinein. „Der Bär ist verschwunden. Hier irgendwo muss Alessio sein.

Kimiko schaute sich um. Wirklich? An diesem Ort? Vor ihr lag eine große offene Lichtung, welche definitiv durch Menschenhand entstanden war. Es musste früher wohl ein alter Steinbruch früher gewesen sein. Allerdings wuchs seit dem letzten Jahr wieder Gras hier. Man konnte einen grünlichen Film über dem Steinbruch erkennen.

Es war ein tiefer Einschnitt in den Wald. Einzelne veraltete Maschinen zum Brechen von Steinen standen in dieser grauen Umgebung, eine blasse Erinnerung auf die ausgestorbenen Menschen. Große Steine lagen im Weg herum, was einen genauen Blick in alle Bereiche verhindern konnte. Am Rand der Bucht standen einige Baracken, die sehr verfallen wirkten. Es konnte auch sein, dass der Steinbruch schon seit länger als einem Jahr stillgelegt worden war. Das konnte Kimiko nicht so genau sagen.

„Weißt du zufällig, in welcher Hütte er sein könnte?", fragte Kimiko.

„Der Bär ist einfach weg, ohne in eine bestimmte Richtung zu deuten."

„Dann müssen wir es auf die gute altmodische Art und Weise versuchen und jede Baracke einzeln untersuchen."

Beide überquerten rasch die Distanz zu dem Steinbruch und schlichen sich so leise wie möglich zur ersten Hütte. Sobald sie ankamen, lauschten beide. Nichts! Es war komplett ruhig, vorsichtig öffneten sie die Tür. Leer!

„Ich glaube, es dauert ein bisschen zu lange, wenn wir gemeinsam versuchen, ihn zu finden. Es ist besser, wenn wir uns trennen. Bleib aber in Sichtweite, sodass wir im Notfall dem anderen sofort helfen können", meinte Kimiko.

Easifa schien nicht begeistert von dieser Idee zu sein. Seine Mundwinkel wirkten verkniffen und verzogen sich.

„Wir sollten uns lieber nicht trennen. Höchstwahrscheinlich haben die Drillinge schon eine Falle für uns vorbereitet. Wir wissen beide, wie sie sein können. Kennst du nicht die alten Horrorfilme? Es sterben immer Menschen, wenn sich die Gruppe aufteilen."

„Das wird schon. Wir müssen nur Alessio befreien und dann kann er uns hoffentlich bei dem Kampf unterstützen."

Kimiko wusste nicht, was passieren würde. Sie konnte nur hoffen, dass Easifa nicht recht hatte und es wie in diesen Filmen wurde. Sonst hatten sie ein großes Problem. Keiner von ihnen konnte es einzeln mit den Drillingen aufnehmen. Auch ohne Alessio würde es schwer werden, sie mussten ihn retten. Allerdings blieb ein ungutes Gefühl in ihr bestehen. Kimiko konnte regelrecht hören, wie die Falle zuschnappte.

Alessio lag noch immer auf dem kalten Boden und mittlerweile tat ihm jeder einzelne Knochen weh. Seine Handgelenke waren von Blut durchtränkt. Zusätzlich fühlte sich sein Gesicht auf der dem Boden zugewandten Seite taub an. Wann hatte das nur ein Ende? Wie lange würde er hier noch wie Abfall liegen bleiben?

Über die letzte Stunde hinweg war in ihm das Gefühl aufgestiegen, dass ihm etwas tief im Herzen fehlte. Klar seine Freiheit auf jeden Fall, aber etwas anderes, was Alessio nicht benennen konnte. Er versuchte diesem Gefühl auf den Grund zu gehen, doch was es auch war, er konnte es nicht herausfiltern. Zwischenzeitlich wurde er in seinen Gedankengängen immer wieder von den Drillingen unterbrochen, die reinkamen und ihn mit einer vor Sarkasmus triefenden Stimme fragten, ob es ihm denn gut gehen würde. Alessio hatte nicht drauf geantwortet. Wozu auch? Es war ihre sadistische Ader, welche sie das tun ließ.

Vielleicht vor einer halben Stunde hatten sie ihm einen Knebel in den Mund gestopft. Sie gaben keine Begründung, warum, doch Alessio hatte eine Ahnung, von der er inbrünstig hoffte, dass sie nicht wahr sein würde.

Seitdem war niemand mehr in den Raum gekommen. Draußen war es totenstill. Was passierte jetzt? Kamen Kimiko und Easifa ihm zu Hilfe? Oder hatten die Drillinge sie schon getötet? Nein, das wollte er nicht glauben. Das durfte er nicht denken. Dann stieg der Geruch von Kimiko und Easifa ihm in die Nase. Hatten sie ihn gefunden? Woher hatten sie die Hilfe dazu bekommen?

Alessio wollte ihnen zurufen, dass sie sich verziehen sollten, dass das eine Falle war. Es ging jedoch nicht. Hilflos konnte er nur in den

Knebel hineinschreien. Verzweiflung und Wut stiegen in ihm auf. Jetzt roch er die Drillinge, wie sie näherkamen. Das verhieß nichts Gutes. Oh nein, wie konnte die Situation sich so ins Schlechte verwandeln? Was war nur falsch gelaufen?

Plötzlich hörte er Kampfgeräusche. Keine Schreie, sondern nur das Zuschlagen und Auftreffen von Fäusten und Gegenständen. Oder waren es Äste von Bäumen? Alessio wusste im ersten Moment nicht, was es genau war. So schnell es angefangen hatte, so schnell hörte es auch wieder auf. Wer hatte gewonnen? Etwa Kimiko und Easifa? Oder doch die Drillinge? Auf einmal öffnete sich die Tür und es wurden zwei Körper achtlos reingeworfen. Die Drillinge hatten Kimiko und Easifa gefangen genommen.

„Na also, das lieben wir doch, wenn alles seinen Plan geht und diese dreckigen Tiere selbst wieder brav zu uns finden", rief einer von ihnen aus.

„Wie wollen wir jetzt weiter vorgehen? Wir drei sind schneller gewesen, als der Zeitplan es vorhergesehen hatte. *Sie* erwartet uns erst heute Abend zurück."

„Vielleicht können wir noch ein bisschen spielen. Haustiere sind doch zum Spielen da."

„Ohhhh ja!", kicherte einer von ihnen. „Das wird ein Spaß. Bis in ein paar Stunden haben wir noch Zeit mit ihnen, dann müssen wir los. Mich hat das verdammte Warten jetzt doch ziemlich genervt. Die Zwei hätten sich ruhig mal ein bisschen beeilen können."

Damit schlenderten die Drillinge lachend aus der Hütte. Alessio war nun mit Kimiko und Easifa allein. Die Verzweiflung der aussichtslosen Situation hatte die Oberhand in ihm gewonnen. Jetzt gab es keine Rettung mehr. Morgen, wenn sie zu *ihr* gingen, würden sie drei sterben. Tränen rannen ihm über die Wangen.

10. Kapitel Dezember, Jahr 1 nach der Menschheit
Ob du einen oder zwei Männer besiegst – du wirst begreifen, welche
Technik gut ist und welche nicht. - Miyamoto Musashi, Buch des Wassers

Alessio schrie frustriert und hoffnungslos auf. Die Drillinge hatten Kimiko soeben einen weiteren Schnitt zugefügt. Ihr gesamter Körper war mit Messerwunden übersät. Das Erschreckendste daran war, dass diese Wunden sich genau wie beim ersten Mal an den exakten gleichen Stellen befanden. Frisches rotes Blut lief aus jeder einzelnen heraus. Es gab nur einen positiven Punkt bei dieser grausamen Folter: Kimiko hatte schon vor geraumer Zeit das Bewusstsein verloren. Sie spürte nichts mehr. Alessio konnte und wollte sich das nicht mehr antun. Es war unmenschlich, doch konnte er nichts dagegen tun. Die Hilflosigkeit grub ihre Klauen in sein Herz.

Einer der Drillinge stand direkt hinter ihm und hielt ihn fest, sodass er gezwungen war, bei jedem Schnitt hinzuschauen. Egal wie sehr er sich auch wehrte, die Hand umklammerte ihn wie eine Stahlfessel.

„Ist das nicht lustig? Niedlich, wie du immer schreist. Es ist wahrhaft Musik in unseren Ohren", flüsterte der Drilling, der ihn festhielt.

„Bitte hört auf. Ich tue alles, was ihr wollt, aber bitte hört auf", flehte Alessio die Drillinge an.

„Oh wir werden aufhören, wenn wir unseren kleinen Trip machen. Dann wird *sie* ihren Spaß mit euch haben. Davor wollen wir nur noch unser Kunstwerk beenden", lachte der, der Kimiko gerade einen weiteren Schnitt zufügte.

„He, ich denke, wir sollten vielleicht bei dem anderen Schwächling weitermachen. Sie ist schon wieder fast hinüber. Ich dachte, sie wäre mittlerweile etwas stärker geworden, aber sie ist genauso schwach wie vorher. Sie macht überhaupt keinen Spaß mehr."

Sie schoben Kimiko achtlos über den verdreckten Boden gegen eine Wand. Jetzt hatten sie wieder Platz – für Easifa. Bisher hatte der sich nur zu einer Kugel zusammengerollt und gewimmert. Als zwei der Drillinge auf ihn zukamen, begann er, sich zu wehren, doch es half nichts. Die Drillinge waren einzeln stärker als Kimiko und Easifa zusammen. Gegen zwei und gefesselt hatte Easifa nicht den Hauch einer Chance.

Innerlich schrie Alessio auf. Warum konnten sie nicht wenigstens einen von ihnen in Ruhe lassen? Warum quälten diese Männer sie alle drei?

„So, mal sehen, wie dieser hier quiekt", freute sich der dritte von ihnen, während er das Messer in die Hand nahm. „Komm, quiek für mich, kleines Schwein."

Sie begannen, Easifa mit den Messern zu bearbeiten. Er schrie kreischend auf. Diese Männer hatten keine Skrupel. Sie geilten sich daran noch weiter auf – mit jedem Schnitt, den sie taten. Wie konnte Alessio sie nur stoppen?

„Warum müsst ihr die beiden quälen? Sie haben euch doch nichts getan", rief er gequält aus.

„Weil es uns Spaß macht. Außerdem ist es vielleicht eine der seltenen Gelegenheiten, bei der wir Zeit für so was habe. Wir müssen es doch genießen. Schließlich passiert es nicht mehr so häufig, dass wir Mischlinge und sogar einen Menschen dabeihaben. Das müssen wir auskosten."

Auf einmal meinte einer der Drillinge: „Aber es wird langsam Zeit, dass wir zu *ihr* gehen. *Sie* wartet auf ihn und auf die beiden Kakerlaken."

„Stimmt, wir sollten jetzt langsam aufbrechen. So lautet unser Auftrag."

Keiner der anderen Männer widersprach ihm. Sie waren immer einer Meinung. Manchmal fühlte es sich so an, als würden die Drei eine Art Gedankenverbindung haben. Das war natürlich Unsinn – oder etwa nicht? Bestimmt wollten die Drei mit ihren Gesprächen ihre Gefangenen in Angst und Schrecken versetzen. Zumindest gelang es bei Alessio.

In diesem Moment warfen sich zwei der Drillinge die beiden anderen über die Schulter wie einen Sack Kartoffeln. Der Dritte zog mit einer Hand Alessio an der Schulter hoch und zerrte ihn mit sich nach draußen.

„Komm, wir müssen eine ganze Weile laufen. Du willst doch unsere Meisterin kennenlernen. Sie wird sich bestimmt freuen, dich treffen. Wir haben ihr schon so viel von euch erzählt."

Alessio wurde nach vorne aus der Hütte rausgeschubst und schloss geblendet die Augen. Die Sonne stand hoch. Keine einzige Wolke fand sich am Himmel. Allerdings würde es nur ein paar Stunden so sein, dann würde sie untergehen und die Drillinge würde mit ihren Gefangenen bei der Meisterin aufschlagen. Es würde knapp werden, wenn Alessio flüchten wollte. Doch selbst wenn er es schaffen würde, konnte er die beiden anderen nicht allein lassen. Es gab nicht den Hauch einer Chance, sich aus diesem Griff zu befreien, weswegen er sich ohne Gegenwehr vorwärts ziehen ließ. Und soweit es Alessio beurteilen konnte, würde es ein langer Weg werden.

Besonders der Anfang war anstrengend. Der Schnee war hüfthoch in dem offenen Gebieten und die Hose von Alessio war schon nach wenigen Metern durchnässt. Die eisige Kälte grub sich in seine Knochen. Einen kurzen Momentlang fragte, sich, warum die anderen beiden getragen wurden und er nicht. Dann fiel es im ihm ein. Er war der Schwächste. Bei einem Fluchtversuch würde er am einfachsten wieder einzufangen sein.

Nach einer Stunde hatte er das Gefühl, dass seine Beine abstarben. Die Kälte zeigte ihre Auswirkung und ließ kein anderes Schmerzempfinden mehr zu. Schließlich wurden seine Beine mit jedem Schritt tauber, weswegen er einige Male fast kopfüber in den Schnee gefallen wäre. Nur der feste Griff des Mannes an seiner Schulter verhinderte das – leider aber auch die Möglichkeit zur Flucht. Nicht eine Sekunde lang war der Druck der Hand lockerer geworden.

Zusätzlich konnte Alessio erkennen, dass Kimiko und auch Easifa immer noch Blut verloren. Sie hinterließen eine rote Spur im Schnee. Jedes Mal, wenn er hinschaute, überlief es ihn eiskalt. Die beiden hatten was Besseres verdient, als sich von den Drillingen so bestialisch aufschlitzen zu lassen. Sie mussten endlich zur Ruhe kommen dürfen – ihr Leben leben, ohne Angst vor dem nächsten Psychopathen. Waren alle Übernatürlichen geisteskrank? Hoffentlich nicht, das würde den Rest des Guten in diesen beiden Hybriden auslöschen.

Nach fast drei Stunden hatten sie ihr Ziel erreicht. Die Sonne näherte sich dem Horizont. Die Frist war abgelaufen! Die Drillinge hatten Alessio und die beiden anderen zu einer alten Holzhütte geführt.

Es war ein einzelnes Haus mitten im Nirgendwo, eng umgeben von hohen Bäumen, wodurch man das Häuschen erst erkennen konnte, wenn man direkt davorstand. Es hatte etwas von einer Ruine. Überall lagen alte Gerätschaften, wie eine verrostete Säge und einem Brecheisen, und das Holz war löchrig und schwarz vor Alter. Über dem Eingang war ein Schild angebracht, auf dem verwittert stand „Francois Lake Post".

Zusätzlich war ein Briefzeichen angebracht. Hier sollten Briefe und Pakete durchgereicht worden sein? Alessio konnte es nicht glauben.

Er ahnte jedoch, dass dieses Haus sie, wenn sie auch nur einen Schritt hineinsetzten, verschlingen würde. Kein Weg würde daraus führen. Eins war sicher: Dieses Haus bedeutete den Tod für alle drei – einen langsamen grausamen Tod.

„Die Meisterin erwartet uns schon. Sie musste schon so lange warten, bis ihr euch zu einem Besuch bequemt habt. Sie ist sehr einsam ohne ihre Spielsachen", meinte der Drilling, welcher Alessio festhielt. „In der letzten Zeit ist sie leider etwas ungeduldig geworden. Daher hat *sie* uns losgeschickt, damit ihr endlich zu Besuch kommt."

Daraufhin schubste er Alessio gnadenlos weiter. Die beiden anderen Drillinge waren schon an der Tür angelangt, warteten aber noch auf den letzten von ihnen. Erst als alle vor der Eingangstür standen, klopfte derjenige, der Kimiko auf der Schulter trug, an.

„Meisterin, wir sind zurück. Wir haben etwas mitgebracht."

Sie mussten einen Moment warten, dann hörte Alessio einen leises „Herein". Einer öffnete die Tür und gemeinsam traten sie in das schwarze Loch. Sobald sie drinstanden, musste Alessio einige Male blinzeln, bis sich seine Augen an die neuen Lichtverhältnisse gewöhnt hatten. Danach zog er scharf die Luft ein. Dieses Haus passte so gar nicht in die bedrohliche Situation.

Auf den ersten Blick sah das Innere wie das Zuhause einer Familie aus, wirkte normal und harmlos. Es standen eine einfache Couch, ein großes Bücherregal und eine kleine Küche darin. Nichts schien auf den ersten Blick auf eine abgrundtiefe Bösartigkeit schließen zu lassen.

Doch das täuschte, wie er bei einem näheren Hinschauen erkannte. In den Bücherregalen standen viele alte Bücher, deren aufgedruckte Zeichen Alessio noch nie zuvor gesehen hatte.

Manche besaßen dunkelrote Flecken auf den Rücken, welche eine erschreckende Ähnlichkeit mit Blut aufwiesen. In der Küchenzeile befand sich ein großer Kupferkessel, wie man es von typischen Darstellungen von Hexen kannte. Zusätzlich lagen ein paar einzelne Knochen in einer Ecke der Küche. Alessio wollte lieber nicht so genau hinschauen und wandte sich ab.

Auf einmal öffnete sich die einzige Tür zu dem Raum und eine Frau trat ein. Sie wäre eine der schönsten Frauen, die Alessio je gesehen hatte.

Zu Lebzeiten der Menschen hatte sich wahrscheinlich jeder Mann zu ihr umgedreht, aber als er ihr direkt in die Augen schaute, konnte er eine Kälte darin erkennen, die ihm die Nackenhaare aufstellte. Egal wie schön ihr Gesicht war, in seinen Augen war sie absolut erschreckend und grässlich. Er würde sich niemals auf so eine Frau einlassen.

Sie hatte langes schwarzes Haar, das bis auf den Boden reichte. Ihre Haut war schneeweiß und sie trug darüber einen langen schwarzen Umhang. Er bewegte sich um sie herum, als würde er von einer unsichtbaren Hand geführt. Allerdings war das nicht einmal das Gruseligste: In dem Umhang begannen sich immer wieder Gesichter abzubilden. Stumme schreiende Gesichter von jungen Frauen.

Alessio glaubte zu wissen, zu wem diese Gesichter gehörten. Es mussten die zahlreichen vermisste Frauen sein, welche über die letzten Jahrzehnte in dem verfallenen Haus, dem Nobody's Inn, gefoltert worden waren.

„Hallo, Mensch. Es ist mir eine Freude, dich kennenzulernen", sagte die Frau mit einer erstaunlich alten kratzigen Stimme. „Ich habe schon seit einer Weile auf dich gewartet."

„Wer bist du?", fragte Alessio, indem er sie unterbrach, da er nicht weiter ihre hinterlistige Begrüßung anhören wollte.

„Mein Name ist Yamauba. Du hättest mich ruhig ausreden lassen können", ermahnte sie ihn auf eine seltsame Art und Weise. „Vielleicht sollten wir erst mal deine Freunde verarzten. Sie werden vielleicht in den nächsten Minuten sterben und das wollen wir doch nicht … noch nicht."

Sie drehte sich zu den Drillingen und bewegte den Kopf ruckartig zur Seite. Sofort brachten die Drillinge die beiden Bewusstlosen zu der anderen Seite des Raumes, welche im krassen Kontrast zu den auf den ersten Blick einsehbaren Räumlichkeiten stand.

Hier befanden sich überall Folterinstrumente, die Alessio noch nie gesehen hatte, unter anderem Stühle mit Unmengen von Nägeln und Peitschen mit Messern. Auf der Seite des Raumes erhoben sich riesige Kreuze, die an der Wand befestigt waren. Viele hatten Flecken in demselben blutroten Farbton wie auf den Bücherrücken. An diesen Kreuzen wurden Kimiko und Easifa nun erbarmungslos befestigt. Ihre Köpfe hingen noch immer kraftlos nach unten und die Fesseln waren so eng gebunden, dass sie in die Haut sich einschnitten und das Blut ihre Arme hinunterfloss.

Alessio wollte sich am liebsten losreißen und die beiden befreien. Allerdings hielt ihn Yamauba auf – mit nur einem Wort: „Stopp!"

Alessio konnte nicht einen Finger bewegen. Langsam schlich Yamauba zu ihm und strich zart mit einem Finger über sein Kinn. Angeekelt wollte Alessio seinen Kopf wegziehen, doch es ging nicht. Er war ihr auf Gedeih und Verderb ausgeliefert.

„Die beiden sollen sich doch hier wohlfühlen. Warum willst du ihnen das nicht gönnen? Sie werden sich bald besser fühlen. Das verspreche ich dir", sprach sie mit zufriedener Stimme weiter. „Komm, jetzt machst du es dir hier bequem. Du musst mir so viel von dir erzählen. Vor allem, warum du überlebt hast."

Alessio wurde von einem der Drillinge in einen Stuhl gezwängt und festgeschnallt. Mit einer einfachen Handbewegung wedelte sie in seine Richtung und plötzlich konnte Alessio seinen Körper wieder kontrollieren. Er konnte jedoch nur seine Finger und seinen Kopf bewegen. Somit war er keine Hilfe für Kimiko und Easifa, was sein Herz nicht ertrug.

„Abdals, ihr könnt euch jetzt von hier verziehen. Ich möchte mit meinen Gästen mal allein sein", sagte sie, ohne sich umzuschauen.

Aus den Augenwinkeln konnte Alessio erkennen, wie die Drillinge ins Nachbarzimmer verschwanden.

Die ganze Zeit beobachtete sie Alessio wie ein Raubtier auf der Pirsch. „So jetzt hast du es schön bequem und wir können uns endlich unterhalten."

„Warum sollen wir uns unterhalten? Was willst du von uns?", fuhr Alessio sie an, während er an seinen Fesseln zerrte.

„Oh, das ist doch ganz einfach. Ich will deine Seele und die Seelen von den beiden Kakerlaken da drüben", sagte sie, als wäre es das Natürlichste auf der Welt.

Obwohl Alessio nicht wusste, was sie damit genau meinte, war ihm eines ganz klar: Jedem gehörte seine Seele und niemand durfte sie ihm wegnehmen. Yamauba wanderte mittlerweile in die Küche und durchsuchte ihre Schubladen. Dabei drehte sie ihm den Rücken zu. Diese Gelegenheit konnte Alessio nicht verstreichen lassen.

Möglichst unbemerkt versuchte er, sich erneut von den Fesseln zu lösen. Es musste einen Weg geben. Doch egal wie stark er daran zog, sie gaben nicht nach.

„Du brauchst dich nicht anstrengen", hörte er plötzlich Yamauba sagen. Sie stand noch immer mit dem Rücken zu ihm. „Meine Diener sind wahre Meister in Fesselspielen. Du wirst dich nicht bewegen und nicht fliehen können."

„Warum hast du mich gefesselt, wenn du uns doch als Gäste siehst?", fragte Alessio, indem er scheinheilig auf ihr Spiel einging. Ihm war der Grund klar, doch vielleicht konnte er sie überreden, ihm die Fesseln abzunehmen.

„Behandelt man seine Gäste nicht so?", fragte Yamauba überrascht.

„Ich habe meine Gäste immer so behandelt. Sie haben es mir gedankt, indem sie bei mir geblieben sind – für alle Ewigkeit."

Das Blut wich ihm aus dem Gesicht. Meinte sie das, was er dachte? Er wollte es nicht glauben, aber etwas sagte ihm, dass bei dieser Frau alles möglich war. Dann drehte sich Yamauba um und hielt ein großes Messer in der Hand. Vielleicht wäre die rostige Klinge der schlimmste Anblick gewesen, wenn sein Blick nicht an ihrem Umhang hängen geblieben wäre.

Jetzt konnte er sich nicht mehr vor der schrecklichen Wahrheit verstecken: Die Seelen der Frauen, welche sie ermordet hatte, befanden sich in ihrem Umhang. Er konnte es an den stumm schreienden Gesichtern sehen, die sich immer wieder dort abbildeten. Jetzt stieg in ihm die hundertprozentige Gewissheit auf. Es waren definitiv die Seelen oder Bestandteile der Seelen der Frauen aus dem Nobody's Inn und weitere Seelen, die Alessio nicht zuordnen konnte. Yamauba war seinem Blick gefolgt.

„Ah, du hast sie gefunden. Sind es nicht schöne Seelen? Sie passen so gut zu meinem Umhang. Und weißt du, was das Schönste ist? Ihr drei werdet ihnen bald Gesellschaft leisten und dann für immer bei mir sein. Wir werden so viel Spaß miteinander haben." Sie lachte gackernd auf, während Alessio der Schweiß herunterlief. Diese Frau war verrückt. Wie konnte man nur so etwas tun? Es war abschreckend und grausam.

Yamauba kam mit dem Messer auf Alessio zu und legte es neben ihm auf den Tisch. Kälte breitete sich in ihm aus. Die Zeit des Spielens war vorbei. Jetzt würde sie Kimiko, Easifa und ihn selbst töten. Das durfte er nicht zu lassen. Alessio hatte doch gerade erst wieder zu leben begonnen – einen Grund gefunden, zu leben, glücklich zu leben. Das durfte diese Hexe ihm nicht kaputtmachen.

Auf einmal hörten beide ein Stöhnen. Schnell drehte sich Yamauba um und schaute zu den beiden Hybriden um. Auch Alessio wendete seinen Kopf. Erwachte einer von den beiden Gefesselten? War es vielleicht doch nicht zu Ende? Hatten sie noch eine Chance? Kimiko kam langsam wieder zur Besinnung. Sie war jedoch zu schwach, um auch nur den Kopf zu heben.

„Aaaah, eine der Kakerlaken ist aufgewacht. Na, wie hast du die Willkommensgrüße meiner Diener gefunden? Sie waren so nett und haben ein schönes Muster in deinen Körper geritzt. Das wird später eine schöne Dekoration abgeben."

Kimiko murmelte etwas, jedoch war es zu leise, als dass Alessio sie verstehen konnte. Es hatte sich ein bisschen nach „*beschissen*" angehört. Yamauba ging zu ihr. Dabei durchlief sie eine allumfassende Veränderung: Die junge, äußerst schöne Frau verwandelte sich in eine alte Schabracke. Jetzt sah sie wirklich wie eine böse Hexe aus, wie es in den Geschichten stand.

„Du sollst nicht solche bösen Wörter in den Mund nehmen." Dabei schlug sie mit dem Handrücken in Kimikos Gesicht, so stark, dass ihr Kopf zur Seite geschleudert wurde. „Wir müssen daran noch arbeiten. Vielleicht sollte ich deinen Mund mit Seife auswaschen, so wie es früher bei unartigen Kindern gemacht wurde. So kann ich dich nicht mit meinen anderen Gästen bekannt machen. Ein bisschen Anstand sollte jeder haben, nicht wahr?"

Jedes dieser Worte war klebrig süß ausgesprochen. Die Hexe hob mit ihrem Finger das Kinn von Kimiko an. Blut floss aus Kimikos Mund. Beide schauten einander hasserfüllt an. Erst nach einer Weile ließ die Hexe von Kimiko ab und wandte den Kopf weg. Sie drehte sich zu Easifa.

„Hm, wer ist denn dieser junge fesche Mann? Auch ein kleiner Hybrid? Wie süß." Yamauba drehte sich zu Alessio. „Du hast dir ein paar nette Haustiere zugelegt. Das hatte ich dir gar nicht zugetraut."

„Das sind nicht meine Haustiere, sondern meine Freunde. Sie sind auch keine Kakerlaken, sie sind besondere Menschen, die meinen Schutz und meine Hilfe brauchen!", schrie Alessio wütend.

Er konnte diese Art des Redens nicht mehr hören. Niemand war wegen seiner Abstammung besser oder schlechter als andere.

„Nein, mein Kleiner, diese beiden sind zwei Kakerlaken, die es nicht wert sind, zu leben", fuhr ihn Yamauba an. „Diese Schwächlinge sind eine Mischung aus zwei Welten, die es nie geben durfte. Sie sind nicht einmal den Dreck unter meinen Schuhen wert.

„Das ist nicht wahr!", schrie Alessio zurück. „Diese beiden sind mehr wert als du oder deine verdammten sadistischen Diener. Ihr seid es, die nichts wert sind. Ihr verachtet das Leben und zerstört nur."

Yamauba drehte sich wieder zu Alessio um und ging langsam zu ihm. „Du denkst also, dass diese zwei Kakerlaken mehr wert sind als ich?! Das mächtigste Wesen hier in Nordamerika?! Du bist doch noch viel erbärmlicher als wir alle. Wie kannst du es wagen, überhaupt so etwas zu denken? Mit einer einfachen Handbewegung kann ich dich zu allem bewegen, was ich will. Hast du keinen Respekt vor uns höheren Wesen? Vielleicht sollte ich dich doch nicht mit meinen Mädels bekannt machen. Deine Seele scheint nicht in meinen Freundeskreis zu passen – sie schmeckt nicht so lecker und zart wie die anderen."

Oh, oh, jetzt hatte Alessio er geschafft, diese Hexe richtig böse zu machen.

„Was willst du dann mit mir machen?"

Angst kroch seinen Rücken hinauf, denn eigentlich wollte Alessio die Antwort gar nicht wissen. Yamauba nahm wortlos das Messer in die Hand und begann es zu schärfen. Das schleifende Geräusch grub sich in Alessios Ohren, als würde das Trommelfell gleich zerreißen. Yamauba bereitete ihr Ritual vor.

Alessio musste den Blick abwenden und schaute zu Kimiko hinüber. Sie versuchte sich nun, genauso wie er es probiert hatte, von den Fesseln zu befreien, aber sie hatte zu viel Blut verloren. Kimiko war zu schwach, um etwas ausrichten zu können. Es war zwecklos. Selbst jetzt rannen Rinnsale von Blut an ihr herunter. Wie viel Blut befand sich noch in ihrem Körper? Bald würde bestimmt nicht mehr genug in ihr sein, um sie am Leben zu erhalten, das konnte sich Alessio schon denken.

Auf einmal glitt ein Schatten über ihn hinweg. Sofort drehte Alessio seinen Kopf zu Yamauba und erkannte, wie sie auf ihn zukam – mit dem Messer in der Hand.

„So, wollen wir doch mal sehen, wie wir dich am besten zubereiten können. Ich muss es doch besonders ehren, da du ja der Letzte deiner Art bist. Das wird ein Festmahl werden. Das zarte Fleisch kochen, bis es sich von Knochen ablöst. Leider muss ich mich in Zukunft mit anderen Kakerlaken begnügen müssen. Die schmecken nicht so gut wie Mensch."

Sie nahm seine Hand, drehte sie um, und schnitt längs der Pulsader. Sofort schoss sein Blut heraus und spritzte auf seine Kleidung. Yamauba fing es mit einer Schüssel auf. Nach einer Weile hatte sie genügend Blut, denn sie stellte die Schlüssel weg und legte ihm einen Verband um, allerdings zu locker, um den Blutfluss wirklich zu stoppen.

„Ich will doch kein trockenes Fleisch haben. Ich muss eine Marinade für euch vorbereiten und was wäre besser geeignet als euer eigenes Blut? Die beiden Kakerlaken haben leider nicht mehr so viel Blut übrig als dass ich davon eine gute Marinade zubereiten könnte", erklärte sie ihm, als wäre sie ein Küchenchef in einer Liveshow.

Sie nahm die Schüssel mit seinem Blut, stellte sie in die Küchenzeile. Ein paar der herumstehenden Kräuter fügte sie seinem Blut hinzu. Dabei summte sie eine fröhliche Melodie vor sich hin. In Ruhe verrührte sie alles miteinander. Währenddessen begann Alessio, den Blutverlust zu spüren. Seine Augen wurden schwer und Schwindel ergriff ihn. Wenn er nicht bald Hilfe bekam, würde er an dem Blutverlust sterben, doch woher sollte nur die Hilfe kommen? Jeden, den er kannte und der noch am Leben war, war gefangen und Alessio war auf sich allein gestellt. Es gab keinen Weg mehr aus dieser Situation.

Er befand sich wieder im Kreis der Lebensbäume. Vor ihm wabert Nebel. Niemand war da. Warum war er auf einmal wieder hier? Suchend schaute sich Alessio um, bevor er etwas aus den Augenwinkeln bemerkte. Langsam formte sich eine Gestalt aus dem Nebel. Es fiel Alessio schwer zu erkennen, wer es war. War es einer seiner Lehrer oder etwas seine Frau?

Er wurde durch einen Stich wieder in die wirkliche Welt zurückgezogen. Yamauba hatte ihn mit ihrem Messer geschnitten. Ein tiefer Schnitt quer über seine Brust.

„Na, na, na. Wer wird denn hier einschlafen? Du wirst noch verpassen, wie ich die Marinade fertigstelle. Es ist mein persönlich kreiertes Geheimrezept. Du willst doch bestimmt nichts verpassen. Vielleicht willst du es auch mal zubereiten. Aber warte, das wirst du nicht können." Sie lachte auf.

Damit drehte sie sich wieder um und ließ Alessio auf seinem Stuhl zurück. Er drehte seinen Kopf zu Kimiko und Easifa. Sie durften nicht sterben. Alessio war nebensächlich, diese beide nicht. Momentan lebten sie noch, aber für wie lange?

Kimiko hob ihren Kopf an und schaute ihm direkt in die Augen. Es loderte darin ihr unbezähmbares Feuer. Noch war es nicht erloschen, aber es war gedämpft. Ihr schwanden zusehends die Kräfte.

Aus dem Nebel trat der Lehrer, der ihm als erstes hier begegnet war, vor ihn.

„Du musst jetzt stark sein", sagte er ohne Umschweife

„Ich weiß, aber es ist aussichtslos. Es gibt keinen Ausweg. Ich bin gefesselt und Kimiko und Easifa sind an ein Kreuz angebunden. Es wird niemand kommen, der uns retten wird."

Wieder spürte er einen Stich. Yamauba hatte ihn erneut geschnitten. Dieses Miststück! Diesmal quer über eins von seinen Beinen. Sie schaute ihn missbilligend an. Wie einen ungezogenen Jungen, der partout nicht hören wollte. Dieses Luder wollte ihn bluten lassen und bei Bewusstsein wissen, damit er auch ja alles ertrug.

Als er sich zu Kimiko und Easifa drehte, erkannte er, dass Kimiko geschrien hatte. Ihre Augen waren weit aufgerissen und ihr Mund stand offen. Ihr Blick versprach zu töten und er war starr auf Yamauba gerichtet. Leise hörte Alessio ein Stöhnen. Easifa wachte aus seiner Bewusstlosigkeit auf.

„Tu ihm ja nicht weh oder ich schwöre, ich werde dich töten, so qualvoll wie möglich", schnaubte Kimiko wütend in Richtung der alten Hexe.

Die lachte auf. „Du willst mich töten? Das ist lustig. Wie kann eine Kakerlake den Stiefel töten, der sie zertritt? Niedlich, aber zwecklos."

Yamauba ging zu Kimiko und schlug ihr mit brutaler Kraft ins Gesicht. Kimiko sackte zusammen. Der Schlag hatte ihr das Bewusstsein geraubt.

„Könnt ihr mir helfen?!", schrie Alessio den Mann vor sich an. Er hatte nur wenig Zeit in diesen Gefilden.

„Wir können nichts tun. Wir leben hier auf der Geisterebene und können nicht auf die reale Welt zugreifen."

„Gibt es nichts, was man machen kann? Gibt es keinen Ausweg?!",

schrie Alessio verzweifelt. Tränen brannten in seinen Augen. Gerade hatte er Kimiko gefunden, jetzt durfte er sie nicht wieder verlieren.
„Doch, es ist gibt einen. Dein ..."

Auf einmal hörte Alessio wieder jemanden aufschreien, doch es war diesmal nicht er, sondern Kimiko. Yamauba hatte irgendwas mit ihr gemacht, weswegen Kimiko unter größten Qualen schrie.

„Lass sie in Ruhe. Sie hat dir nichts getan!", rief Alessio zu Yamauba rüber.

„Sie hat mich in meinen Vorbereitungen gestört. Ich dulde keine Störungen, wenn ich koche. Ich brauche meine volle Konzentration. Vielleicht sollte ich meine Diener holen, damit sie euch beide ruhigstellen. In der Zwischenzeit werde ich beginnen, den jungen Mann hier zu filetieren. Er scheint verhältnismäßig zartes Fleisch zu haben, was sehr erstaunlich für einen Mann ist. Mit der Marinade aus deinem Blut wird er bestimmt köstlich sein." Yamauba rief nach ihrem Dienern.

Sofort kamen die Drillinge in die Folterhöhle. Jeder von ihnen sah sehr zufrieden aus, als würden sie die Schreie und das Betteln von ihren Gefangenen genießen.

Yamauba nahm ein Messer und begann, Easifa sehr langsam ein Stück von seiner Haut abzuschneiden. Sofort kreischte er vor Schmerzen auf. Alessio zerrte an seinen Fesseln, doch er war zu schwach. Der Kampfeswille verließ ihn endgültig. Alle drei würden sie hier sterben. Keiner konnte ihnen jetzt noch helfen.

„... Krafttier, deinen Begleiter. Er kann dich unterstützen."
„Wie ...?"
„Er wird dir helfen, glaube uns. Wir können im Moment leider nicht mehr tun!"

Alessio schlug die Augen auf. War das die Lösung? Der Blutverlust setzte ihm immer mehr zu, doch mit seinem letzten Ausflug in die Schamanenwelt hatte er den Tipp bekommen, der vielleicht ihr Leben retten würde.

Sein Begleiter saß sogar schon vor ihm. Der Bär schaute ihn ruhig und geduldig an. Er wartete, bis Alessio den Bären anblickte.

„Wirst du mir helfen?", flüsterte Alessio zu ihm. Die Hexe und ihre

Diener durften nicht mitbekommen, was er machte. „Du bist unsere letzte Hoffnung."

Der Bär nickte mit seinem mächtigen Haupt. Sofort stand er auf und trabte zu Kimiko. Niemand bemerkte ihn – glücklicherweise. Die Drillinge waren weiter auf Kimiko konzentriert und Yamauba hatte sich Easifa zugewandt, dem sie gerade ein weiteres Stück Haut abschnitt. Sie nahm die zwei Stücke und ging gemütlich in die Küche. Anscheinend wollte sie erst diese Partien anbraten. Alessio kam die Galle hoch.

Der Bär hatte sich mittlerweile neben Kimiko platziert und hob eine Tatze mit voll ausgefahrenen Krallen. Wollte er sie töten? Konnte das sein?

„Neeeiiin!", schrie Alessio entsetzt aus.

Vom Verstand her wusste er, dass der Bär ihr als sein Krafttier nichts antun konnte, doch sein Herz sah ein großes Raubtier, welches Kimiko angriff. Überrascht drehten sich die Drillinge und Yamauba um. Sie schauten ihn an, als verlöre er den Verstand, was, wenn man es von außen betrachtete, auch so war. Der Bär blieb glücklicherweise unbemerkt. Er ließ ungeachtet von Alessios Schrei die Krallen über Kimiko fahren. Quer über ihren Körper schnitten sie. Alessio glaubte schon, das Blut spritzen zu sehen, aber als das Tier die Pfoten wegnahm, gab es keine neuen Einschnitte an ihrem Körper.

Hatte sein Begleiter sie doch nicht gekratzt? Aber Alessio hatte es doch gesehen! Oder war es vielleicht gar nicht auf der körperlichen Ebene geschehen, sondern auf der geistigen? Könnte das sein? Auf der spirituellen Ebene musste.

Eines wusste er jedoch sicher: Der Angriff hatte einen Effekt auf Kimiko, denn sie schrie schmerzerfüllt auf und sackte in sich zusammen. Es hatte ihr den Rest gegeben. Der Bär schaute sich einen Moment zu Alessio um. Seine Augen hatten etwas Entschuldigendes.

Plötzlich begann sich der Bär in Luft aufzulösen. Was passierte hier? Was hatte das Tier getan? Kurz zwinkerte der Bär, dann war nur noch Rauch zu sehen. Der stieg auf und drang langsam durch die blutrot leuchtenden Einschnitte in Kimiko ein. Nicht eine Sekunde ließ Alessio diesen Prozess aus den Augen. Was geschah hier nur?

Opferte sich der Bär etwa? Doch wieso? Was würde es den Dreien bringen, wenn sich ein Energiewesen auflöste und seine Essenz, diese Energie, freigab? Gerade wollte Alessio seinen Blick abwenden, weil er den Anblick der Opfer nicht mehr ertragen wollte. Da entdeckte er eine Veränderung bei Kimiko. Irgendwie schien sie auf einmal kraftvoller zu sein. Ihre Augen glänzten wieder. Ihre Atmung verlangsamte sich und wurde kräftiger. Und auch ihr Körper spannte sich wieder an. Sie hob den Kopf, ohne eine Spur von Schwäche. Ihr Blick suchte seinen. Ihre Mundwinkel hoben sich leicht. Was passierte hier?

Sie verändert sich vor seinen Augen. Nicht von ihrer Gestalt – sie war immer noch menschlich –, aber von ihrer Körpersprache. Ihre Arme erhoben sich kampfbereit. Sie beugte sich leicht nach unten, als würde sie losspringen wollen und auch ihr Kopf schob sich nach vorne.

Nicht nur Alessio bemerkte es, auch die Drillinge und Yamauba sahen diese Veränderung. Alle vier näherten sich Kimiko und betrachteten sie genauer – wie unter einem Mikroskop.

„Du hast dich verändert. Du bist auf einmal stärker. Wie kann das sein? Ist es vielleicht, weil ich diesen Menschen umbringen werde? Interessant!", flüsterte Yamauba fasziniert. Keine Sekunde war sie über diese Veränderung beunruhigt.

„Weißt du, Yamauba, ich habe schon öfter von dir gehört. Du bist eine Hexe aus meinem Heimatland. Allerdings dachte jeder, du wärst ein Hirngespinst", begann Kimiko. Ihre Stimme war stark. Sie strotzte regelrecht vor Energie.

„Hirngespinst? *Hirngespinst?*", schrie Yamauba wütend auf. „Ich bin doch kein Hirngespinst. Ich wohne hier schon seit dem Zweiten Weltkrieg und lebe seit Jahrhunderten. Die Menschen verehrten mich. Sie haben mir neue Freundinnen gebracht, sodass ich nie allein war. Ich bin eine Göttin und niemand schaut auf mich herab."

„Du hast die Frauen gefressen. Du hast diesem Highway den Namen gegeben, der in die Geschichte eingegangen ist – der Highway der Tränen. Jetzt wirst du dafür bezahlen", beendete Kimiko ihre Ansage.

Plötzlich schoss eine Flamme aus Kimikos Hand. Es war die rechte, welche am nächsten bei Easifa war. Innerhalb von einer Sekunde war er vollständig in Feuer eingehüllt.

Oh Gott, war Kimiko jetzt verrückt geworden? Verbrannte einfach so ihren Weggefährten. Alessio schrie entsetzt auf. Genauso schnell wie es angefangen hatte, hörte das Feuer jedoch wieder auf. Das Kreuz war leer. Nichts deutete auf den Dschinnhybriden hin.

Easifa kauerte auf dem Boden daneben. Er schaute einen Moment lang verdutzt. Er konnte nicht glauben, was ihm gerade passiert war, aber wenn Alessio ehrlich sein wollte, er konnte es auch nicht glauben.

Sofort rannte Easifa zu Alessio. Sobald er vor ihm stand, versuchte er, die Fesseln zu lösen. Währenddessen standen Yamauba und ihre Diener vor Kimiko. Sie trauten ihren Augen nicht. Erst als Easifa ein überraschtes Geräusch von sich gab, reagierten sie. Die Drillinge stürzten sich auf ihn, ihre Augen leuchteten blutrünstig.

Alessio fürchtete schon, dass Easifas letztes Stündlein geschlagen hatte, allerdings kamen die Drei nicht weit. Mit einem schrecklichen Feueratem umhüllte Kimiko die Drillinge. Kreischend heulte sie auf, während sie sich auf den Boden wälzten. Die Drillinge versuchten das Feuer zu löschen, doch es war unerbittlich. Langsam, aber sicher fraß es sich durch die Haut und Muskeln in die Knochen. Nach einer Minute waren nur noch verkohlte Skelette übrig, welche vor Hitze noch knackten.

War das wirklich passiert? Alessios Mund stand vor Überraschung offen, genauso wie der von Easifa. Es gab nur eine Person, die nicht beeindruckt war: Yamauba. Nicht einmal der Tod ihrer Diener schien sie aus ihrer Traumwelt herausholen zu können.

Denn sie erwiderte, „Willst du mich mit diesem lächerlichen kleinen Feuer beeindrucken? Du hast nicht genug Macht. Du bist nur eine kleine Kakerlake. Ich bin aber eine Göttin, eines der mächtigsten Wesen auf diesem Kontinent. Ich kann dich zertreten wie ein Stiefel das Insekt. Dafür, dass du meine Diener getötet hast, werden jetzt deine Freunde bezahlen. Auge um Auge, Zahn um Zahn.“

Damit drehte sich die Hexe zu den beiden Männern, um ihr Versprechen wahr zu machen. Mittlerweile hatte Easifa es geschafft, Alessio loszubinden und ihm die Verbände fester, um seine Wunde zu legen. Alessio sah sich nach einer Fluchtmöglichkeit um, aber es gab keine. Yamauba kam langsam näher, mit dem Wissen, dass Kimiko ihr nicht schaden konnte. Beide Männer pressten sich an die Wand. Die Hände der Hexe waren zu scharfen Krallen geworden und hocherhoben. Innerhalb der nächsten Sekunde würde sie die Männer erreichen und töten.

„Du wirst ihnen nichts zuleide tun. Ich bin deine Gegnerin!“, schrie Kimiko zornig.

Yamauba drehte sich um und lachte. „Wie willst du mich denn

aufhalten? Du bist doch an das Kreuz gefesselt und kannst nicht einen Finger bewegen. Du bist zu schwach. Aber warte ruhig. Nachdem ich mit den Männern fertig bin, komme ich zu dir."

Kimiko schaute an sich herunter und dann wieder hoch. Ein Plan begann offenbar in ihrem Kopf Gestalt anzunehmen, denn sie lächelte. Auf einmal veränderten sich ihre Augen. Die Menschlichkeit wich aus ihnen. Ihre Pupillen verengten sich zu Schlitzen und glühten eisblau mit der Intensität eines Raubtieres. Es blieb nicht nur bei den Augen: Jetzt begann sich ihr ganzer Körper zu verlängern. Ihre Haare wechselten zu einem Schneeweiß und breiteten sich über ihren ganzen Körper aus.

Dabei wuchs sie zusehends. Ihre Nase und ihr Mund bildeten eine Schnauze. Durch den Größenzuwachs brach letztendlich das Kreuz auseinander. Wenige Sekunden später riss auch ihre Kleidung. Darunter kam ihr schneeweißes Fell zum Vorschein.

Nach nicht mal einer Minute beugte sich Kimiko nach vorne. Sie hatte ihre Fuchsgestalt mit den neun Schwänze angenommen, doch Kimiko war noch nicht am Ende mit ihrer Verwandlung. Schon jetzt war sie größer als in ihrer ursprünglichen Gestalt, sogar größer als Alessio, trotzdem wuchs sie noch weiter, bis sie zu groß für die Hütte wurde. Ihr Körper drückte gegen die Decke und Alessio konnte das Holz knarzen hören. Ein paar Sekunden später brach es und die Dachbalken fielen krachend herunter.

Alessio schaute fasziniert zu Kimiko. Sie war jetzt eine wahre Naturgewalt.

„Verdammt, wir müssen hier raus, sonst werden wir noch aus Versehen getötet!", rief Easifa aus und zerrte Alessio aus dem Haus und in den Wald.

Zwar versuchte Yamauba nach ihnen zu greifen, doch Easifa schlug rücksichtslos ihren Arm mit voller Kraft zur Seite. Erst als sie von den Bäumen umgeben waren, blieben sie stehen und drehten sich um. Was sie sahen, verschlug ihnen erneut den Atem. Kimiko war riesig geworden. Ihre Schulterhöhe hatte die Größe der umstehenden Bäume erreicht. Währenddessen sah nun Yamauba aus wie eine Ameise. Sie lachte nun nicht mehr. Im Gegenteil ihr Gesicht war kalkweiß und vor Angst verzerrt.

Sie schrie entsetzt zu Kimiko, „Das kann nicht sein, das darf nicht sein. Du kannst kein Inari, ein Gott, sein. Ich habe über die letzten

Jahrhunderte die gesamten Diener eurer bescheuerten Gottheit ausgelöscht. Er hat niemanden mehr, der ihm dienen kann."

Mit dröhnender Stimme sagte Kimiko, „Ich bin keine Dienerin des Inaris, sondern seine einzige lebende Nachfahrin. Ich bin stärker alle Diener von meinem Vater zusammen." Damit riss sie ihr Maul auf und begann einen riesigen Ball aus Feuer zu bilden. So etwas hatte Alessio noch nie gesehen. Nach einem Augenblick senkte Kimiko schließlich ihren Kopf und schleuderte erbarmungslos Feuer auf Yamauba.

Ein entsetzliches Kreischen war zu hören, als die Flammen Yamauba umschlossen. Der Kampf gegen die Flammen dauerte eine ganze Zeit, sodass der Mond schon sichtlich weitergezogen war. In dieser Zeit breitete sich der Geruch von verbranntem Fleisch aus. Es brachte die beiden Männer zum Würgen. Alessio wollte schon aufatmen, da die Schreie der Hexe leiser wurden, als sie plötzlich ihre gebrochene Stimme hörten.

„Wenn ich schon sterben werde, dann werde ich deinen menschlichen Geliebten mitnehmen", kreischte Yamauba im Todeskampf.

Eine schwarz verbrannte Gestalt rannte zu Easifa und Alessio. Sofort stieß Easifa Alessio zur Seite und stellte sich Yamauba in den Weg. Er streckte seine Hände aus und hielt die Hexe fest. Auf der Stelle umschlossen die Flammen auch ihn, allerdings konnte das Feuer ihm nichts anhaben.

Die Hexe jedoch wehrte sich immer verzweifelter und schlug nach Easifa, aber ihre Kraft erlahmte zusehends. Wodurch ihre Schläge nichts mehr bei Easifa ausrichteten. Dann, nach einer gefühlten Ewigkeit, brach die brennende Gestalt zusammen und verbrannte zu einem Haufen Asche.

Der Tod hatte endlich diese bösartige Frau ereilt. Alessio schaute erleichtert zu Kimiko, wie sie in riesenhafter Fuchsgestalt auf dem Gebäude herumtrampelte. Sie hatten es geschafft. Kimiko war im wahrsten Sinne über sich hinausgewachsen.

Nichts Bösartiges durfte hier noch übrigbleiben. Sobald sie fertig war, alles in Schutt und Asche zu legen, schritt sie zu Easifa und Alessio. Er wollte ihr schon für die Rettung denken, aber es gab keine Minute Erholung.

Kimiko beugte sich mit ihrem mächtigen Körper runter und meinte schwach: „Wir müssen uns beeilen. Alessio, du musst noch heute Nacht dein Ritual durchführen, sonst war dieser Kampf bedeutungslos."

Kimiko legte sich vor den beiden zu Boden. Easifa stellte sich neben Alessio hin. Sie kletterten auf den Rücken von Kimiko, hielten sich an den langen weißen Fellhaaren fest. Währenddessen sprintete Kimiko los.

Sie hatten nicht mehr viel Zeit. Die Sonne war schon dabei unterzugehen und Alessio musste nicht nur fünf weitere Zeichen vergraben, sondern auch das Ritual durchführen – in weniger als drei Stunden, wenn er es richtig schätzte.

Kimiko rannte als, würde sich Yamauba aus ihrem Aschehäufchen erheben. Der Kampf steckte immer noch in ihren Knochen und sie fühlte, wie ihre Kräfte sie verließen. Nach fast einer Stunde kamen sie schließlich an der Südwestgrenze von ihrer neuen Heimat an. Eilig rutschte Alessio von ihrem Rücken und begann in seinem entkräfteten Zustand, die letzten Zeichen zu vergraben. Easifa half ihm dabei, in dem er die Erde so weit erwärmte, dass Alessio es einfacher hatte. Sobald sie mit einem fertig waren, rannte sie zu der nächsten Stelle, nach nicht einmal einer Minute waren sie im Wald verschwunden.

Kimiko warf einen Blick nach oben. Der Mond stand schon hoch am Himmel. Sie hatten nicht mehr viel Zeit, auch wenn sie noch eine Weile brauchen würde. Kimiko schleppte sich währenddessen zurück zu der Schule. Sie konnte kaum noch geradeaus gehen, somit war sie auch keine Hilfe mehr für die Beiden.

Durch den Kampf hatte sie etwas in sich geweckt, von dem sie nicht gewusst hatte, dass sie es besaß. Diese Macht, die sich durch ihren Körper gegraben hatte, war erschreckend und grauenhaft gewesen. Am liebsten wäre sie wieder zu ihrer ursprünglichen Gestalt zurückgekehrt. Allerdings war etwas Vertrautes in ihr hineingefahren, was ihr den Mut zu dieser Verwandlung verliehen hatte.

Nun waren ihre Energiereserven aufgebraucht. Es war alles zu viel gewesen. Hundert Meter vor der Schule verließen sie letztendlich ihre Kräfte und sie schlug hart auf den vereisten Boden auf. Nicht einen Meter konnte sie sich mehr bewegen. So blieb sie eine Zeit lang liegen, ohne eine Chance Hilfe zu rufen. Die Kälte kroch in ihren Körper, der sich zwischenzeitlich wieder in ihre Menschenform verwandelt hatte.

Sie war nackt und keine Kleidung wärmte sie. Zum Glück brachte sie das in Bewegung. Es wäre doch gelacht, wenn sie gerade jetzt, nachdem sie einen harten Kampf überstanden hatte, erfrieren würde.

Daher erhob sie sich auf zitternden Beinen und musste sich erstmal an einen Baumstumpf abstützen. Schon jetzt kam sie kaum noch zur Luft.

Da fiel ihr Blick auf ein totes Eichhörnchen neben dem aufgewühlten Schnee und der Erde. Schnell griff sie danach und grub ihre Zähne in das Fleisch.

Schon fühlte sie wie Kraft wieder in ihre Arme und Beine kroch, sodass sie zumindest bis zur Schule gehen konnte. Dort konnte sie sich einerseits Kleidung suchen und andererseits gab es da mehr Nahrung.

Während sie langsam über den schneebedeckten Boden lief,

konnte Kimiko erkennen, wie sich ein riesiger goldener Schimmer über den nachtschwarzen Himmel ausbreitete. Es sah so warm und wunderschön aus. Alessio hatte es geschafft. Das Ritual war erfolgreich durchgeführt und diese Stadt war endlich vor dem Bösen geschützt.

Tränen stiegen erneut in Kimikos Augen. Diese Stadt würde in Zukunft das Zuhause und die Zuflucht von Alessio und ihr sein, das versprach sie sich. Andere Hybriden würden bestimmt auch hier vorbeikommen. Niemand würde von hier vertrieben.

Epilog
Sechs Monate später

Die Sonne schien warm über den See und die Stadt. Kimiko drehte sich zu Alessio um und lächelte ihn an. Gerade hatte sie ihre Runde um die Stadt beendet und stand still an dem See. Sie genossen beide die Ruhe des Augenblicks, bevor es wieder an die Arbeit ging.

In den letzten Monaten hatten sie um die Stadt herum einen unüberwindbaren Wall errichtet. Zusätzlich hatten sie einen Kreis von Fallen und Frühwarnsysteme errichten. Jetzt hatten sie eine richtige Festung, in die niemand eindringen konnte. Das Gefühl der Sicherheit, das damit einherging, war angenehm und hart verdient.

Ein anderes Thema war die Ankunft von weiteren Hybriden in ihrer Stadt. Jeder war von den Übernatürlichen gejagt und auf grausame Art und Weise verletzt worden. In dieser Festung hatten sie die Möglichkeit eines sicheren Hafens bekommen und konnten sich in Ruhe psychisch und physisch erholen. Einige waren nach kurzer Zeit weitergezogen, so wie Easifa, aber sie kamen alle immer wieder zu Besuchen, um neu aufzutanken. Es hatte etwas von einem Bed and Breakfast.

Der andere Teil der Hybriden war geblieben und half, aus dieser kleinen Ansammlung von Hütten eine pulsierende Stadt zu machen. Zusätzlich hatte sich Alessio in den letzten Monaten immer mehr zum Lebensmittelpunkt der Gemeinde entwickelt. Sein Schamanendasein brach nun vollständig durch. Jeder kam zu ihm, wenn er ein Problem oder eine Frage hatte. Alessio schien damit sehr zufrieden sein. Er musste sich nicht mehr um die überlebenswichtigen Dinge kümmern, sondern um die privaten, was ihm eine Last von den Schultern nahm.

Kimiko dachte zurück, wie es angefangen hatte. Die Begegnung mit Alessio. Ihre Wanderung und ihren endgültigen Sieg über diese Hexe. Dabei betrauerte sie auch, dass sie nicht ein einzigen ihrer Geschwister kennen lernen durfte. Es war das Werk von Yamauba gewesen. Kimiko war heilfroh, dass sie diese bösartige Hexe und ihre grausamen Diener getötet hatte. Damit hatte sie ihre Geschwister zumindest ein bisschen rächen können.

Zudem hatte sie nun das Gefühl, dass nun Alessio und sie vollständig und unüberbrückbar miteinander verbunden waren. Alessio meinte, dass es mit der Opferung seines Krafttieres zu tun hatte. Sie war jetzt so was wie sein Krafttier. Zuerst verstand sie das nicht, aber mit der Zeit klärte es sich von selbst: Sie war für seinen Schutz zuständig. Manchmal spürte sie auch den Drang, Alessio zu bestimmten Stellen zu führen. Das war das Krafttier in ihr. Später erzählte Alessio, dass der Bär sich jetzt auf derselben Geisterebene wie seine Frau, seine Tochter und der Rest der Schamanen befand. Alle waren zufrieden und Alessio konnte seine Ausbildung weitertreiben.

Alessio stellte sich neben Kimiko und schlang einen Arm um ihre Taille. Es fühlte sich gut an. Wer hätte gedacht, dass sie sich nach dem Ende der Menschheit in einen verlieben würde?

„Hättest du geglaubt, dass wir so viel schaffen würden, innerhalb der letzten neun Monate? Ich kann es immer noch nicht fassen", sagte er, in Erinnerungen schwelgend.

„Nein, aber ich bin froh, dass alles so gekommen ist. Nichts würde ich daran verändern."

Kimiko schaute weiter wachsam über den See. Für sie waren diese Stadt, ihr Vater und Alessio ein wahr gewordener Traum. Endlich hatte sie eine Familie.

Plötzlich stach ihr etwas ins Auge, was hier nicht hergehörte. Es stach deutlich von dem strahlenblauen Himmel ab. Es war keine weiße Wolke, sondern es sah wie schwarzer Rauch aus, die auf sie zukam – mit jeder Sekunde wurde sie größer. Was war das? Erfolgte ein Angriff? Kimiko spannte sich an. Noch wollte sie sich nicht in ihre Fuchsgestalt verwandeln. Das wäre wie mit Kanonen auf Spatzen zu schießen.

„Was ist?", fragte Alessio neugierig. Er hatte es noch nicht mitbekommen.

„Ich weiß nicht, aber etwas oder jemand kommt näher. Das beunruhigt mich, da ich noch nicht einordnen kann, ob es nun Gefahr bedeutet oder nicht."

„Beobachte es genauer. Ich möchte nicht so unvorbereitet sein wie bei Yamauba. Wir haben es nur mit Mühe und Not geschafft, zu überleben."

Beide schauten über den See. Nach einem Augenblick sah Kimiko eine dunkle Wolke auf sie zu kommen. Sie nahm sofort Kampfstellung ein, während sich Alessio augenblicklich umdrehte und den anderen zurief, dass sie sich in Sicherheit sollten. Sofort rannten alle in die besprochenen Verstecke. Nicht mal eine Minute später standen Kimiko und Alessio allein am Ufer und nichts deutete mehr auf eine pulsierende Stadt hin.

Nach zehn Minuten kam eine recht große tiefschwarze Wolke bei ihnen an und blieb plötzlich stehen. Das war seltsam. Eine Wolke, die sich nicht wie normal verhielt. Sie senkte sich zu Boden. Schließlich trat eine große dunkel gekleideten Frau heraus. Ihre Haare und ihre Augen waren so schwarz, dass jegliches Licht darin verschwand. Ihre Haut dagegen war bleich wie der Mond. Sie war eindeutig eine Übernatürliche. Wollte sie Ärger machen?

Bevor Kimiko auch nur einen drohenden Schritt nach vorne treten konnte, hob die Frau beide Hände als Zeichen, dass sie keine Waffen bei sich trug, hoch.

„Bitte, ich komme in Frieden!", sagte sie mit rauchiger dunkler Stimme.

„Woher sollen wir das wissen?", fragte Kimiko nach. Sie war angriffsbereit, niemand würde die Stadt angreifen, ohne dass sie etwas dagegen unternahm.

„Wenn ich euch was zuleide tun wollen würde, hätte ich es schon von der anderen Seite des Sees gemacht. Allerdings will ich nur mit euch sprechen. Nichts weiter. Das verspreche ich euch!"

„Über was willst du reden?"

„Ich will die Ursache finden, warum fast die gesamte Menschheit ausgestorben ist. Es ist ein unnatürlicher Zustand, der nie hätte eintreten dürfen. Ein klares Verbrechen, und es muss unbedingt bestraft werden. In der Hoffnung, durch menschliche Überlebende mehr zu erfahren, habe ich mich auf die Suche nach ihnen gemacht", erklärte die dunkle Frau ihren Besuch.

„Es gibt leider nur einen Überlebenden und das ist Alessio hier", meinte Kimiko. Nicht eine Sekunde entspannte sie sich.

„Das ist so nicht ganz richtig", lautete die vorsichtige Antwort. „In Europa habe ich vor einigen Wochen eine junge Frau in einem Gestaltwandlerrudel kennengelernt. Sie hat mir erzählt, dass das vorhergehende oberste Alpha von Europa von fünf Überlebenden gesprochen hat. Du bist der zweite, den ich gefunden habe."

Stille breitete sich aus. Konnte das sein? Langsam erschien ein Lächeln auf Alessios Gesicht.

„Fünf Menschen haben überlebt?"

„Ja und die andere Überlebende, welche ich bisher gefunden hatte, war blind. Ihr wurden die Augen weggebrannt. Allerdings konnte sie immer noch alles sehen. Jede einzelne Verbindung, jede einzelne Aura der Vergangenheit und der Gegenwart. Es war irritierend."

Oha, das klang nach etwas, was Kimiko von jemandem kannte. Sie schaute zu Alessio. Er nickte ihr beruhigend zu und meinte dann: „Seit wann kann die Frau denn so sehen?"

„Sie hat die Fähigkeit kurz nach dem Ende der Menschheit erlangt."

„Ich habe meine Fähigkeit ebenfalls kurz danach erlangt. Seit knapp anderthalb Jahren ist mein Geruchssinn so fein, dass ich alles riechen kann, auch die Lebewesen, denen kein Geruch anhaftet."

Die Frau schaute ihn zuerst überrascht an, nickte aber dann, als hätte sie verstanden. „Das ist seltsam, aber was ist in der jetzigen Welt nicht seltsam und unnatürlich? Danke für diese Information. Ich schätze sie sehr."

Alessio nahm den Dank nickend an. „Allerdings, um deine Frage vorwegzugreifen: Ich weiß leider nicht, was vor anderthalb Jahren passiert ist. Ich würde es aber auch gerne in Erfahrung bringen. Wer so ein Massensterben verursacht hat, darf nicht ungeschoren davonkommen. Das Einzige, was ich mitbekommen habe, war der seltsame Geruch von verbrannter Erde und sehr viel Blut, aber nichts Weiteres. Diesen Geruch wird mir bis auf Ewigkeiten in Erinnerung bleiben. Hilft dir das weiter?"

„Noch nicht ganz, aber danke, dass du es mir bereitwillig erzählt hast. Bisher habe ich noch zu wenig Anhaltspunkte, aber ich hoffe, mit der Zeit ergibt sich ein Bild heraus. Ich will euch in eurer Stadt nicht weiter stören und werde mich jetzt wieder auf den Weg machen. Vielleicht finde ich die anderen überlebenden Menschen. Ich kann nur hoffen, dass sie noch am Leben sind. Sie können mir vielleicht ein besseres Bild von der Ursache des Massensterbens.", plötzlich stockte sie und schaute sich um.

Ihr Gesicht, welches bis gerade eben noch angespannt war, veränderte sich. Die Mundwinkel öffneten sich leicht und ihre Augen wurden groß. Sie schien erst jetzt mitzubekommen, wie geschäftig es in der Siedlung hinter ihnen war.

„Als ich hierher geflogen bin, konnte ich sehen, wie die Bewohner der Stadt gearbeitet haben. Ihr seid ganz schön viele hier. Es ist so wuselig, das bin ich gar nicht mehr gewöhnt. Friedlich und rein, wie eine Insel im tosenden Meer. "

Die dunkle Frau schaute sehnsüchtig zur Stadt, bevor sie sich sichtlich aufraffte. Sie wollte weiterziehen.

„Vielen Dank. Solange du uns nichts Böses antun willst, würde ich mich sehr freuen, dich hier wieder begrüßen zu dürfen", meinte Alessio zu ihr. „Kannst du uns aber vorher deinen Namen verraten?"

„Vielen Dank für die Einladung und ich freue mich, sie in der Zukunft anzunehmen. Allerdings möchte ich erst Gerechtigkeit walten lassen, bevor ich mich wieder den schönen Dingen des Lebens widmen werde. Dann komme ich auch gerne vorbei." Die Frau lächelte. „Mein Name lautet Kelaino."